Sara

Marie Thérèse Boterman

Sara

roman

Sara is een uitgave van Marie Thérèse Boterman
in samenwerking met Uitgeverij de Doelenpers bv, Alkmaar

Voor mijn vader en moeder

© Marie Thérèse Boterman, 2008

ISBN 978-90-70655-68-6

Sara is een uitgave van Marie Thérèse Boterman
in samenwerking met Uitgeverij de Doelenpers bv, Alkmaar

NOOT VAN DE SCHRIJFSTER:

De schrijfster heeft de vrijheid genomen fictie en werkelijkheid met elkaar
te vermengen.

'Standing knee deep in a river dying of thirst'
Joe Cocker (Standing knee deep in a river - *Have a little faith*)

Proloog

Gefeliciteerd: een gezonde dochter!

Op datzelfde moment schalde de harmonie onder het half-geopende raam van de eerste verdieping. Het was 3 oktober 1946: Leidens ontzet. De zomer was voor de moeder grijs en angstig geweest, net als in de voorgaande jaren. Maar vandaag, op deze herfstdag, brak de zon door en zette de kamer in een roze gloed. De muziek van buiten vermengde zich met de vreugdekreten van beide ouders en het gehuil van de baby. De moeder glimlachte.

De dokter en de jonge vader knikten elkaar even bemoedigend toe. De vader schoof het gordijn opzij, een bries deed de gordijnen opbollen. Hij keek neer op de menigte en de gevels waar trots en fier de vlaggen wapperden. De stad vierde feest. De optocht draaide de Hoge Rijndijk op. Hij zuchtte even en schoof het kozijn omlaag. Het geluid stierf langzaam weg. De moeder wierp een blik in de wieg en trok deze behoedzaam naar zich toe. Haar wens was vervuld. Ze noemde haar Sara.

Deel I

1

Er waren veel manieren om je te verstoppen, maar Sara kende er maar een. Op haar handen tegen de muur, haar rok als een lampenkap over haar gezicht. Sara wist dat ze tevoorschijn moest komen als haar moeder haar riep, maar ze kwam niet. Haar moeder kon haar immers niet zien.

Toen haar moeder het na haar tiende verjaardag opeens niet meer goed vond dat Sara handstanden maakte, stond haar wereld op zijn kop. Alles wat voorheen klein en nietig was, bleek nu groot en bedreigend.

Het gezin waar Sara deel van uitmaakte, was in tien jaar uitgebreid met zes kinderen. Op de jongste na allemaal jongens.

"Geef haar op voor ballet of doe iets, dat kind wordt gewoon opgeslokt door al die jongens," zei oma tegen haar moeder. Oma begreep haar tenminste, dacht Sara, die het gesprek vanachter haar boek volgde.

"Maar ze wil niets," verweerde mam zich. "Als ik er geen stokje voor steek zit ze de hele dag te lezen."

Sara deed of ze de boze toon van haar moeder niet hoorde en dook terug in haar fantasiewereld. Mam kon vaak zo kattig zijn, heel anders dan haar vader.

Haar vader was een vriendelijke man, die haar de geborgenheid gaf die ze zo nodig had. Hij was haar grote held. Graag fietste ze na school bij zijn werk langs. Hij stond meestal alleen in de bakkerij, zijn rug gebogen over de te lage werktafel. Voorzichtig sloop ze dan naderbij. Wanneer ze naast hem stond, keek hij opzij en glimlachte even, dan veegde hij zijn handen af aan zijn schort en zette haar op de hoek van de werkbank. Van daar af keek ze ademloos toe hoe hij snel en vaardig de marsepein omtoverde tot blaadjes.

Onder zijn handen ontstonden de mooiste bloemen, niet één hetzelfde. Deze intieme momenten samen met hem waren voor Sara de kostbaarste momenten van de dag. Bij hem voelde ze zich veilig en hoopte vurig dat het altijd zo zou blijven.

Sara zat met haar broertjes om de tafel in de achterkamer en ze speelden Halma, toen de bel ging. Met z'n allen stormden ze naar de deur. Met zijn brede gestalte vulde oom Henk de deuropening.

"Wat gezellig, kom binnen," begroette mam hem. Ze begeleidde haar broer naar de zondagse kamer.

Tegen het raam van de deur, dat de voorkamer van de achterkamer scheidde, stonden nieuwsgierige kinderen elkaar te verdringen. Ze zagen dat mama en oom Henk elkaar kort vasthielden, hun hoofden naar elkaar gebogen. Niet lang daarna kwam mama met rode ogen de kamer binnen en riep de kinderen bij zich.

"Ik moet jullie iets vertellen." Ze keek van de een naar de ander en haar stem klonk schor. "Oma is dood."

"Oma, hoe kan dat nou, vorige week leefde ze nog," zei Bram. Hij schudde ongelovig zijn hoofd, zijn onderlip trilde.

"Nu heb ik geen moeder meer," zei mama huilend, waarop de kleintjes dicht tegen haar aankropen.

"Maakt niks uit, ze was toch al heel oud," zei Jos troostend. Geschrokken keek mama naar oom Henk. Bob en Jos verscholen zich snel onder de tafel.

Sara nam de kleintjes mee en bracht ze naar bed. Daarna ging ze zelf ook. Zachtjes om Amy, de baby die bij haar op de kamer sliep, niet wakker te maken, kroop ze snel onder de dekens. Natuurlijk was oma al oud, maar dat ze zomaar dood was, drong nog niet echt tot Sara door. Vanuit haar slaapkamer hoorde Sara haar moeder zacht praten.

Drie dagen later werd oma begraven.

Sara bleef stil liggen en vroeg zich af wat er anders was. Normaal klonken er door het huis geluiden van krakende bedden, kuchende kinderen... maar niet vandaag. Ineens wist ze het weer: het was de dag van de begrafenis. De jongste kinderen waren uit logeren, alleen de drie oudsten mochten mee.

Sara gooide haar benen over de rand van het bed en kleedde zich aan. De kleren die ze aan moest, hingen over de stoel. Toen ze in de kamer kwam, zag ze mam al in haar zwarte mantelpakje aan de ontbijttafel zitten: ze controleerde de inhoud van haar tas. Het donkere haar, dat vol en springerig was, glansde. Zoals altijd viel het Sara op hoe mooi rood haar nagels waren.

"Zo goed, mam?" Ze wachtte tot haar moeder opkeek en streek ondertussen de plooien van haar jurk glad.

Mam sloot haar tas en stond op. Ze bekeek haar dochter kritisch en plukte een paar pluisjes van haar jurkje.

"Alleen dat haar nog, hier... doe het zelf maar." Ze gaf Sara de borstel en een schone zakdoek.

Toen iedereen klaar was, haastten ze zich naar de tram.

Bij het huis van oma stond de deur op een kier. Het huis was vol mensen. In de salon zaten de mannen bij elkaar, ze rookten sigaren en voerden op gedempte toon gesprekken. In de achterkamer, om de grote tafel met het pluchen kleed, zaten de tantes. Glazen water en pilletjes gingen rond, tantes werden getroost en zakdoekjes, besprenkeld met eau de cologne, werden in kleine tasjes of mouwen weggemoffeld.

Achter hen, als een monument, stond oma's trapnaaimachine. De stoel voor het raam, achter de naaimachine, dat was oma's lievelingsplek. Uren kon ze daar zitten met haar rug naar de kamer. Het licht dat door het venster naar binnen viel, verlichtte dan de vriendelijke trekken in haar gezicht. Als ze moe werd, liet ze haar voeten rusten en staarde dromerig de tuin in.

In de keuken liepen vreemde mensen met koffie en thee. Tussen al die sniffende ooms en tantes lette niemand op het meisje dat door dat grote huis liep. Heel zacht opende ze de deuren van de verschillende kamers en keek speurend naar binnen. Het was voor Sara een vreemde sensatie dat alles in dit huis nog zo sterk aan haar oma herinnerde: haar geur, haar bontjes aan de kapstok, haar pantoffels naast het bed. Sara zocht naar een bevestiging dat oma dood was, er niet meer was, maar niets wees erop dat ze voorgoed weg was. Integendeel, nog nooit was Sara zich zo bewust geweest van haar aanwezigheid.

Opeens werd ze opgeschrikt door stemmen van beneden. Stoelen werden achteruitgeschoven en vanuit de gang klonk geroep: het was tijd voor de kerk. Behoedzaam sloot ze snel de deur en voegde zich bij haar ouders.

De eerste dagen na de begrafenis bleef Sara thuis.

"Ik bel wel naar de school," zei mam. Haar moeder was nog te veel van streek en kon Sara's hulp niet missen. Iedere middag ging ze een uurtje slapen, tegelijk met de kleintjes. In huis hing een vreemde stemming. Er werd niet geschreeuwd, niet gelachen en zelfs de jongens hielden zich rustig.

Na drie dagen ging Sara weer blij naar school. Thuis was het niet gezellig. Het was net alsof haar moeder zonder de steun van oma niet goed wist welke kant ze uit moest. Ze liep maar wat door het huis, rookte de ene sigaret na de andere en wist vaak niet welke boodschappen ze nodig had. Ze klampte zich aan Sara vast als haar enige bondgenote. Het gaf Sara het gevoel dat ze belangrijk was en daarom deed ze extra haar best. Aan haar broertjes had haar moeder niets, die zaten aan elkaar te trekken of renden achter een bal aan. Mam had dan ook het liefst, dat ze ver uit haar buurt bleven.

"Zorg jij maar voor de jongens, Sara, die zijn het drukst. Dan zorg ik wel voor je zusje."

Op een zondag riepen haar ouders Sara bij zich. Ze dronken samen koffie in de kamer die alleen op zondag en voor de visite gebruikt werd. Hun gezichten stonden ernstig.

"Doe de deur eens dicht," zei mam. Sara's hart bonsde in haar keel. Had ze iets verkeerds gedaan? Had ze tegen haar ouders gelogen? Waren ze erachter gekomen dat ze laatst een chocolade-knots had gepikt bij de kruidenier? Ze wisten het! Hier was ze al die tijd bang voor geweest. Het was haar eigen schuld, ze had nooit die rotknots moeten pikken.

"Luister Sara," begon haar vader vriendelijk. Ze keek op van de klank in zijn stem.

"We willen verhuizen." Ze zou nu opgelucht moeten zijn, maar dat was ze niet.

"Alweer, mama zeker?"

"Mama en ik natuurlijk."

"Waarom?" Ze voelde een enorme razernij opkomen. Haar vader liet zijn blik over haar gezicht dwalen.

"De flat wordt te klein en..."

"... en papa kan zijn oude baan weer terug krijgen," vervolgde haar moeder. "Het is een mooie kans".

"Dus dan moeten we hier weg? Iedere keer als ik net gewend ben, gaan we weer. En Marjolein, hoe moet dat dan? Ze is mijn beste vriendin. Ik ga niet mee, als je dat maar weet."

Mama kneep haar ogen tot spleetjes. "Doe eens rustig, vriendinnen krijg je ergens anders ook wel weer. Ik heb in Amsterdam niets meer te zoeken."

"Alleen omdat oma dood is? Ik dacht dat je dichter bij de familie wilde wonen. De tantes wonen er nog."

"Ja, maar de belangrijkste is weg." Haar moeder streek afwezig een lok uit haar gezicht.

"Dat is niet waar," antwoordde Sara fel. "Als je hier weggaat, ben je echt alleen. Wees blij dat je weet waar je thuishoort, dat is meer dan ik kan zeggen."

"Vreemd," mompelde mam. Ze keek haar dochter aan alsof ze haar voor het eerst zag.

"Wat?"

"Niets, laten we erover stoppen. Dit is iets tussen pap en mij."

"Oh ja, en wij dan?"

"Het gaat natuurlijk nog wel even duren, Sara, voor het zover is," zei papa sussend. "We hebben niet een-twee-drie een geschikt huis en dan moet die baan ook nog doorgaan. Maar dan weet je het alvast."

Sara haalde verlicht adem. Misschien was het een storm in een glas water, ging die baan helemaal niet door.

"Ga nu maar buiten spelen en neem je broertjes mee."

Het zat Sara niet lekker. Hoe kon ze nou zonder haar vaste vriendin Marjolein, waar het thuis altijd gezellig was met alle broers en zussen, de moeder van Marjolein – een klein vrouwtje met een grappig accent – en haar vader, die zich altijd tussen de boeken verscholen hield. Daarom begon Sara er later in de week weer over. "Waarom moeten we verhuizen, we hebben hier onze vriendjes en onze school."

"Zoals ik al zei, die krijg je ergens anders ook wel weer, stop met dat gezeur, alsof ik het al niet zwaar genoeg heb."

Sara smeekte en beloofde dat ze haar voortaan zou helpen met het huishouden. Ze kon afwassen, boodschappen doen, op haar broertjes passen. Mama kon dan naar de stad gaan, als ze dat wilde.

"Naar de stad? Waarvan?" was dan haar antwoord.

"We lijken wel zigeuners."

Haar moeder haalde geërgerd haar schouders op, pinkte een traan weg en in haar hals verschenen rode vlekken. Geschrokken sloeg Sara haar armen om haar middel.

"Het is het gemis, Sara," zuchtte mam. "Ik red het niet meer, al die jongens en de baby. Toen oma nog leefde was het allemaal veel makkelijker. Die wist wat het was om een groot gezin te hebben. Als papa die andere baan krijgt, blijft hij de hele week weg en komt hij alleen in het weekend thuis. Dan sta ik er helemaal alleen voor."

Het wonder, waar Sara stiekem op gehoopt had, kwam niet. Haar vader kreeg de baan. Sindsdien jammerde mam de hele dag hoezeer ze hem miste en dat ze nog geen ander huis hadden.

Sara zei niets, maar zij miste hem ook. Iedere zaterdag stond ze op de uitkijk. Wanneer ze haar vader na een week de straat in zag komen, rende ze op hem af. Dan liep ze aan zijn arm met hem mee naar huis, waar haar moeder hem van haar overnam.

Zondags na het eten ging hij weer weg. Sara liep dan met hem mee tot de hoek. 'Pas je goed op mama?' vroeg hij steevast voor hij wegging. Ze kreeg een kus en zwaaide tot hij uit het zicht verdwenen was.

Geheel onverwacht kregen ze een ander huis. De papieren werden getekend en niets stond een verhuizing meer in de weg. Voor Sara kwam het bericht als een schok. Mam was in de wolken.

Die dag was ook de afsluiting geweest van een novene. Negen dagen lang was ze iedere morgen om zeven uur opgestaan. Terwijl iedereen nog sliep, had ze zich aangekleed en met doodsangst in haar schoenen haar fiets uit het berghok gehaald. Het lichtje in het trapportaal floepte steeds uit, waardoor het pikdonker was. Haar voetstappen klonken hol. Het zweet stond op haar rug en haar ogen vlogen van links naar rechts. Elk moment verwachtte ze dat er iemand uit het donker tevoorschijn zou springen. Zo hard ze kon fietste ze dan, constant om zich heen kijkend, naar de kerk, waar ze in het portaal moest wachten tot ze weer een beetje op adem was. Dan pas liep ze naar voren.

Na de mis, gelukkig was het dan al licht, fietste ze gezamenlijk met andere klasgenootjes direct door naar school. Daar was het altijd gezellig; de meeste leraren, waren nog niet aanwezig, en in het overblijflokaal werd er gelachen en was het rumoerig.

Maar vandaag zat Sara stilletjes in een hoekje. Nadat ze gegeten had, sloop ze de aula uit en liep het nog lege klaslokaal in. Bij het bord pakte ze een krijtje uit het bakje en schreef '4 NOVEMBER 1956' in de rechterbovenhoek. Ze deed een paar stappen achteruit en bekeek het resultaat, liep weer terug, hield het krijtje een beetje scheef, iets platter tegen het bord en zette de letters dikker aan.

4 NOVEMBER 1956

Daarna had ze haar kastje leeggehaald en was ze zonder afscheid te nemen, vertrokken.

Toen ze thuis haar hoofd om de hoek van de deur stak, draaide mam, die op het balkon stond, zich om en keek op haar horloge. "Wat ben je vroeg!" Ze stak een sigaret op en inhaleerde diep. "Hoe was het afscheid op school?" Ze staarde naar haar dochter. "Was het naar?"

"Ik weet het niet, ik ben gewoon weggegaan."

"Dus je hebt niemand gedag gezegd?"

"Nee."

"Wat ben je toch een raar kind. Vind je het nog steeds zo erg?"

"Ja, en dat weet je gerust wel."

Niemandsland, het gebied tussen Amsterdam-West en de Haarlem-merweg, strekte zich uit tot de bosschages die in de verte een lange streep vormden. Daarachter hoorde je het eentonige gebrom van de bewoonde wereld. Sara, haar broers, de Indonesische familie van Marjolein en nog een paar gezinnen uit andere flats hadden Niemandsland in de afgelopen jaren veroverd. In Niemandsland overheerste het geluid van spelende kinderen, het gezang van de vogels en het geritsel in het gras.

Vandaag was het stil. Met haar broertjes en de baby was Sara naar buiten gegaan. De aanblik van de opgestapelde verhuisdozen en de kale muren met hun gekleurde krassen en vieze vingers, stille getui-gen van voorbije blijheid, vlogen haar naar de keel. Naar buiten wilde ze.

De jongens lagen naast elkaar in het gras en wachtten geduldig tot Sara zich met hen ging bemoeien. De kinderwagen stond vlak naast haar. Vandaag was het de grote dag, niet voor haar, maar voor haar moeder.

Vandaag gingen ze verhuizen.

2

Meteen toen ze de nieuwe straat in liep, kreeg Sara heimwee naar Amsterdam. Twee rijen huizen, allemaal dezelfde erkertjes en dezelfde kleine voortuintjes. De straat benauwde haar, drukte tegen haar borst. Ze kreeg een brok in haar keel, hapte naar lucht. Het liefst had ze zich omgedraaid om desnoods lopend terug te gaan, haar verloren thuis tegemoet.

Haar moeder duwde de kinderwagen voor zich uit. Reikhalzend keek ze de straat in. Haar gezicht straalde. Sara klemde haar hand om de zijkant van de kinderwagen.

Haar vader stond hen in de deuropening al op te wachten. Hij was met haar broertjes in de verhuiswagen gekomen. Mama was met haar oudste en jongste dochter per trein gegaan.

"Kom gauw binnen, je wilt het niet geloven. Wat een ruimte!" Hij haalde Amy uit de wagen en hield haar op zijn arm. Vol trots liet hij hun de woonkamer en de keuken zien.

"Kijk en hier is de kelder." Hij zwaaide een deur onder de trap open en ging opzij. Sara keek langs hem heen in het donkere gat.

"Doe maar dicht, wie weet zitten er spinnen of muizen." Ze deinsde achteruit.

"Wat is er Sara?" Papa keek haar bezorgd aan. "Je ziet zo wit."

"Laat haar maar," zei mam. "Je weet dat ze niet van veranderingen houdt. Ze gaat het hier heus wel leuk vinden, hè Sara?"

Sara staarde naar de straat waar niemand te zien was. Ze huiverde, trok de kraag van haar jas, die ze nog niet eens uit had gedaan, omhoog. Het huis was donker. Heel anders dan de flat waar ze vandaan kwamen, die was licht met grote ramen. Ze liep de trap op, de treden kraakten onder haar voeten. Boven opende ze alle deuren en liep de kamers in het rond. Op alle deuren en kozijnen zaten minsten zes lagen verf, de deuren piepten. Achter de laatste deur was een steile trap naar zolder. Er was een klein raampje en er hing een muffe lucht. Snel ging ze naar beneden. Ze stond door het voorraam naar buiten te kijken toen pap naast haar kwam staan. Hij legde een arm om haar schouder. "We zijn al aardig op stel, vind je niet?"

Na de verhuizing knapte haar moeder zienderogen op. Ze genoot van alles: de luxe van een man in huis, op iedere hoek een winkel en alles dicht bij elkaar. Ze deed zelf weer boodschappen, maakte zich weer op en bleef uren in de winkels kletsen. Het leek of ze iets aan het inhalen was.

Sara's leven speelde zich af tussen school, thuis en de kerk. De school was een heel verschil met wat ze gewend was. In Amsterdam hadden ze een meester en zaten de jongens en de meisjes door elkaar. Op deze school waren alleen nonnen en meisjes. De nonnen joegen Sara schrik aan; in hun zwarte gewaden zagen ze eruit als fladderende kraaien. Als de bel op het schoolplein ging draaiden de bruiden van God zich om en liepen naar binnen. De rest volgde langzaam en gedwee, niemand had het lef om ze voorbij te glippen.

Nog nooit was ze zich zo bewust geweest van wat het betekende katholiek te zijn. Hier in dit provinciestadje voelde het alsof ze in een bepaald vak was ingedeeld. Iedere morgen wanneer ze haar ogen opende, hoopte ze dat ze in Amsterdam was. Daar was het leven niet zo ingewikkeld. Daar was het niet belangrijk of je katholiek was of niet.

Mam had uitgesproken meningen over goed en kwaad: de goeden waren het gezin en haar familie; de slechten waren de gereformeerden. Die waren anders. In deze nieuwe straat woonden alleen maar kinderen die anders waren en Sara's moeder wilde niet dat ze daar thuis kwam.

"Maar ze zijn hartstikke aardig," had Sara verontwaardigd geroepen. "Ik ben al een paar keer bij ze binnen geweest." Sara kende nog niet veel mensen, miste de ruimte die ze in Amsterdam voor de deur hadden en haar vaste vriendin. Ze was blij met de paar kinderen die ze had leren kennen.

"Ik wil het niet hebben," sprak haar moeder ijzig. "Je zoekt maar vriendinnen op je eigen school."

"Maar op school hebben ze allemaal al hun vaste groepjes."

"Ik wil er geen woord meer over horen. Je komt voortaan rechtstreeks uit school naar huis."

Sara haalde haar schouders op. Er zat niets anders op. Haar moeder kon soms zo vreemd doen.

Het leek wel alsof haar moeder wachtte met boodschappen doen tot Sara thuis was. "Jullie zijn zo lekker aan het spelen. Ik kan wel even weg. Sara let je goed op?"

En tegen de jongens zei ze: "Luister naar je zus en maak er geen bende van." Vervolgens trok ze de deur achter zich dicht. Ze ging de laatste steeds vaker even weg.

Op die momenten nam Sara de moederrol over. Was het eerst slechts vader- en moedertje spelen, nu was het ernst. Tot grote vreugde van haar moeder en toenemende ergernis van haar broertjes gedroeg Sara zich als een echte moeder. Ze speelde die rol totdat haar mannelijke medespelers er genoeg van kregen. Ze wilden niet meer betutteld worden en werden opstandig van haar gedrag.

"Je redt het wel, hè Sara?" Mam stond met haar tas bij de deur. "Over een uur ben ik weer terug." En tegen de jongens voegde ze eraan toe: "Lief zijn."

Meteen nadat ze de deur achter zich had dichtgeslagen, grepen Jos en Bob haar beet en duwde haar in de kelder. "Zo, die zijn we kwijt," hoorde ze hen lachen.

Sara schreeuwde en gilde en bonkte als een bezetene op de deur. Ze hoorde haar broertjes het licht uitdoen, waarvan de schakelaar aan de buitenkant van de kelder zat. Het was nu aardedonker. De geluiden verstomden en het werd stil. In elkaar gedoken zat ze op het trappetje. Het zweet liep over haar gezicht. Ze wist dat er altijd grote, dikke spinnen in de kelder huisden. Het begon te kriebelen, eerst in haar nek, dan naar haar rug. Bij iedere beweging stootte ze ergens tegen aan en begon ze te gillen. Overal voelde ze spinnen. Ze verstijfde en hield haar adem in. Haar hart bonsde in haar keel. Hoe lang ze daar zat wist ze niet.

Eindelijk hoorde ze een deur slaan. Gespannen luisterde ze naar de geluiden in de gang. Ze wachtte tot de deur op een kier ging en schoot met haar volle gewicht naar voren. Met een kracht die ze zelf niet kende, ramde ze de eerste de beste recht in zijn gezicht. Het bloed spoot uit zijn neus. Ze brulde en sloeg hem nog verder in elkaar. Met gesloten ogen bad en ramde ze er op los. Oh God, zorg dat ik geen levenslang krijg.

"Lekker gespeeld, jongens?" vroeg mam. Ze stond met haar jas in haar hand.

De jongens keken angstig vanuit hun ooghoeken. Sara liet ze even in spanning. "Ze hebben heerlijk gespeeld."

Mama boog zich voorover "Wat is er met je neus gebeurd?"

"Niets, ze hadden ruzie. Het is al weer over."

Mama knikte goedkeurend. Jos en Bob, die al die tijd niets gezegd hadden haalden opgelucht adem.

Sara kookte inwendig.

De wetenschap dat ze in die tijd haar moeders rechter- en linkerhand was en haar vaders steun en toeverlaat, maakte dat ze niet zomaar van het toneel kon verdwijnen. Ze werd ouder, kreeg andere interesses en stond voor de keus van een nieuwe opleiding. Alles in haar was in beroering, schreeuwde om aandacht. Het liefst rende ze zo ver mogelijk weg van haar moeder, haar vader, het huis en het hele gezin.

Om haar moeder niet teleur te stellen en alleen te laten met al die jongens, keek ze het nog even aan. Ze wilde voor de laatste keer ook het haar van haar broertjes, zolang ze niet tegensputterden, nog wel een keer bijknippen.

"Het wordt me te duur om ze voor die paar pieken naar de kapper te sturen. Sara, doe jij het maar."

Toen mam weer 'even weg' was, knipte ze onder luid protest hun haar. Daarna keek ze naar Amy en zag wat haar moeder bedoelde toen ze zei: "Dat haar moet eraf". Ze had gelijk. Het was meer haar dan hoofd. Bovendien kon ze zelf wel wat extra lokken haar gebruiken. Ze keek in de ronde spiegel die op tafel lag, de blonde sprieten rond haar gezicht begonnen haar steeds meer tegen te staan. Als ze nu van Amy's haar een nepstaart voor zichzelf kon maken.

Iedereen droeg tegenwoordig immers staarten van kunsthaar.

Ze aarzelde nog even, toen, om mama en haarzelf een plezier te doen, knipte ze het af tot vlak boven Amy's oren. Het resultaat viel tegen. Met dat lange haar leek Amy dan wel een trol, maar dit stond ook vreemd. Ze duwde het een beetje in model en knipte het nog een beetje bij. De lokken die op de grond lagen, bond ze met een elastiekje bij elkaar en dat bracht ze naar de kapper op de hoek met het verzoek er een nepstaart van te maken. Om de juiste kleur aan te geven, deed ze in een plastic zakje een dun sliertje – zij kon niet zo veel missen – van haar eigen haar erbij.

Toen Sara terugkwam stond mam al op de uitkijk. Sara zwaaide vrolijk, maar toen ze dichterbij kwam, zag ze dat haar moeder huilde. Eenmaal bij de deur pakte mam haar voor ze het wist bij de arm en sleurde haar naar binnen.

Haar moeder jankte, schreeuwde, riep dat ze te oud was voor dergelijke streken en dat Sara voortaan met haar handen van haar kinderen af moest blijven. Wie dacht ze wel niet dat ze was. Hun moeder! Voortaan deed ze alles zelf, had ze Sara niet meer nodig.

Met open mond staarde Sara haar moeder aan. Ze was ervan overtuigd dat mama ieder moment bij kon komen en haar armen om haar heen zou slaan. Zou zeggen dat ze het zo niet bedoeld had, dat ze van haar hield, haar niet kon missen. Maar ze bleef krijsen.

Sara werd ongerust. Misschien was de drukte haar teveel geworden, was ze hysterisch. Sara bleef haar aanstaren. Toen probeerde ze haar tot bedaren te brengen.

Haar moeder duwde haar echter nijdig weg. "Je kunt me helpen met het huishouden, maar van mijn kinderen blijf je af."

Een paar minuten stond Sara sprakeloos, toen draaide ze zich om. Ze voelde een machteloze woede in zich opkomen en tegelijkertijd zo veel liefde, die ze met haar zou delen als ze ook van haar gehouden had. Vanaf dat moment miste ze haar moeder.

De slaapkamer van Sara was net als de rest van het huis voorzien van zes lagen verf. De buitenste laag was bruin, behalve op de plekken waar het kozijn rot was; daar zag je sporen oranje. Tegen de muur stond het tweepersoons opklapbed, en op de plank boven het bed lagen boekjes en stapeltjes kleren. Sara schoof de roze fluwelen gordijnen opzij en leunde op de vensterbank. Het vocht van de muren en de ramen bleef in de dikke zoom hangen en plakte aan haar been. Beneden hoorde ze de voordeur sluiten. Ze deed een stap achteruit zodat ze vanuit de schaduw naar buiten kon kijken. Haar moeder trok Amy aan haar hand de straat in, die een geel jasje met capuchon droeg. Met één hand probeerde ze de capuchon van haar hoofd te rukken. Sara zag hoe haar moeder geërgerd omkeek en haar verder zonder commentaar meetrok. Hoewel vanbinnen nog allerlei gevoelens met elkaar streden, kon Sara een lach niet onderdrukken. Ze draaide zich om en trok een gek gezicht in de spiegel die boven de wastafel hing.

Haar maag draaide. Geen wonder dat haar moeder niet meer van haar hield. Waarom had ze dat haar ook afgeknipt, alleen voor die rotstaart. "Jammer van dat mooie haar, maar daar kunnen we niets mee," had de kapper gezegd. "Het is helemaal ongelijk. Wie heeft dat gedaan?"

Door het huis galmden de stemmen van de jongens. De bel ging en er kwam iemand de trap op; aan de voetstappen kon Sara horen dat het haar moeder was. Er klonk gerommel in de slaapkamer naast haar. De slaapkamerdeur werd weer dichtgeslagen en de voetstappen verdwenen de trap af. De tranen prikten achter Sara's ogen, ze sloeg haar handen over haar buik. Waarom kwam ze nou niet? Koppig bleef ze de hele middag wachten.

Gelukkig had ze haar vader nog. Ze zat op de derde tree van de trap te wachten tot hij thuis kwam. In de kamer sloeg de klok, hij kon nu ieder moment thuis zijn. De sleutel werd in het slot gestoken en de vertrouwde regenjas kwam de hoek om.

"Sara." Hij keek over zijn schouder terwijl hij zijn jas ophing. "Wat zie jij er beteuterd uit. Is er iets?"

Bij het horen van zijn stem stak haar moeder direct haar hoofd om de hoek van de keukendeur. Haar gezicht zag rood. Haar ogen stonden donker en ze maakte sniffende geluiden.

Papa keek van de een naar de ander. "Hebben jullie ruzie?" vroeg hij.

Sara schonk hem een flauwe glimlach.

"Pap?" klonk haar moeders stem. "Kom je?"

Hij trok zijn wenkbrauwen op, wierp een vragende blik op Sara. Ze bleef onder aan de trap zitten en luisterde naar de driftige geluiden die uit de keuken kwamen. "Maak je niet zo druk. Dat haar groeit wel weer." De keukendeur ging open en pap gaf Sara een wenk met zijn hoofd. "Dek de tafel voor mama." Tijdens het eten werd er niet over gesproken. De jongens hadden het over het circus dat eraan zou komen en Amy kletste honderduit. Zo klein als ze was had ze al door dat deze middag om haar draaide. Ze vertelde dat de kapper zo hard moest lachen toen hij haar zag, dat de koffie zo weer uit zijn mond kwam. Papa en de jongens lachten. Vanuit haar ooghoeken keek Sara naar haar moeder. Deze frommelde aan een zakdoek en staarde naar haar bord.

"Jongens, we gaan van tafel," zei papa. "Jullie zetten de fietsen binnen en Sara, jij helpt mij met de afwas." Hij schoof zijn stoel naar achteren. "Mam, ga jij maar lekker zitten. Sara en ik ruimen het hier wel op."

"Nou zeg, ik ben geen klein kind. Sinds wanneer maak jij de dienst uit hier in huis?" zei mam.

"Weer niet goed... Kom Sara." Hij stapelde de borden op. "Neem jij de rest mee?" Sara pakte de schalen die nog op tafel stonden. Voor ze naar de keuken liep, wierp ze een smekende blik naar haar moeder. Die staarde naar haar handen.

"Doe de deur dicht Sara." Pap stond met een theedoek over zijn schouder bij het aanrecht. Hij pakte de borden en boende ze met de houten afwasborstel een voor een schoon. De slabladeren dreven in het afwaswater.

"Je hebt het niet per ongeluk gedaan hè? Waar of niet?" Hij keek haar doordringend aan.

Sara ontweek zijn blik. "Mama wilde het eigenlijk al lang, maar ze twijfelde," bracht ze er zwakjes tegenin.

"Dus dat wist je. Een reden te meer om het niet te doen. Vind je niet?"

Sara opende de deur naar de tuin. In de deuropening bleef ze staan. Ze draaide zich om zonder hem echt aan te kijken. "Ik mocht dat haar hebben."

"Jij?" snauwde hij. "Wat is dat voor een onzin, wat moet jij daarmee?"

"Dat kunnen ze hergebruiken."

"Hoe bedoel je?"

Ze stond nog steeds bij de deur en ademde de frisse lucht in. "Nou, zoals ik het zeg. Iedereen heeft tegenwoordig een kunststaart."

"Dus al die ellende is omdat jij een staart wilde?" vroeg hij ongelovig. "En?"

"De kapper gooide het zo in de prullenbak."

Het laatste bord kletterde op het aanrecht. Papa viste de slabladeren uit het water en liet de gootsteen leeglopen.

"Dat is je verdiende loon. Nou, kom op." Hij draaide haar om. "Laten we er geen drama van maken. Maar wees een beetje lief voor mama hè?"

Hoewel Sara's moeder haar best deed alles zelf in de hand te houden, kwam het moment dat ze Sara weer nodig had eerder dan verwacht. Het was begonnen met kleine steken in de onderrug van Sara's vader, die al gauw overgingen tot een zeurderige pijn. Haar vader bleef werken en nam ook het grootste deel van het huishouden voor zijn deel, totdat het niet meer ging. Moeder bracht hem naar de huisarts, die hem meteen doorstuurde naar het ziekenhuis. Daar werd hij opgenomen met een hernia.

Nadat Sara's moeder met de bus en de twee kleinste kinderen op ziekenbezoek was gegaan, was Sara weer terug in de gratie. "Dat was eens maar nooit weer," had haar moeder gezegd. Voortaan mocht Sara weer op de kinderen passen.

Drie weken later kwam vader thuis. Een week eerder dan verwacht. Het hele huis was in rep en roer. Er moesten klossen onder het bed. Mam had op het laatste moment besloten dat hij niet in de kamer kon. Boven was beter.

Hij zag bleek, liep met zijn hand op zijn heup en was sterk vermagerd. Volgens mam viel het wel mee, kwam het door het ziekenhuiseten, waar geen gram vet in zat. Thuis zou hij wel snel aansterken.

Hij mocht niet naar beneden. Zijn eten werd door mam naar bovengebracht, waarna ze de deur achter zich sloot en bij hem bleef zitten, alsof ze er zeker van wilde zijn dat hij, net als een klein kind, zijn bord leeg at en niets door de gootsteen spoelde.

En zij mochten die slaapkamer niet in. "Kom naar beneden, je vader moet rust hebben," riep ze onder aan de trap als ze het idee had dat iemand hun slaapkamer binnen wilde gaan. "Je kunt ook aan mij vragen hoe het met hem gaat." De eerste dagen zagen ze hem niet. Hij bleef in zijn kamer en kwam alleen naar beneden om naar de wc te gaan. Wanneer mam hem op de trap hoorde stommelen, kwam ze uit haar keuken. Ze ging pas weer terug als ze boven de slaapkamerdeur in het slot hoorde vallen.

Sara vond het belachelijk. Ze irriteerde zich aan haar moeders aanstellerige manier van praten en haar overdreven schaterlach, die meer weg had van het geluid van een botte zaag. Ze gedroeg zich als een verliefde tiener die bang is dat haar vriendje er met een ander vandoor gaat. Er leek geen einde aan te komen, totdat hij onverwacht voor het avondeten naar beneden kwam.

Ze zaten net aan tafel. Mam stond over de tafel gebogen en schepte het eten op voor de kleintjes, toen de deur geopend werd. Ze keek op en de opscheplepel bleef in de lucht hangen.

Pap leunde met een bleek gezicht en een stoppelige baard tegen de deurpost. Zelfs het kransje haar dat onder aan zijn glimmende schedel groeide, hing als een pluizige doornenkroon om zijn hoofd.

Mam's blik vloog van zijn half geopende ochtendjas omlaag naar zijn behaarde witte benen en de versleten bruine pantoffels aan zijn voeten. Ze liep rood aan. "Pap," zei ze en maakte een gebaar van 'wat doe jij nou'.

Hij deed of hij het niet zag en ging moeizaam zitten.

"Wat is dit voor een vertoning?" vroeg ze. Ze hield haar hoofd scheef. "Nou?"

Hij pakte de schaal met aardappels. "Laat dat," siste ze en griste de schaal uit zijn handen. Met een uitdagende blik stond ze op, opende de deur en bleef in de deuropening staan. Haar ogen spogen vuur en haar hoofd maakte een nijdige beweging richting gang.

Pap trok zijn ochtendjas wat strakker om zich heen en bleef zitten. "Ga eten jongens," zei hij joviaal. "Laat het niet koud worden." Mam stond met haar hand op haar heup te wachten. Zonder verder iets te zeggen stond hij moeizaam op en ging weer naar boven. Mam liep achter hem aan.

"Ik schrok me rot," zei Bram grinnikend. "Het leek de dood van pierlala wel."

"Zo dood is hij anders niet." Boven hun hoofden werd driftig heen en weer gelopen en het geruzie klonk door de dunne muren. "We mogen wel oppassen." De jongens begonnen elkaar aan te stoten en enge geluiden te maken. "Je weet het nooit met die huisspoken. Ze komen vaak midden in de nacht en ze lopen door dichte deuren." Boven klapte een deur, de ramen trilden.

Amy begon te huilen. "Ik ben bang."

Bram schoot overeind. "Wij ook."

Om negen uur was alles stil. Mam had zich niet meer laten zien. Sara had Amy en Bas naar bed gebracht. Daarna ging ze zelf. Het was voor haar geen straf. In bed kon ze lekker lezen zonder gestoord te worden.

Na dat incident had mam hem beter verklaard. Als hij zo door het huis kon lopen dan hoefde hij ook niet meer op bed te liggen. Ze zette hem in voor lichte huishoudelijke klusjes die hij zittend of zoekend naar steun volbracht. Hij liep niet meer in zijn ochtendjas door het huis en was 's morgens als eerste in de kleren. Hij zette het ontbijt klaar en zorgde dat iedereen op tijd naar school was. Haar moeder bleef zolang in de slaapkamer.

Sara pakte een boterham van de ontbijttafel, schonk een kopje thee in en liep naar het raam. Pap liep in de tuin, plukte de gele blaadjes van de hortensia's. Hij had weer kleur en hij was niet meer zo mager. De tuin was zijn paradepaardje. Hij had alles zelf geplant. De borders stonden van april tot mei in bloei.

Dit jaar was het weer van streek. Het was bijna juni maar het hete voorjaar had voor een ware explosie in de natuur gezorgd. De sleutelbloemen, de rode en witte hortensia's, de blauwe lavendel en niet te vergeten de kamperfoelie met zijn honingachtige geur, de varens en het vingerhoedskruid – alles stond al veel te vroeg in bloei. De laatste drie weken was er alleen maar regen gevallen. Stortregens met harde windvlagen. De bloemen, hun stelen geknakt door de harde wind en hun kopjes verwelkt door de regen, lagen op de natte grond. De passiebloem tegen de schutting, was de enige die het overleefd had. Voor het grootste gedeelte zat hij nog in knop, maar hier en daar was de blauwe kleur al zichtbaar en kon je de zachte geur ruiken.

Sara keek omhoog, de lucht in. De regen was opgehouden en buiten was een grijs. Af en toe kwam er een streep helder zonlicht.

"Ben jij nog niet weg?"

Ze schrok en draaide zich om. "Ik stond naar buiten te kijken. Het gaat goed met pap, hè? Hij is al weer in de tuin bezig."

"Zorg jij nou maar dat je op tijd op school komt," zei haar moeder.

"Gelukkig ben ik volgend jaar weg van die school."

"Daar zou ik nog maar niet zo zeker van zijn jongedame. Voorlopig is er nog steeds geen post." Mam legde precies de vinger weer op de zere plek.

Geheel tegen de zin van de nonnen, die een fatsoenlijk meisje het liefst op de huishoudschool zagen, had ze al vier weken geleden toelatingsexamen gedaan voor het lyceum.

"Schande," hadden de nonnen unaniem uitgeroepen. "Niets anders dan een verkapte manier om op een gemengde school te komen."

Drie à vier weken zou het duren voor de uitslag bekend was. Iedere dag wachtte Sara nerveus tot post zou komen. Waar zou ze naartoe moeten als ze niet toegelaten werd? En het ergste: wat zouden die nonnen in hun vuistje lachen.

Tussen de middag was het racen. Ze hadden precies een uur. De school van Bram, Jos en Bob lag verder van huis dan die van Sara, en toch presteerden ze het om altijd net voor haar het huis binnen te stormen. Deze keer probeerde ze hen voor te zijn. Ze rende langs de voorkant van de school, stak schuin over naar de stoep van de kleuterschool, sloeg de hoek om en vloog langs de

Nicolaas Beetskade door de steeg achterom. Hijgend stond ze in de kamer. Tegelijkertijd ging de voorbel. Hoe deden ze dat toch?

"Ben jij dat Sara?" Mam stond boven aan de trap. "Doe open en dek de tafel, ik breng Amy naar bed."

"Hebben we geen ander beleg?" vroeg Bram die de bodem uit de pindakaaspot probeerde te schrapen.

"Moet je niet bij mij zijn," antwoordde Sara kribbig.

"Jij bent hier toch de huishoudster?" grinnikte Bram. "Of moet ik de butler even roepen?" Hij gebaarde naar boven.

Voordat iedereen tussen de middag thuiskwam, ging pap nog elke dag naar boven om te rusten. Mam vergezelde hem daarbij.

Na het eten ruimde Sara de tafel af, waste de borden en haalde een doekje over het aanrecht. Ze haalde het plastic tafelkleed van de tafel en klopte het in de tuin uit op de tegels. De kruimels waren voor de vogeltjes. In de kamer pakte ze het pluche tafelkleed van het donkerbruine dressoir, dat tegen de muur stond, en legde het schuin over de tafel. In het midden op de kale plek hoorde de rode aardewerk asbak te staan. De eetkamerstoelen, overtrokken met skai, schoof ze onder tafel. Bij de laatste zat een poot los. De stoelen waren al oud maar volgens mam onverwoestbaar. Ze schikte de poot weer stevig in het daarvoor bestemde vierkant onder de stoel. De armstoel moest recht in de hoek staan, onder de distributieradio. Ze wierp een laatste blik door de kamer, alles stond zoals het hoort. Ze keek op de klok, nog zes minuten, ze moest rennen.

Die avond viel de langverwachte brief eindelijk in de bus. Nadat het geluid van voetstappen op het pad was verdwenen en de post op de grond in de gang viel, raapte Sara de enveloppen op en liet ze een voor een door haar handen gaan. Haar blik viel op een gele. Ze draaide hem om, zodat de afzender zichtbaar werd, haar hart bonsde. De draai in haar maag en de misselijkheid die ze voelde opkomen, slikte ze weg. Met trillende vingers scheurde ze de envelop open.

Mam stak haar hoofd om de hoek van de keukendeur. "Ik zou zweren dat ik de brievenbus hoorde," mompelde ze.

Sara stak snel de post onder haar arm en liep de trap op.

Bovengekomen ging ze op de rand van haar bed zitten en vouwde de brief open. Ze durfde haast niet te kijken.

Hierbij de uitslag van het toelatingsexamen... Met succes toegelaten... De letters dansten voor haar ogen. Haar gezicht vertrok in een grijns, ze had het gered! Vlinders dansten in haar buik en een brede glimlach verscheen op haar gezicht. De rest las ze in een roes.

Gezien het hoge gemiddelde het eerste jaar gratis boeken. Ze las hem nog een keer. Toen rende ze de trap af. "Mam, ik ga naar het lyceum!" Ze gooide de keukendeur open, haar wangen gloeiden. "Kijk hier," ze duwde de brief in haar handen. "Lees maar." Vol spanning volgde ze de uitdrukking op haar moeders gezicht. Mam las langzaam.

Sara wachtte totdat ze het niet langer uithield. Ze zou het toch wel goed gezien hebben. "Mam, zeg eens iets, wat is er?" De klank in Sara's stem deed haar moeder opkijken. Met een rustig gebaar vouwde ze de brief dubbel en legde hem weg.

"Dus jij gaat naar het lyceum. En wie gaat dat betalen?"

"Ik," zei pap, die straalde van oor tot oor. "Gefeliciteerd"

"En de jongens dan? We hebben nog meer kinderen."

"Met jouw jongens komt het wel goed. Laten die eerst maar eens hetzelfde presteren."

3

Op de eerste schooldag drensde de regen tegen Sara's slaapkamer-raam. Voor de vierde keer die morgen opende ze haar boekentas, haalde haar nieuwe agenda tevoorschijn, vanwaar Cliff Richard haar toelachte, en bleef er verliefd naar staren. Een donkere lok losjes voor zijn ogen, het hoofd een beetje schuin. Om zijn lippen speelde een geheimzinnige lach die alleen voor haar bedoeld was.

Op de eerste bladzijde stond het rooster voor de hele week. Het eerste uur Latijn. Ze checkte voor de zoveelste keer de boeken, haar vingers gleden langs de ruggen tot ze het goede boek had, trok het een beetje omhoog, las de titel en stopte het weer terug. Het tweede uur Nederlands. Na de pauze Kunstgeschiedenis. Ze haalde het boek, dat groter was dan de rest, uit de tas en opende het op een willekeurige bladzijde. Als gebiologeerd staarde ze naar de foto's van de Kariatidenhal. De zeven zuilen in de vorm van vrouwenfiguren. Op de bladzijde ernaast stond het langwerpige hoofd van de godin Nefertete. Haar handen gleden over het gladde papier. Het liefst was ze met dit boek in een hoek gaan zitten om weg te dromen, maar een blik op de klok was voldoende om het boek weer terug te stoppen.

Passer, liniaal, gradenboog, pennen en potloden. Het zat allemaal in het nieuwe etui. Ze gespte de tas dicht en pakte haar fiets.

Het was woensdag 2 september. Door de regen, die nog steeds met bakken naar beneden viel, fietste ze naar haar nieuwe school, vastbesloten er een succes van te maken. De wereld lag aan haar voeten, ze zou een ster worden! Het maakte niet uit in wat. Een succesvolle archeologe, een chirurg in de binnenlanden van Afrika of een zangeres van het Franse chanson.

De kreet van de nonnen dat meisjes op de huishoudschool horen, had haar kippenvel bezorgd. Haar hele gemoed was in opstand gekomen. Als ze soms dachten dat ze haar op die manier konden kleineren, dan hadden ze het mis. Hun woede had Sara alleen maar extra gestimuleerd. "Een schaamteloze poging om op een gemengde school terecht te komen," hadden de nonnen s champer opgemerkt, terwijl ze met een nijdig gebaar hun sluier naar achteren gooiden. Nadat ze alles over zich heen had laten komen en toen de nonnen Sara zo veel mogelijk negeerden, was ze vast-besloten. Ze had een goed stel hersens en dat zou ze hun laten zien.

Er waaide een straffe noordwesterstorm. Tegen de wind in, terwijl de regen in haar gezicht striemde, fietste ze onder het tunnel-tje door langs de oude watermolen. Bij de vaart gekomen sloeg ze rechtsaf het park in. Modder uit de plassen spatte op tot aan haar kuiten. Ze had spijt dat ze door het park gegaan was, maar er was geen tijd om nog om te keren. Vanuit het park reed ze over de brug die de stad scheidde van de buitenwijk. Ze reed langs het voorname herenhuis van hun dokter en sloeg rechtsaf.

De school was opgetrokken uit rode steentjes. In het midden torende een koepel boven het gebouw uit. De klaslokalen die aan de straat lagen, hadden hoge ramen en boden uitzicht op de Singel. Treurwilgen hingen over het water en beletten het zicht op de over-kant. Ze voelde een onbestemd gevoel in haar buik toen ze langs de nog lege klaslokalen reed en het schoolplein op draaide. Sara plaat-ste haar fiets in de fietsenstalling en liep met haar tas onder haar arm naar de ingang. De deuren stonden open.

In de hal stonden informatieborden. Ze zocht 1A en liep achter de vreemde gezichten aan door de aangegeven gang. Ze herkende de leraar van de vorige dag toen ze haar rooster had opgehaald. Hij droeg een geruit hemd en beige broek. Zijn blonde haar zat in de war en hij zag eruit alsof hij ging zeilen in plaats van lesgeven. Hij knikte vriendelijk terwijl ze haar jas ophing.

In de klas ging ze op de plaats zitten die haar de dag daarvoor aangewezen was. Ze keek om zich heen. De klassenvertegenwoor-digster zat achterstevoren op haar plaats. Ze droeg een groene rib-fluwelen broek met een strak zwart truitje. Ze had een uitdagende blik en het korte, donkere haar stak brutaal alle kanten uit. Het was niet voor niets dat ze haar gekozen hadden, dacht Sara. Ze had iets waar je niet omheen kon. De rest zag er net zo uit als Sara. Stijl of krullend haar, onopvallend gekleed en met dezelfde nieuwsgierige blik in hun ogen.

De hele morgen beleefde Sara als in een roes. Ze vond het heerlijk de boeken open te slaan en de kennis die erin stond tot zich te nemen. Gretig zoog ze al het nieuwe in zich op, als een kind dat dorst heeft. Met sierlijke letters noteerde ze het huiswerk in haar agenda.

Na schooltijd reed ze door het park naar huis. De wind was gaan liggen, de lucht was blauw met witte stapelwolken. De bomen, waarvan de takken 's morgens nog tot vlak boven de grond zwiepten, richtten zich op. Hun bladeren fluorescerend in het licht.

Thuisgekomen wierp ze haar tas in de hoek en keek of er iemand was. Toen bleek dat dit niet het geval was, pakte ze een glas limonade en haar boekentas, en liep naar boven. Ze leegde haar tas op het witte formicablad van haar tafeltje. Ze opende haar agenda en zocht het huiswerk voor morgen. Bij vrijdag stond in fraaie letters 'Latijn'. Uit haar nieuwe etui die ze voor zich neer zette, zocht ze een pen en begon op het maagdelijke blad in haar allermooiste handschrift de vragen te beantwoorden. Toen ze klaar was legde ze het boek en schrift weg op het plankje dat boven het bureautje bevestigd was. Het was nog vroeg, dus bladerde ze in haar agenda en schreef de verjaardagen op, zette een kruisje bij Latijn en liet de agenda open liggen bij 3 september. Ze pakte de boeken die ze voor de volgende dag nodig had, klapte het bureautje dicht en zette de tas klaar voor morgen. Intussen begonnen de geluiden van beneden tot haar door te dringen. De jongens waren uit school en mam zat met een kop koffie en een sigaret aan de tafel. Ze keek op: "Ik wist niet dat je al thuis was. Hoe heb je het gehad?" vroeg ze. Ze doofde haar sigaret in de asbak.

"Spannend. Al die nieuwe gezichten, ieder uur een andere leraar, maar wel leuk."

"En hoe zijn de jongens in je klas?"

"Dat zijn er maar vijf. Ze lijken me wel aardig, ik ken ze natuurlijk nog niet zo goed."

"Zou jij niet even willen oppassen? De buurvrouw heeft een nieuw bankstel. Ze vroeg of ik kwam kijken."

Sara keek haar moeder na terwijl ze langs het raam liep, de weg overstak en bij de buren het pad op kwam. Haar donkere haar glansde, haar nagels hadden precies dezelfde kleur gekregen als haar lippen.

Sara draaide zich om en haalde uit de kelder een mand vol aardappels. Ze ging op het randje bij de keukendeur zitten. De zon scheen nog precies in de hoek en achter de geopende deur zat ze lekker uit de wind. Toen ze klaar was, masseerde ze haar pijnlijke vingers. Voorzichtig draaide ze met het aardappelschilmesje de pitten uit de aardappels. Ze vond het leuk om in de keuken te helpen.

Toen ze klaar was liep ze naar het raam en keek de straat in. De jongens waren in geen velden of wegen te bekennen. Mam was nog steeds bij de overburen. Ze zat met haar rug naar het raam en maakte drukke gebaren.

Gerustgesteld haalde Sara haar lievelingsboek tevoorschijn en rolde zich op in de hoek van de kamer. Ze vergat de wereld om zich heen, tot er een schaduw over haar boek viel. "Ik schrik me rot."

Mam stond vlak voor haar. Sara had haar niet eens horen binnen komen. "Ja, dat heb ik in de gaten. Ik dacht dat je zou oppassen."

"Ze zijn allemaal weggegaan."

"Dus toen dacht jij: als er toch niemand is, kan ik wel gaan zitten lezen, ze vermaken zich buiten wel. Het zal nou toch over moeten wezen met dat afwezige gedoe, doe liever iets zinnigs," snauwde ze. "Ik ben niet van plan me hier uit te sloven terwijl mevrouw op haar luie gat zit." Ze beende de kamer uit, Sara betrapt achterlatend. Met tegenzin legde ze haar boek weg. "Kan ik nog wat doen?"

"De tafel dekken. Je vader komt zo thuis."

De eerste weken op school ging het rustig aan. Meer huiswerk dan één vak per dag was er niet. Maar al gauw werd het tempo opgeschroefd.

Vanuit school reed ze, na een beetje getreuzeld te hebben, naar huis. Een paar meisjes uit haar klas hingen rond bij het fietsenhok en hielden de jongens in de gaten. Ze giechelden en daagden ze net zolang uit tot ze achter elkaar aan over het schoolplein renden.

Soms sloeg Sara hen gade terwijl ze haar tas achter op haar fiets bond. Ze namen totaal geen notie van haar. Sara voelde met een lichte steek dat ze er niet bij hoorde.

Wanneer Sara uit school kwam, zat mam haar tegenwoordig met de theepot op te wachten. Want haar school was eerder uit dan de lagere scholen en nu Amy en Bas ook naar school waren had mam het huis voor zichzelf. Sara dacht dat ze dat wel fijn zou vinden, maar het tegendeel was waar.

"Het is zo stil in huis," klaagde haar moeder. "Het is net of ik nergens meer goed voor ben."

"Geniet er maar van. Voor je het weet staan ze weer voor je neus." Sara pakte haar tas en keerde hem om op tafel.

"Wat ga jij doen?"

"Huiswerk maken."

"Kun je dat straks niet doen, op je eigen kamer?"

"Ik dacht, dat is gezellig voor je."

"Daar vind ik niets gezelligs aan. Ik wou dat ik wat om handen had," zeurde ze verder.

"Nou, heb je eens niets te doen," zei Sara, "is het weer niet goed."

Toen haar eerste broer uit school kwam, vertrok Sara met haar tas naar boven. Het huis was vol kinderstemmen. Gegil, gelach, voetstappen die de trap op en af renden en deuren die veel te hard dichtvielen. Met haar vingers in haar oren probeerde ze zich te concentreren.

Opnieuw klonken er stemmen beneden. Ze had er genoeg van en ging kijken wie er thuis waren. De jongens renden door de poort naar buiten. "Waar gaan jullie naartoe?" vroeg ze.

"Gaat je niets aan." En weg waren ze.

Teleurgesteld haalde Sara haar schouders op. Op haar kamer deed ze het raam open en begon opnieuw. Haar schrift lag op de vensterbank. Het boek lag nog open op het bureautje. Vanaf de straat drongen de geluiden van spelende kinderen tot haar door. Ze beantwoordde de vragen en liep alles nog een keer na. Toen klapte ze met een zucht het boek dicht. Het viel niet mee. Huiswerk maken ging nog wel, maar het leren viel haar moeilijk als ze afgeleid werd. Ze begon haar leerwerk te bewaren voor in bed. Dan was het stil in huis. In ieder geval stiller.

De week daarop moest Sara naar de tandarts. Dertien gaatjes, drie nieuwe afspraken en een verwijsbriefje voor het ziekenhuis. Ze had er alles voor over als ze nu niet naar school zou moeten. Toen ze het schoolplein op reed, zag ze tot haar opluchting dat het nog pauze was. Dat scheelde, hoefde ze niet eerst langs de rector. Ze zette haar fiets in het rek en liep met haar tas onder haar arm naar de deur.

Lennie stond tegen de muur geleund. "Hoi. Waar was je vanmorgen?"

Sara keek haar verbaasd aan. Lennie zat helemaal voor in de klas en was voor zover ze wist altijd alleen. Ze bemoeide zich met niemand en deed geen enkele moeite, net als Sara, om erbij te horen. Haar ouders hadden een modezaak midden in de stad. Ze was onopvallend en mager met veel sproeten. Haar steile, rossige haar hield ze met een elastiekje bij elkaar.

"Bij de tandarts. Ik moet een beugel."

De bel ging en alle leerlingen haastten zich naar binnen. De geschiedenisleraar was een lange slungel. Stijl, vettig haar dat nog werd geaccentueerd door een pokdalig gezicht. Een slordige spijkerbroek, een grote, grijze, zelfgebreide trui en halfhoge suède schoenen gaven hem het uiterlijk van een clochard. Het was bijna aandoenlijk wanneer hij serieus met hen over de groten der aarde of over de tachtigjarige oorlog begon.

Tijdens de les werd er een propje papier doorgegeven. Sara zag dat Ed, de jongen die in de rij links van haar zat, zich naar haar omdraaide, haar toeknikte en wachtte tot de leraar met zijn rug naar de klas stond. Snel gooide hij het op haar lessenaar. Ze wilde het alweer doorgeven toen ze zag dat het voor haar bestemd was. Ze kreeg een kleur en boog zich over haar boek. Onder haar tafeltje vouwde ze het open.

WIL JE WOENSDAGMIDDAG BIJ MIJ HUISWERK MAKEN? LENNIE.

Lennie? vroeg ze zich af, wat moest die van haar?

Woensdag na het middageten ging ze meteen weg. Ze was de hele morgen al een beetje nerveus. Op school had ze vermeden Lennie's kant op te kijken, bang dat de opwinding van haar gezicht te lezen zou zijn.

"Je weet hoe je je moet gedragen hè, Sara? Je stelt je netjes voor en spreekt met twee woorden. Laat zien dat je van goede komaf bent."

Mam maakte haar alleen maar zenuwachtiger. Door de stad reed ze langs de Grote Kerk en sloeg de winkelstraat in. Ze stapte af en met haar fiets aan haar hand liep ze verder. Voor iedere etalage bleef ze staan. Ze keek haar ogen uit. De etalages hingen vol met lange broeken en grote truien in de mooiste herfstkleuren. Ze zou het er eens met mam over hebben, dat die jurken die ze in de kast had, echt uit de mode waren. In ieder geval moest ze toch zeker één lange broek hebben om naar school te dragen. Het was haar al eerder opgevallen, dat meisjes in haar klas broeken droegen. En wilde ze erbij horen – en dat wilde ze – dan moest ze beginnen met haar kleding.

Sara's aandacht was afgeleid totdat ze op de hoek het modehuis zag. Het gebouw was aan de voorkant grijs met wit geschilderd. Boven in de gevel die over de hele voorkant liep, was in het steen de naam uitgehouwen. Vol ontzag staarde ze ernaar. Ze keek of Lennie al op de uitkijk stond. Toen dat niet het geval was, liep ze door de draaideur naar binnen. Links van haar was de parfumerie. Meisjes met witte bloesjes en blauwe sjaaltjes stonden achter de toonbank. De winkel liep nog veel verder door naar achteren. Tussen de rekken liepen mensen en verkoopsters.

Ze liep naar de parfumerie. "Ik kom voor Lennie."

"Wacht maar, ik bel wel," zei het meisje vriendelijk.

Sara keek hulpeloos om zich heen. Waarom had ze het ook niet beter afgesproken. Lennie was het natuurlijk al lang vergeten, die had haar niet nodig.

"Je kunt naar boven, loop maar mee." Ze volgde de verkoopster door de winkel. Achter in de winkel opende ze een grijze deur. "Hier de trap op."

Lennie stond boven op haar te wachten. De hal was nauw en

schaars verlicht. Sara keek om zich heen en verwachtte ieder moment dat er iemand uit een van de kamers zou komen om haar te begroeten. "Wat zoek je, een kapstok? Houd je jas maar aan, we gaan meteen naar boven." Sara volgde Lennie, die voor haar uit liep. Op de trap lag een versleten rode loper. Op de overloop was slechts een klein dakraam, dat uitkeek over een binnenplaatsje.

"Hier is mijn slaapkamer," zei Lennie terwijl ze op een deur tikte en doorliep naar de andere hoek. Ze opende een deur en liet Sara voorgaan. De kamer had geen ramen. Sara huiverde en trok haar jas dichter om zich heen. Het enige meubelstuk was een bruine tafel die in het midden van de kamer stond. Aan de zijkant tegen de kale muur stonden kisten met appels. Mooie blozende appels. Lennie pakte twee stoelen die achter de tafel stonden en zette ze naast elkaar. Ze drukte op een knopje naast de deur en een peertje boven de tafel begon te gloeien. Het wierp een spookachtig licht over de tafel en de kale houten vloer. Door de vreemde gloed leken de hoeken van de kamer griezelig. Er zouden toch geen muizen zitten. Sara voelde hoe rillingen over haar rug trokken.

"Waar beginnen we mee?" begon Lennie opgewekt.

Sara probeerde het akelige gevoel van zich af te zetten en concentreerde zich op het huiswerk. Maar iedere keer dwaalden haar gedachten af. Ze verlangde naar huis, de drukte, de warmte, de gezelligheid. Zoals altijd wanneer ze zich rot voelde, kwam haar maag in opstand.

"Wil je een appel?" Lennie liep naar de kisten en haalde er vier appels uit. Het idee van die koude appel in haar toch al zo koude buik deed haar huiveren. Lennie poetste een appel op met haar trui tot hij glom, de andere legde ze als een stilleven op tafel. Lennie zette haar tanden in de appel en veegde het sap dat uit haar mondhoek droop met haar mouw af. Sara voelde de kou aan haar tanden en het zure sap in haar opstandige maag.

Onder andere omstandigheden zou Sara hebben voorgesteld naar buiten te gaan en het laatste beetje huiswerk tot later te bewaren, maar iets weerhield haar. Lennie straalde en ze pakte alweer het volgende boek. "Wiskunde, daar snap ik niets van," zuchtte ze.

"Laat mij maar, daar ben ik toevallig goed in," zei Sara meteen, blij dat haar gedachten afgeleid werden van de sombere omgeving. Vol overgave probeerde Sara aan Lennie de beginselen van wiskunde bij te brengen.

"Jemig," zei Lennie uit de grond van haar hart.

"Jij bent weer goed in talen," zei Sara snel om haar een plezier te doen.

"Vind je?" bloosde Lennie.

Nadat ze hun boeken hadden dichtgeslagen stond Sara op.

"Ga je al?" vroeg Lennie.

"Ik moet nog boodschappen doen," zei Sara ontwijkend, terwijl ze met haar tas onder haar arm naar de deur schoof.

Op weg naar huis trapte ze flink door. Ze voelde zich een verrader. Hoe was het mogelijk. Ze had steeds gedacht dat zij de enige was die op school nog geen aansluiting had. Natuurlijk waren er meer die alleen kwamen en alleen naar huis gingen, maar dat had ze als vanzelfsprekend ervaren. Die meisjes hadden niemand nodig. Die hadden thuis hordes vriendinnen. Sara begon te slalommen met haar fiets om het akelige gevoel van zich af te schudden. Lennie, waar ze zo tegen opgekeken had, Lennie met die blauwe ogen, had gezocht naar een teken van vertrouwen. En zij, Sara, niet in staat die blik te beantwoorden, Lennie datgene te geven waar ze zo broodnodig behoefte aan had.

De volgende morgen zorgde Sara ervoor niet bij Lennie in de buurt te komen. Aan het eind van de dag boog ze zich over haar fiets, deed het slot halfopen en liet het dan weer dicht vallen. Vanuit haar ooghoeken keek ze of Lennie er nog stond. Lennie wachtte geduldig. Sara stuntelde net zolang met het slot, tot ze Lennie traag het schoolplein af zag rijden.

"Laat mij eens kijken." Stefan, een jongen uit haar klas, kwam van zijn vriendengroepje op Sara af en bukte zich over haar fiets, draaide het wiel en haalde het slot een paar keer heen en weer. "Niets te zien, ik denk dat er een spaak voor zat." Hij gaf de fiets weer terug. We gaan naar het bos, planten zoeken, ga je mee?" De anderen van de groep kwamen nu ook aangeslenterd.

Met zeven man fietsten ze naar het bos. Sara was zo overrompeld door de vraag om mee te gaan, dat ze geen seconde had getwijfeld.

Was dit niet wat ze wilde, hier had ze op gewacht, een van de gang-makers van de klas had haar meegevraagd, zonder anderen om hun mening te vragen. Gaf dat niet aan hoe belangrijk hij was? Vanaf nu was ze geen muurbloempje meer, hoorde ze erbij.

Ze fietsten met z'n drieën naast elkaar naar het bos. In gedachte biddend dat de ketting, die de gewoonte had eraf te springen op de meest ongelegen momenten, haar een nederlaag zou besparen. Bij de ingang van het bos reden ze over een kronkelig zandpad naar een open plek. De fietsen werden tegen een boom gezet en iedereen vloog een kant uit. "Vijf uur, hè," riepen ze op hun horloge wijzend.

Sara keek om zich heen. In de verte zag ze Claartje en Stefan ach-ter een heuvel verdwijnen. Claartje lachte en rende vooruit, haar paardenstaart zwiepte achter haar aan. Gegeneerd keek Sara de ande-re kant op. Er was niemand meer te zien, elke jongen had met een meisje een plekje gezocht waar ze samen konden kletsen en vrijen.

Niet goed wetend wat ze moest doen, liep Sara een stukje verder het bos in, onderwijl de boom met de fietsen niet uit het oog verlie-zend. Was dit nu wat ze zo graag had gewild, was dit nu wat het betekende als je erbij hoorde? Ze bukte zich en plukte hier en daar, alsof het de normaalste zaak van de wereld was, wat verschillende planten langs de kant. Het was mogelijk dat ze haar in de gaten hiel-den, dus keek ze naar de plantjes en bestudeerde de blaadjes, terwijl haar gedachten ergens anders waren. Was ze maar zo stoer als Lennie, die was gewoon weggegaan of had met een stalen gezicht 'een andere keer, ik moet weg' gezegd. Dat zou pas echt indruk gemaakt hebben. Maar zij was Lennie niet.

Een windvlaag bracht de bladeren achter haar in beweging en onwillekeurig trok Sara haar kraag omhoog. Ze volgde het pad, plukte zo veel mogelijk verschillende planten, zonder te weten welke. Af en toe keek ze op en spitste haar oren. Na een poos liep ze hetzelfde pad weer terug en plofte naast de fietsen op de grond. Ze had geen idee van de tijd.

Maarten en Annelies kwamen druk pratend achter haar vandaan en van de andere kant kwamen nu ook Stefan en Claartje, alsof er niets gebeurd was.

Toen Sara thuiskwam, was mam razend. "Waar kom jij zo laat

vandaan? Gisteren de hele middag weg, nu is het," ze keek op de klok boven haar hoofd, "half zes." Ze stond met een rood hoofd boven een dampende pan. Op het aanrecht lag een halve sigaret te smeulen, die nat was geworden van de damp. De verhitte blik van mam bleef op Sara rusten. Ze zette het gas lager, veegde haar handen af aan haar schort en stak de natte sigaret in haar mond. Hij kleefde aan haar onderlip. Met een vies gezicht haalde ze de sigaret los en hield hem onder de kraan.

"Ga alsjeblieft naar binnen en let op de kleintjes."

Amy zat met haar poppen in de hoek. Ze had het tafelkleed van de tafel gepakt en gebruikte het als deken. Bas was met rood kleurkrijt op de muur aan het tekenen. Met twee stappen was Sara bij hem, gaf hem een zet en griste het krijt uit zijn handen waarop hij het op een blèren zette.

Mam stak haar hoofd om de hoek van de kamer. "Kan het een beetje rustiger?" ze pakte Bas bij zijn haren en nam hem mee de keuken in.

Sara probeerde met een gum de rode krassen weg te werken, met als gevolg dat de vlek steeds groter werd. Ze gaf het op, dekte de tafel en ruimde het speelgoed van de grond.

"Hoi Sara, Ik zie dat je de tafel al gedekt hebt." Haar vader knikte goedkeurend. "Je hebt niet alleen een knappe dochter," hoorde ze hem tegen haar moeder zeggen, "het is ook nog eens een beste hulp."

De weken daarna zorgde Sara dat ze uit school meteen naar huis ging. Niet dat ze het vervelend vond om nog wat op het schoolplein te hangen. Maar ze wist zeker, dat ze geen nee zou zeggen als ze haar weer meevroegen. Haar moeder reageerde verheugd op deze verandering. "Wat een geluk dat je zo vroeg bent, straks ga ik nog tegen de muren praten."

"Dat zal wel meevallen. Wil je ook een kop thee, mam?"

"Ik ben aan iets sterkers toe, geef mij maar koffie," ze ging er gezellig voor zitten.

"Ik hoor je nooit meer over dat meisje."

"Welk meisje?" Sara deed of ze haar niet begreep.

"Waar je laatst was. Je weet wel, die chique mensen van die modezaak."

"Oh die."

"Neem haar eens mee naar huis."

"Ik denk niet dat ze dat wil, het is hier altijd zo druk."

"Dat maakt toch niets uit," zei mam vrolijk. Ze boog zich voorover. "Je schaamt je toch niet voor ons hè? Geld bepaald geen stand, onthoud dat goed."

"Wie heeft het nu over stand?" vroeg Sara scherp. Ze wilde helemaal niet aan Lennie, denken, laat staan er over praten. "Het is gewoon. Nou ja, ik weet niet hoe ik het zeggen moet." Ze voelde hoe ze de woorden er uit moest wringen. Ze wilde dat ze naar boven kon, aan haar huiswerk, in plaats van hier met haar moeder aan tafel te zitten. Het verbaasde Sara hoe het haar moeder steeds opnieuw lukte, ook al probeerde je wanhopig het gesprek een andere kant op te duwen, terug te komen op haar geliefde onderwerp. "Ze is gewoon anders, meer niet."

"Dus niemand weet waar dit vandaan komt," de lerares Frans hield een verfrommeld papiertje omhoog en spiedde met haar zwartomrande ogen de klas rond.

Het was een sport geworden om briefjes ongemerkt door de klas te laten rouleren. De inhoud varieerde van de goede antwoorden tijdens een repetitie tot de kleding die de leraressen droegen. Vooral de lerares Frans moest het ontgelden. Met haar opzichtige kleding en haar dikke kont, waarmee ze voor het bord heen en weer zwaaide, zorgde ze voor de nodige hilariteit in de klas.

Een propje papier kwam tijdens een Franse repetitie onverwacht op Sara's tafeltje terecht. Zonder er verder bij na te denken wierp ze het naar de andere rij, waar het op Lennie's tafel terecht kwam, die omkeek en zich afvroeg waar het vandaan kwam. Sara hield haar blik op haar papier. Lennie keek weer voor zich en opende het briefje onder het vel papier dat voor haar lag.

"Wat heb jij daar?" Lennie schrok en probeerde het papiertje in haar zak te stoppen, maar de lerares pakte het uit haar hand. "Van wie heb je dat?" vroeg ze ijzig en ze keek de klas rond. Je kon een speld horen vallen. Lennie vertrok geen spier. "Als niemand zegt van wie het is, zal ik je de klas uit moeten sturen... Lennie?"

Ze wachtte vijf minuten. "Ga je maar bij de rector melden." Ze wees naar de deur. Met opgeheven hoofd verliet Lennie de klas.

"Ik vond het flink, zoals Lennie de klas uitliep," zei Stefan toen de school uit was. "Ik scheet in mijn broek. Ik ben van de maand al twee keer op het matje geroepen. Wie had het eigenlijk op haar tafeltje gegooid?"

Op dat moment verscheen de rector met Lennie in de deuropening van de school. Hij zei nog iets tegen haar. Ze zagen Lennie knikken en hoe de rector haar een klopje op haar schouder gaf. Een moment bleef zijn blik op de groep op het schoolplein bleef rusten, toen draaide hij zich om en liep naar binnen.

"Kom we gaan ervandoor." De groep zwermde uiteen. Sara zag dat Lennie weer alleen stond.

Toen Sara thuiskwam zat haar moeder al te wachten. Ze was gewend geraakt aan de onderonsjes met haar dochter.

"Ik neem mijn huiswerk liever mee naar boven."

"Ook goed," zei mam teleurgesteld.

Terwijl Sara probeerde zich op haar huiswerk te concentreren dwaalden haar gedachten af naar Lennie. Waarom had ze het niet voor haar opgenomen, vond ze het zo belangrijk om erbij te horen? vroeg ze zich af. Het was een gemeen trekje. Lennie had tien keer zo veel karakter in haar pink als zij in haar hele lijf. Maar het enige gevoel dat ze voor Lennie kon opbrengen was medelijden.

Toen Sara naar beneden kwam, trof ze haar moeder huilend aan. Daar had ze nu net helemaal geen geduld voor. Ze was van plan naar buiten te gaan en het voorval met Lennie even van zich af te schudden.

"Wat is er?" vroeg Sara harder dan ze bedoeld had.

"Het is je vader."

"Pap?" Haar hart stond stil.

"Er is iemand ziek, dus neemt hij de nachtdienst over. Alleen maar voor dat rotgeld."

Sara haalde diep adem. "Is dat alles? Ik slaap wel bij je tot hij thuiskomt."

"Daar gaat het niet om."

"Waar gaat het dan om?"

"Ik kom bijna nergens meer, je vader is alleen maar aan het werk en ik sta overal alleen voor, maar dat interesseert meneer niet. En dan mijn vader… Niets was goed genoeg voor mijn moeder, hij droeg haar op handen. Ik had naar hem moeten luisteren, hij heeft me genoeg gewaarschuwd."

"Gewaarschuwd?"

"Ja, gewaarschuwd."

"Wat een verbeelding. Mijn vader is dus niet goed genoeg?"

"Gaan we hatelijk worden?" vroeg ze.

"Jij bent hatelijk," Sara sloeg de deur met een smak dicht en wilde haar aan haar lot overlaten. Toch kroop ze 's avonds bij haar moeder in bed.

Midden in de nacht maakte haar vader haar wakker. "Kom je Sara, je moet naar je eigen bed." Hij trok de dekens naar achteren. Slaapdronken liep ze naar haar eigen kamertje en kroop tussen de koude vochtige lakens.

Door de dunne muren hoorde ze het geklaag van haar moeder te horen en daarna de stem van haar vader.

In het begin genoot Sara van de intieme halfuurtjes samen met haar moeder. Zonder dat Sara haar in de rede viel, vertelde ze over vroeger, hoe het bij hen thuis was. Haar moeder kon smakelijk vertellen. Als een spons zoog Sara de verhalen op, terwijl ze zich voorstelde hoe haar moeder met haar broers en zussen plezier maakten in het grote huis, met zijn geheimzinnige kelder, waar je je overal kon verstoppen. Door haar fantasie de vrije loop te laten viel het Sara niet op hoe mam haar vroegere leven afzette tegen dat van nu.

Sara had het altijd moeilijk gevonden om tegenover haar moeder de juiste woorden te vinden. Bij haar vergeleken voelde Sara zich onhandig, en dus beperkte ze zich tot luisteren, en liet de beelden in haar hoofd toe die ze er zelf bij verzon.

Haar moeder had van die uitgesproken meningen. Soms kon ze uren praten over het geloof, standsverschillen en vooral goede manieren die je van huis mee kreeg. Niemand sprak haar tegen. Het was moeilijk om haar van haar standpunt af te brengen en als je haar al tegensprak barstte ze in tranen uit en was de ijzige sfeer in huis nog dagen te proeven.

Haar vader wist dit en deed niet meer mee aan haar 'spelletjes', zoals hij ze zo oneerbiedig noemde. Hij negeerde haar scherpe blik als iets haar niet beviel, gaf haar in alles haar zin en maakte een gekscherende opmerking, in de hoop er iets voor terug te krijgen, al was het maar een vage glimlach.

Sara snapte niet dat hij zo reageerde, en inwendig vond ze hem een slappeling. Zij wist als geen ander hoe haar moeder over haar vader sprak als hij er niet bij was. Mam beschreef haar leven als een waar gebeurd verhaal. Ze voerde haar toneelkunst zover op dat ze de tranen op ieder gewenst moment uit haar ogen kon persen. Daarmee hoopte ze op een bevestiging van wat ze allemaal had moeten inleveren door beneden haar stand te trouwen. Wanner het gewenste resultaat uitbleef, vertrok haar mond tot een smalle streep waarna ze zich terugtrok in haar keuken, de deur demonstratief achter zich dichttrekkend.

De verhalen die Sara in het begin zo spannend had gevonden, begonnen haar tegen te staan. De prinses die trouwde met een kikker. Het was pure liefde, tegen de zin van de koning en de koningin trouwde ze, en na de eerste nacht werd ze wakker naast de man van haar dromen. Maar het sprookje werd werkelijkheid en de prinses veranderde in een lelijke oude heks die het leven van haar man onmogelijk maakte.

Sara had geen enkele behoefte om iedere dag na school het geklaag van haar moeder aan te moeten horen. Het was net een grammofoonplaat waar een barst in zat. Iedere dag draaide ze hetzelfde verhaal af en eindigde steevast met de waarschijnlijk goedbedoelde legendarische uitspraak, dat ze hoopte dat haar dochter in de toekomst niet alleen haar hart, maar ook haar verstand zou laten spreken. Sara begreep wat ze bedoelde. Het waren verkapte waarschuwingen aan het adres van haar vader.

Toch wachtte haar moeder hem iedere avond op. Haar hoofd een beetje scheef en haar wang genadig naar hem toegekeerd. Ze liet haar stem een octaaf dalen, dweepte met haar ogen en hing aan hem als een verliefde puber, vroeg hoe mooi ze was, of ze er zo goed uitzag en of hij nog van haar hield. Hij trapte er iedere keer weer in, blij met de kruimels die ze hem toewierp.

"Wie doet de afwas?" vroeg pap.

"Sara," zei Bram.

"Als mam beneden komt is de zooi opgeruimd, maakt me geen moer uit wie het gedaan heeft," zei pap in zijn algemeen beschaafd Nederlands, een van de punten waar mam zich zo aan ergerde. Hij vertrok ook naar boven. Bram duwde haar in de richting van de keukendeur.

"Doe jij ook maar eens wat," zei Sara terwijl ze onder hem door dook op het moment dat hij de deur dichtsloeg. Op het geschreeuw, dat tot ver in de omtrek te horen was, kwamen haar vader en moeder naar beneden gesneld. Direct zagen ze wat er gebeurd was. Sara hing voorover tegen de deur, haar pols hing in een hoek van negentig graden. De buurman, die een EHBO-diploma had, spalkte de pols en belde een taxi. In de taxi hing ze tegen haar vader, die maar tegen haar bleef praten, terwijl ze niets liever wilde dan wegzakken in vergetelheid en de pijn vergeten.

"Een ingewikkelde breuk," zei de dokter terwijl hij de foto tegen het licht hield. "Hij zit er finaal naast." Hij wees naar het bot dat onder haar arm hing. Hij belde of er een operatiekamer vrij was en vijf minuten later lag ze op bed. Er heerste een serene kalmte. Verpleegsters liepen af en aan en brachten zwijgend de apparatuur in orde. In het melkachtige licht zag het gezicht van haar vader, die naast het bed zat, er vaal uit.

De narcotiseur, gekleed in het groen, ging achter haar staan. "Ik ga zo meteen dit kapje over je mond doen," legde hij uit. "Het voelt naar maar dat is zo voorbij." Tegelijkertijd duwde hij het kapje over haar gezicht. Ze dacht dat ze zou stikken. Daarna was er niets meer.

Ze werd wakker in een vreemd bed. Tranen stroomden over haar wangen. Er klonken gedempte voetstappen en overal bewogen schimmige gedaantes. Iemand boog zich over haar heen. "Gaat het?" hoorde ze een vertrouwde stem vragen. De tranen bleven stromen. Waar was ze?

"We kunnen haar rechtop zetten." Sterke armen trokken haar

omhoog, langzaam trok de mist op werd het zicht minder wazig. Een vreemde man met een witte jas boog zich over haar heen en tilde haar ooglid omhoog.

"Blijf maar rustig liggen" zei hij vriendelijk. "Je had een dubbele breuk, maar nu is het weer in orde. Met zes weken mag het gips eraf." Zijn woorden drongen langzaam tot haar door. Zes weken? Waar had hij het over?

"Doet het zeer?" vroeg Bram toen ze thuiskwam. Hij keek beteuterd. "Wil je in deze stoel zitten?" Hij schoof een armstoel aan tafel, haalde een kussen en stompte net zolang op het ding tot ze knikte dat het zo goed was. "Wil je iets lezen?" Hij maakte een zwaai: "Uw nederige dienaar."

"Hou op man," lachte Sara als een boer met kiespijn. Haar rechterarm zat tot boven haar elleboog in het gips.

Het ongemak begon al tijdens het eten. Met een vork prakte ze alles door elkaar en probeerde met haar linkerhand de vork van haar bord naar haar mond te brengen. Het meeste belandde in haar schoot of op de grond. Ze boog haar hoofd dichter naar haar bord, waardoor de kans dat ze iets naar binnen kreeg groter werd.

"Gaat dat echt niet anders?" vroeg mam.

"Probeer het zo eens." Pap reikte haar over tafel een lepel aan. Vanuit hun ooghoeken volgden haar broers iedere hap die naar haar mond ging.

"Letten jullie nu maar op je eigen bord," zei pap. "Het is al erg genoeg wat er vanmiddag gebeurd is."

De eerste dagen waren voor Sara een hel. Vooral op school was het onmogelijk om links fatsoenlijk te schrijven: hoe ze ook haar best deed, de pen vloog alle kanten uit en zorgde voor veel lange en ongecontroleerde halen in haar schriftelijke werk.

Uiteindelijk, na veel gemartel en frustraties, mocht ze na schooltijd haar proefwerken mondeling doen, met als gevolg dat ze als laatste het schoolplein verliet. Het kostte moeite haar tas achterop de fiets te binden, het kostte moeite om slingerend naar huis te rijden, het kostte moeite om met één hand voor het stoplicht te stoppen, net zoals het moeite kostte om tussen de auto's te rijden. Maar wat het meeste moeite kostte, was de frustratie dat niets vanzelf ging.

In diezelfde tijd, de tijd, dat niets vanzelf ging en alles extra inspanning vereiste, kwam de oproep voor haar beugel. Weer was het haar vader die met haar meeging. Hij bleef in de wachtkamer zitten tot ze met een pijnlijk vertrokken gezicht aan zijn mouw tikte, niet in staat om te spreken. Hij fietste met haar mee tot school en gaf haar een bemoedigend klopje op haar schouder.

Met een mond vol tanden en ijzer stond ze in de deuropening van de klas. De leraar keek verbaasd op en Sara's klasgenoten, blij met de onderbreking, begonnen zich onrustig op hun stoelen te roeren.

"Sara?" Hij trok vragend een van zijn dikke zwarte wenkbrauwen omhoog en wachtte.

Ze voelde het bloed naar haar hoofd stijgen. "Ik was naar de tandarts." Haar mond werd aan alle kanten uit elkaar gerukt en het kostte haar moeite te praten. Even was het stil, toen begon de klas te lachen. "Stil eens jongens!" sprak de docent, zijn ogen nog steeds op haar gericht. "Kun je dat herhalen?"

Weer probeerde ze normaal te praten.

"Ga maar naar je plaats, ik spreek je straks wel."

Met een hoogrode kleur schoof ze op haar plaats. De tas die aan haar linkerhand bungelde, viel naast haar stoel op de grond.

Geërgerd draaide de leraar zich om en wachtte tot ze zat. "We gaan weer verder met de les, jullie slaan je werkboek open op bladzijde 36." Met haar linkerhand haalde ze onhandig het boek uit haar tas, ervoor zorgend dat hij niet op de grond zou vallen en draaide de bladzijde om, haar rechterhand steunde zwaar op de binnenkant van het boek.

Haar mond deed zeer, ze voelde zich ellendig en hoopte maar dat hij haar voor de rest van de les met rust zou laten. Het duurde een eeuwigheid. Na Aardrijkskunde hadden ze nog Latijn.

Sara kon dat mens toch al niet uitstaan, en vandaag had ze haar alles twee keer laten herhalen. Haar hand demonstratief in een kom achter haar oor vroeg de docente schijnheilig: "Wat zeg je Sara? Jongens, wees eens stil." En weer tot Sara: "Ik kan je niet verstaan."

Het liefst had Sara haar aan haar lelijke zwart geverfde haren over de lessenaar getrokken, net zolang tot ze spartelend om genade zou roepen. De gedachte alleen al deed Sara glimlachen, waardoor ze haar beugel voor een moment vergat en haar uitgescheurde mondhoeken haar een scheut van pijn bezorgden.

Mam kwam met een rood hoofd de keuken uitgestoven. "Ben je daar eindelijk, kom mee." Ze veegde met een hand het haar uit haar gezicht. "Je wist toch dat we naar een ouderavond moesten. Waar bleef je nou?"

Sara wierp haar een smekende blik toe en liet haar tanden zien. "Mijn god," mam sloeg haar hand voor haar mond. "Ik ga me omkleden, jij let op en als er iets is," ze dacht even na, "dan los je het maar op."

Verbaasd keek Sara haar na. Ze moest zich bedwingen om het niet uit te schreeuwen. Mam, kijk eens goed, een hand in het gips, een mond die uitgerekt is en vol ijzer, doet het je dan helemaal niets? Maar in plaats daarvan liep ze de smalle steeg in, stak de straat over en dook aan het eind van de weg bij de volkstuintjes het zandpad op.

Het was laat in de middag. Nadat ze de caravans die dienstdeden als schuurtjes achter zich gelaten had, bukte ze zich en kroop tussen de dichtbegroeide struiken, die aan haar jas bleven haken, en bomen die in een boog naar elkaar gegroeid waren naar het water. De wind streelde haar gezicht en koelde haar verhitte gemoed.

Bij de dikke boom die zijn takken ver over het water deed buigen, liet ze zich zakken. Ze onderzocht de bast. Er was al veel in hem gesneden. Hartjes, namen, pijlen. Hij droeg het in stilte, stond nog steeds overeind. Ze sloeg haar handen om haar opgetrokken knieën en drukte haar rug tegen de vertrouwde treurwilg.

Het rimpelige water trok aan haar voorbij. Een enkele eend probeerde haar aandacht te trekken, zwom al zoekend tegen de stroom in. Boven haar pakten dikke wolken zich samen, de wind werd sterker en het riet lag nu helemaal plat. Aan de overkant klonk het geluid van een tractor. Ze keek omhoog en volgde de wolken die voorbijtrokken. Haar ademhaling was weer normaal en ze voelde hoe haar gemoederen tot rust kwamen. Dit was haar geheime plek, hier mocht ze zitten zonder zich teveel te voelen.

Het verbaasde Sara hoe snel alles wende. Na een tijdje wist ze niet beter. Het schrijven met links was niet perfect, maar leesbaar. Het slissen werd minder en met een paar trucjes wist ze zich al snel verstaanbaar te maken. Toch was ze het liefst zo snel mogelijk weg na school.

Als ze thuiskwam zat mam net als voorheen op haar te wachten. Ze dronken koffie of thee en vooral haar moeder genoot van de rust voordat ze allemaal weer binnenstormden. "Is er iets?"

Sara roerde in gedachten in haar kopje. "Denk jij dat mensen met veel geld ongelukkig zijn?"

"Wie heeft er veel geld?" Mam zat in haar bekende houding, met een sigaret aan tafel, ze inhaleerde diep alsof het haar laatste was, legde de sigaret afwezig neer en pakte haar koffie kopje, de pink omhoog. Het dikke haar hing aan een kant los. De andere kant was met een kam naar achteren gestoken. Haar donkere wenkbrauwen met de zware wimpers en de rode mond gaven haar een zigeuner-achtig voorkomen. Ze zag er niet uit als andere moeders. Sara hield van de verbaasde blik die kinderen op haar moeder wierpen als ze haar voor het eerst zagen.

"Wat is er?" vroeg mam.

"Niks, ik vroeg je wat."

"Of geld ongelukkig maakt," herhaalde ze aarzelend. "Je bedoelt of ik het vervelend vind dat wij geen geld hebben?"

"Nee, ik had het niet over ons. Je hebt van die mensen die hebben alles en toch…"

"En toch wat?"

"Ik weet het niet, ze zijn zo eenzaam. Je snapt wel wat ik bedoel, het is er niet gezellig, geen broertjes en zusjes, niemand thuis. Zo zielig. Ze zijn altijd aan het werk en waarvoor? Voor dat ene kind."

Mam nam bedenkelijk een haal van haar sigaret. "Misschien is het andersom moeilijker. Neem nu mijn ouders, die hadden een heel groot gezin, maar die konden het zich ook veroorloven. Daarnaast hebben ze allemaal, zowel de jongens als de meisjes, nog gestudeerd ook en dat was heel bijzonder in die tijd. Daarom was hij ook zo gekant tegen het huwelijk met je vader."

"Wat is er mis met mijn vader?"

"Niets, behalve…"

"Behalve wat?"

"Je snapt toch wel dat een man met de ambities van mijn vader ook het beste wil voor zijn kinderen."

"Vond je dat niet verwaand?"

"Nee. Waarom? Zo was hij nu eenmaal. Hij had ze niet voor niets laten studeren, hij wilde dat ze het goed zouden hebben."

"En dat zag hij met papa niet zitten?"

"Je vader kwam uit een heel ander milieu, dat is geen vergelijking. Je vader verloor zijn moeder toen hij vier was, ze stierf bij de geboorte van een tweeling. Zo kwam hij op het internaat bij de nonnen."

"Vreselijk."

"Ja, daar vraag je als kind natuurlijk niet om, maar je begrijpt dat mijn vader razend was toen hij hoorde dat zijn dochter ermee thuiskwam. Hij bezwoer me dat ik er niet meer in kwam en mijn ongeluk tegemoet zou gaan als ik met 'die armoedzaaier', zoals hij hem noemde, zou trouwen."

"Was je niet razend?"

"Het was vreemd. Onwillekeurig hoop je dat ze hem aardig vinden."

"En papa? Wat vond die ervan? Heeft hij nooit spijt gehad?"

"Je vader? Waarom zou hij?"

"Het lijkt me vreselijk om in zo'n familie terecht te komen."

"Nou moet je eens goed naar me luisteren." Mam boog zich voorover, haar stem klonk vlijmscherp. "Geen kwaad woord over mijn familie. Mijn vader mag in jouw ogen dan verwaand geweest zijn, maar hij was een rechtvaardige man die pal achter zijn gezin stond en je ziet, helemaal ongelijk had hij niet en daarmee heb ik meteen je vraag beantwoord. Nee, ik denk niet dat mensen met geld ongelukkig zijn".

Het gesprek was afgelopen. Sara hoorde de geiser in de keuken aanploffen, ze wist dat haar moeder nu een sigaret aan het vlammetje aanstak. Ze kende het verhaal al, ze had het al zo vaak gehoord, steeds in een andere versie net naargelang haar bui van die dag.

53

Tot nog toe was het Sara steeds gelukt haar eigen beelden erop los te laten. Ze zag in gedachten hoe haar opa op de kade stond te wachten op de schepen die binnenkwamen omdat die schepen de sinaasappels voor zijn zieke kleindochter van over zee mee hadden. Een opa die haar op schoot trok en waar ze met haar zware stem als kleinkind tegen zei: 'Als je maar weet dat ik voor de optocht jarig ben.' Een lange statige man op de kade met op de achtergrond de scheepswerf, een zwart-witfoto die ze bij haar tante in het fotoalbum had gezien. Dat was de opa die ze in gedachte wilde houden. Mam met haar overdreven verhalen haalde die droom onderuit, maakte hem tot een boeman, een harteloze man die zijn dochters de liefde van hun leven probeerde te onthouden.

Haar blik ging dromerig van het donkerbruine dressoir met de pluche loper, via de openslaande deuren naar de tuin. Tuinkabouters stonden tussen de hortensia's, lavendel en kamperfoelie te grijnzen. Mam zat in de keuken op de centrifuge. Ze had haar rok iets opgetrokken en bladerde in een tijdschrift. Toen Sara de keuken binnenkwam trok ze haar wenkbrauwen vragend omhoog. "Hoe ging dat later mam? Toen jullie eenmaal getrouwd waren?"

Haar moeder stak de sigaret, die lag te smeulen in de asbak, in haar mond, inhaleerde diep en wachtte tot de rook in het niets was opgelost.

"Mijn vader kon het huwelijk niet tegenhouden, dat zag hij zelf natuurlijk ook wel in, dus hebben ze gepraat."

"Ze?"

"Nou ja, als je het dan precies wilt weten, je opa heeft geprobeerd je vader op andere gedachten te brengen. 'Je trouwt mijn meest luxe kind. Kun je haar wel onderhouden?' En meer van dat soort vragen."

"Wat zei papa?"

"Niets."

"En jij, toen je dat hoorde?"

"Kind vraag toch niet zo veel." Ze haalde ongeduldig haar schouders op. "We waren verliefd, we hadden elkaar, meer hadden we niet nodig. Tevreden?"

"En opa? Was hij later aardig tegen papa."

"We zagen elkaar niet zo vaak. Het was oorlog, iedereen had zijn zorgen. Het kwam pas echt goed toen je broer Jan geboren was." Ze staarde voor zich uit, toen ze begon te spreken was haar stem gedaald. "Ik zal het nooit vergeten. Je opa had voor mij met veel moeite een plaatsje op een trekschuit weten te bemachtigen. Het was een gebaar..." Ze wachtte. "Op die trekschuit ben ik samen met de pasgeboren Jan naar Amsterdam gereisd om hen vol trots hun eerste kleinkind te tonen." Ze staarde naar haar handen.

"En toen?"

"Toen heb ik mijn vader voor het eerst zien huilen."

Alsof mam vond dat ze te veel in haar ziel had laten kijken was het over met de intieme uurtjes. Op de bekende wijze beperkte ze zich tot het geven van bevelen. Doe dit, doe dat, zit rechtop, schouders naar achteren, kin naar voren en loop alsjeblieft rechtop.

Als Sara uit school kwam, lag mam uitgeteld in een stoel te slapen of was het huis leeg omdat ze Amy en Bas uit school haalde, iets wat ze voorheen nooit deed. Sara verdacht haar moeder ervan dat ze hengelde naar een baantje als kleuterleidster, dat ze graag wilde invallen. De school had te kampen met te weinig personeel en regelmatig werden de toch al grote klassen bij elkaar gevoegd. Voor mam duurden de dagen te lang, in het huishouden had ze geen enkele interesse, daar was ze niet voor in de wieg gelegd, zoals ze zelf altijd zei, en het gebrek aan geld en de noodzaak haar stand op te houden tegenover de buurt maakte een baan bijna noodzakelijk.

Sara was er niet rouwig om. De school vergde al haar aandacht. En als ze eerlijk was ging ze het liefst uit school met Hanneke mee naar huis. Bij Hanneke was net als bij Lennie niemand thuis. Maar in tegenstelling tot de koude zolder met het griezelige licht, was het bij Hanneke ruim en comfortabel. Ze maakten huiswerk aan een tafel die midden in de woonkeuken stond. Hanneke zette water op. Als het kookte schonk ze het op en zette de theepot en twee bekers en koekjes op tafel. Hanneke hield ervan om met het vervelendste te beginnen, ze was doelgericht, werkte alles in volgorde af en tegen de tijd dat het donker werd, was het huiswerk af en reed Sara naar huis.

Mam stond rond die tijd met een verhit hoofd in de keuken.

Ze droeg haar rood geruite schort en de bekende sigaret lag te smeulen op het aanrecht. De bladen sla, groen en dicht bij de krop afgeplukt, want dat gaf het minste verlies, lagen uit te druipen in een vergiet. In de keuken was het warm, de pannen met aardappels stonden op het fornuis te dampen. In een zwarte braadpan die tot de helft gevuld was, lag een dikke laag gestold vet. Met een juslepel schepte ze een gat in het stolsel waaronder een donkerbruine massa te zien was. Van beide hevelde ze iets over in een steelpannetje.

Ze keek niet op toen Sara binnenkwam. "Het eten is klaar, dek jij de tafel." Tegenover Sara zat Bram met zijn pretogen en rechte haren, die als een pony voor zijn ogen hingen. Naast hem zat Bob. Vanonder zijn donkere wimpers speurde hij de tafel af op zoek naar rottigheid. Jan, de oudste en nuchterste van hen allen, zat aan het hoofd van de tafel tegenover haar vader. Zijn haar keurig in een scheiding en met een uitgestreken gezicht keek hij om zich heen en nam alles in zich op. Jos, met zijn gluiperige lachje, zat naast mam en wachtte op een sein van zijn broers.

Mam bracht, nadat ze eerst haar schort in de keuken had uitgedaan en een kam door haar haren had gehaald, de schalen naar binnen. Ze zette ze neer met een gezicht alsof het weer een van haar culinaire hoogstandjes was. Eerst kwamen de schalen met de groene slabladeren waarbovenop een klodder slasaus dreef en daarna de schalen met dampende aardappels. In twee grote juskommen zat de jus die ze met water en bloem van een juslepel vet had omgetoverd in twee grote kommen warm vocht. Ze overzag de tafel en controleerde iedere avond bloedserieus of ze niet iets vergeten was neer te zetten. Dan knikte ze dat pap haar stoel kon aanschuiven. Ze vouwde haar handen, wachtte tot iedereen zo zat en begon met het Onzevader, gevolgd door het Weesgegroet en noemde alle heiligen op waar ze ooit steun van had gehad of hoopte te krijgen; de lijst werd steeds langer. Als hongerige wolven vielen ze daarna op het eten aan.

Na afloop veegde pap zijn mond af met de rug van zijn hand. "Heerlijk gekookt mam," zei hij dan terwijl hij hen stuk voor stuk bezwerend aankeek alsof hij zeggen wilde: 'Heb de moed.' Daarna deed hij de afwas en droogde iedere dag iemand anders af. Mam had al zo lekker gekookt dus die hoefde niets te doen. Ze bleef in de kamer en ruimde de kopjes of de glazen op die schoon terug kwamen.

Daarna werd er koffie gezet. De doos met spelletjes kwam op tafel, totdat mam het genoeg vond en de kinderen naar bed stuurde omdat ook zij wel eens alleen met haar man wilde zijn. Voor Sara was dat geen straf. Hanneke had een hoop boeken waarvan ze er een had mogen lenen. Ze dook tussen de vochtige lakens en stelde zich voor dat zij de hoofdpersoon was. Het ging over een meisje van wie de ouders zo bezorgd waren, dat ze haar opsloten in een zolderkamertje. Iedere avond keek het meisje uit het raam en sprak tegen de sterren. 'Op een dag word ik ook een ster,' beloofde het meisje. Sara ging zo op in het verhaal dat ze haar vader niet hoorde. "Doe het licht uit Sara, we hebben geen aandelen in de lichtfabriek. Morgen is er weer een dag."

De volgende morgen hees ze zich uit bed. Ze schoof de gordijnen opzij en opende het raam om de koele lucht binnen te laten. Het licht van de lantaarnpalen gaf de straat een spookachtig aanzien. De maan was verdwenen en aan de horizon was een grijze lichte streep te zien. Ze deed het licht aan en zag de condens van de vensterbank op haar bed lopen. Ze rilde en zocht haar dikke trui tussen de stapels kleren die her en der door de kamer verspreid lagen.

Ze wierp een blik in de gebarsten spiegel, grijnsde naar haar spiegelbeeld en zag de beugel die al bijna gewoon was. Ze maakte met haar handen een kom en plensde koud water in haar slaperige gezicht en duwde het steile haar naar achteren, waardoor haar arm zichtbaar werd in de gebarsten spiegel. De arm was sneller genezen dan ze gedacht had. De huid was weer glad en hij was niet meer zo griezelig dun. In een opwelling pakte ze de trui die ze over haar gipsarm gedragen had en smeet hem achter in de kast. In de kast lonkte de rode fluwelen jurk. Het was lang geleden dat ze zich bekommerd had om haar kleren. Haar gemoed sprong op. Waarom niet. Ze trok de rode jurk over haar hoofd en besefte dat ze de lange rits die tot op haar stuitje viel niet zelf dicht kon maken.

Later zou ze zich niet meer kunnen herinneren hoe het precies was gebeurd. Nadat haar vader, die beneden met het ontbijt bezig was, de rits had dichtgemaakt en ze een laatste blik in de spiegel had geworpen, was ze naar school gefietst.

Het donker had plaatsgemaakt voor de dag en de frisse wind waaide om haar oren, haar wangen gloeiden. Op het schoolplein voelde ze zich zo licht als een veertje, ze wilde dansen, zingen. Ze voegde zich bij de anderen die samendromden op het schoolplein, tot de bel ging en ze zich naar binnen haastte. Tijdens de les hoorde ze achter zich gegiechel en ving ze opmerkingen op over haar lange rits. Ze concentreerde zich op haar Nederlands en zocht de spreekwoorden die bij de tekeningen op het bord hoorden.

In de pauze begonnen de jongens uit haar klas aan haar rits te trekken. Eerst plagend, toen steeds verder omlaag. Ze liep weg van de boosdoeners die haar lachend met z'n tweeën vastpakten terwijl een derde haar rist omlaag trok. De stof scheurde en ze voelde een koude wind langs haar rug. Ze bracht haar hand naar achteren waardoor de jurk van haar linkerschouder gleed. Haar gezicht begon te gloeien en met haar blik zocht ze het schoolplein af naar de jongens, die in geen velden of wegen te zien waren.

Bij de voordeur was een opstootje. Schoorvoetend en met één hand de beide uiteinden aan de bovenkant van haar jurk bij elkaar houdend, liep Sara eropaf.

Lennie stond in het midden. De jongen die ze geslagen had, hield haar arm in een greep. Op zijn wang stond haar hand, een straaltje bloed liep uit zijn mondhoek. Toen Lennie Sara zag draaide ze om haar as en wurmde haar arm los. De jongen keek van Sara naar Lennie en slenterde onverschillig het schoolplein op.

Het was onmogelijk. Iedere keer als ze een beweging maakte met haar arm, of ze nu een blad omsloeg of iets op moest schrijven, viel de jurk van haar schouder. Toch was ze zich bewust van een vreemde sensatie die door haar hele lichaam voer. Ze zat in het midden van de klas en achter haar voelde ze dat ze stiekem met iets over haar naakte rug kriebelden. Ze voelde kippenvel over haar armen, hoorde de jongens achter haar fluisteren en was zich voor het eerst bewust van haar blote rug, waarvan ze wist dat die nog bruin zag van de zon.

58

De leraar deed of hij niets zag en probeerde de les zo normaal mogelijk te laten verlopen. Na afloop wachtte ze tot iedereen de klas uit was, daarna schuifelde ze naar de deur.

"Laat mij eens kijken," zei de leraar. "Sorry Sara, het ziet er naar uit dat hij echt stuk is. Heb je niets bij je? Een jas?"

Sara knikte, hij was zo aardig, zo gewoon.

"Wacht, ik haal hem voor je." Hij hielp haar in haar jas. "Zo kom je in ieder geval thuis."

Onderweg brandden de tranen achter haar ogen. Niet om die stomme rits. Want die jurk deed ze niet meer aan, maar om Lennie, die het zonder meer zo voor haar had opgenomen. En om de Franse leraar, die zo aardig was. Maar vooral vanwege het besef dat ze net zo erg was als die jongens en de groep waar ze zo nodig bij wilde horen.

"Mam?" ze tikte op haar arm.

In een reflex schoot haar moeders arm omhoog. "Hoe laat is het? Ik moet in slaap gevallen zijn."

Sara draaide zich om. "Kijk, zo heb ik in de klas gezeten".

"Wat zonde. Nou ja we brengen het wel naar de overbuurvrouw, die zet er wel een nieuwe rits in." Ze graaide in de zak van haar rok. "Pepermuntje?"

Vol verbazing zag Sara hoe ze er een rol pepermunt uithaalde. Het papier was opgestroopt en het zilverpapier was aan de bovenkant zorgvuldig dichtgevouwen. Mam stroopte het papier verder omlaag en stak er twee tegelijk in haar mond. Ze trok vragend een wenkbrauw op en stak de rol in een uitnodigend gebaar naar voren. "Nee? Dan niet." Ze stak de rol weer in haar zak.

"Je hoeft die jurk niet te laten maken, mam. Ik trek hem niet meer aan, ze lachen me uit."

"Dan lachen ze maar. Die jurk staat je juist zo beeldig."

"Ik wil er niet beeldig uitzien. Ik wil er modern uitzien, net als iedereen."

"Dat kun je nu wel willen, maar jouw vader is maar een eenvoudige bakker en geen bankier."

"Waar slaat dat nou weer op?"

"Alsjeblieft Sara, leer jezelf te zijn. Het is niet alles goud wat er blinkt, daar kom je nog wel achter. Trek die jurk uit en schei eens uit met die aanstellerij."

"Dus dat noem jij 'aanstellerij'. Je laat me gewoon voor schut lopen, het maakt je niets uit."

"Houd je grote mond en doe nou maar wat ik zeg, je bent voorlopig niet aan de beurt, af, uit. We hebben al onze centjes binnenkort hard nodig. Ga liever aan je huiswerk dan kun je me straks helpen, ik ben de laatste tijd zo moe, en doe de deur achter je dicht. Aan de andere kant graag."

In haar kamertje liet ze haar tas op de grond vallen en zette het raam wijdopen. Het was koud en het werd al donker. Ze liet het licht uit en ging in het donker voor het geopende raam staan. In de meeste huizen ging het licht aan en werden de gordijnen dichtgeschoven. Ze ademde diep in, spreidde haar vingers, en streek met een licht gebaar door haar haar. Haar handpalmen rustten aan twee kanten tegen haar hoofd. De wind gleed langs haar schouder en voorhoofd. Ze voelde een lichte huivering. Haar gemoed was zwaar en vol melancholie. Langzaam, heel langzaam bewoog ze haar hand naar haar schouder. Ze streelde het rode fluweel, dat onder haar handen mee bewoog, als een blad in de wind, zacht, teder en vol lieve dierbare herinneringen. Ze voelde de gladde huid toen het fluweel van haar blote schouder gleed. Haar arm kruiste zich over haar halfnaakte borst en bewoog zich naar haar andere schouder.

Nog eenmaal streelde ze de zachte stof. Daarna hield ze haar armen omlaag, waardoor de jurk van haar af gleed en zich om haar enkels drapeerde. Ze voelde hoe de stof haar voeten raakte en zag zichzelf naakt, op een slipje na.

De rode jurk, het symbool van haar jeugd, lag als een lijkwade op de grond. Golven van emoties overspoelden haar, tranen vermengden zich met heimwee, zochten wanhopig een uitweg. Ze wiegde heen en weer, als een pasgeboren kind dat uithuilt in de armen van zijn moeder. Ze richtte zich op, kruiste haar armen voor haar borst en terwijl ze de koele lucht inademde die haar borstkas vulde, voelde ze hoe haar stijve spieren begonnen te ontspannen. Terwijl ze uitademde spande ze de bal van haar voet, haar hiel kwam omhoog, ze boog haar knieën en stapte voetje voor voetje uit de jurk.

Ze sloot haar ogen, haar handen bewogen aan de binnenkant van haar dijen omhoog, raakten haar schaamstreek. Een siddering ging door haar heen, haar bilspieren trokken samen en terwijl haar handen daar bleven rusten tot de opwinding uit haar lichaam wegvloeide, voelde ze een warme stroom.

Haar hand voelde nat en kleverig. Ze spreidde de hand voor zich met de handpalm naar boven en zag het bloed dat aan haar vingers kleefde.

Buiten stond de maan, laag en groot aan de horizon. Tranen vielen als zoutkristallen omlaag, vermengden zich met de geur van weemoed en verlangen. Ze ademde diep in, rook de frisse lucht, proefde de mysterieuze kracht van de maan die zijn licht over haar liet schijnen, half kind, half vrouw. Ze keek omhoog naar de heldere hemel, deed een stap terug uit het licht, kleedde zich met zorg aan en ging naar beneden.

4

Schoonheid is iets wat je met de jaren ontglipt, dacht Sara terwijl ze haar moeder bespiedde die zich had teruggetrokken in de uiterste hoek van de kamer. Het viel Sara op dat ze zich niet meer opmaakte. Ze was verdiept in haar favoriete tijdschrift, de enige luxe die ze zichzelf veroorloofde, haar hoofd voorovergebogen. Het donkere haar, normaal stevig en glanzend, hing slap en futloos over haar gezicht. Het felle licht van de schemerlamp bescheen haar genadeloos en accentueerde de lichtbruine vlekken die tegenwoordig haar huid ontsierden. Ze was dikker geworden. Haar kleren pasten niet meer en ze droeg nu al weken niets anders dan een groen geruite overgooier, die haar nog dikker maakte.

Geen wonder, dacht Sara, als je vier rollen pepermunt per dag eet. Ze snapte niet dat haar vader er niets van zei. Hij moest het toch ook opgemerkt hebben. Ze rookte een pakje sigaretten per dag en overal in huis, in haar jas, haar schort, op de schoorsteen, lagen aangebroken rollen pepermunt.

"Niet doen," zei mam terwijl ze met een zucht het blad dichtsloeg.

"Wat?"

"Gluren. Je denkt toch niet dat ik gek ben. Pak liever mijn sigaretten, Sara."

"Waarom rook je zo veel als je het zo vies vindt?"

"Wie zegt dat ik het vies vind?"

"Je doet niets anders dan pepermunt eten, dus vind je het vies."

"Daar zeg je me wat." Koortsachtig zocht ze in haar zakken, hees zich steunend op twee armen een beetje overeind en zocht met haar ogen de schoorsteen en het dressoir af. Met een rood hoofd zakte ze weer terug in de stoel.

"Gaat het wel? Je ziet er zo vreemd uit." Sara huiverde. Ze zou toch geen vreselijke ziekte hebben? In gedachten zag ze het al voor zich. Haar moeder bleek en uitgeteerd in een bed in de kamer, vlak voor het raam, vanwaar ze kon zien hoe het leven op straat, waar zij geen deel meer van uitmaakte, aan haar voorbijtrok.

Op straat remde een vrachtwagen, fietsen werden tegen het ijzeren hekje in de voortuin gezet. Het gezicht van Bram, rood en verkleumd, verscheen voor het raam, er werd getoeterd.

Die avond, terwijl de eerste sneeuwvlokken de wereld in een sprookje veranderden en de kachel binnen voluit stond te loeien, vertelde mam haar verhaal.

"Ik moet jullie iets vertellen," begon ze plechtig. Ze vouwde haar handen in elkaar, haar ogen keken de tafel rond en om haar mond verscheen een geheimzinnige glimlach. "We wachten even tot pap ook zit."

"Is de kat van de buren dood? Of gaan jullie scheidden?" vroeg Jos met een scheve grijns.

"Zullen we dan maar, pap?" ze zweeg en wachtte tot iedereen stil was en ze zeker wist, dat alle blikken op haar gericht waren. "Om maar met de deur in huis te vallen: jullie krijgen een broertje of zusje."

Dat was het dus. Voordat Amy geboren werd, en dat was alweer vijf jaar geleden, waren ze niets anders gewend. Ieder jaar, of in ieder geval om het jaar, lag er een baby in de wieg. De wieg werd niet eens meer uit elkaar gehaald, die bleef gewoon staan: de ene erin, de andere eruit.

Stom! Het was geen moment in haar opgekomen. De vormeloze overgooier, de eeuwige pepermunt in plaats van zure bommen. Alles van de laatste maanden viel op zijn plaats. Iedereen praatte nu door elkaar.

"Ik hoop dat het een meisje wordt," zei Sara terwijl ze uitdagend naar haar broers keek. "Jongens hebben we al genoeg."

"Het maakt niet uit, Sara," zei haar vader, "beide zijn welkom." Hij keek haar met zijn blauwe ogen bezwerend aan. Ze kreeg een kleur. Ze wist waaraan hij dacht.

De keren dat hij haar hoog boven de bruine houten wieg had opgetild en het geruite gordijntje, dat aan een lange stok boven het wiegje hing, opzij had geschoven, waarna hij haar dan weer had laten zakken zodat ze de baby goed kon bekijken. Hoe ze steeds weer die brandende vraag stelde, "is het een jongen of een meisje", omdat ze na al die jaren nog steeds aan het kleine hoofdje dat boven het lakentje uitpiepte het verschil niet kon zien.

Hoe haar vader haar een tik had gegeven toen ze na vijf jongens "gatver, alweer een jongen" had gezegd. Mam was zo overstuur geweest van deze opmerking dat de dokter moest komen.

"Ze is jaloers, geef haar maar een taak," fluisterde de dokter in haar moeders oor. Mam had daar dankbaar gebruik van gemaakt, met als gevolg dat ze twee jaar lang voor Bob had moeten zorgen. Ze moest met hem naar de wc en voor de deur wachten tot hij klaar was, bij hem zitten als hij ziek was, zijn snotneuzen afvegen en vooral zorgen dat hij niet overal aanzat.

Totdat eindelijk dat zusje kwam. Daar wilde Sara wel op passen, mee showen, het aankleden als een levende pop. Maar dat liet mam niet toe. In ieder geval in het begin niet.

Ze keek naar buiten. "Hoelang duurt het nog?"

"Nog vijf maanden."

De maanden daarop werd haar moeder steeds zwaarder. Voor Sara's gevoel groeide ze met de dag. Ze was zo rond als een ton, rookte tot Sara's ergernis nog steeds en at rollen pepermunt - die ze altijd in voorraad hadden, sinds haar vader de laatste keer midden in de nacht de kruidenier op de hoek uit zijn bed had moeten bellen.

Voor zover haar school dat toeliet, hielp Sara zo veel mogelijk. Naarmate de zwangerschap vorderde werd haar moeder steeds lastiger. Ze begon als een gek te poetsen en te boenen. Ze lag op haar dikke buik op de grond om de plintjes onder het donkere dressoir te stoffen. Ze boende iedere dag een halfuur de wc, wat een onmogelijke taak was met negen personen in één huis. Voor ze klaar was en hijgend en met een rood aangelopen gezicht overeind kwam, stond er alweer een rij.

Sara had al een paar keer tegen haar moeder gezegd dat ze daarmee moest stoppen. Het was altijd netjes en aan kant geweest en dat was nu ook voldoende. Mam wilde er niet van horen. "Wat denk je, straks komt een vreemde zuster in huis, dan wil je toch dat het schoon is."

"Maar het is schoon. Denk je nu echt dat zo'n mens onder de kasten kijkt, of dat ze de plinten afstoft." Wat Sara ook zei, het hielp niet. Haar moeder bleef aan de gang en 's avonds lag ze uitgeteld en klagend in haar stoel.

"Ik dacht dat je mam wel zou helpen," begon haar vader op een avond. Mam hing in een stoel. Haar zware borst vloog op en neer. "Je piept ervan," zei haar vader bezorgd. "Sara, zet jij eens een kop thee." Hij maakte met zijn hoofd een gebaar dat ze naar de keuken moest.

"Je kunt je moeder verdomme toch wel helpen," siste hij in de keuken. "Je ziet toch dat ze niet meer kan."

"Kan ik het helpen?" reageerde ze nijdig.

"Hoe denk je dat het voor mij is om je moeder de hele dag met haar dikke buik op haar knieën door het huis te zien gaan? Zelfs als ik net gestofzuigd heb, vind ze het nog smerig en gaat er met een stofdoek over de vloer achteraan. Dat is toch niet normaal."

De ketel begon te sissen. Snel draaide ze het gas uit en schonk de thee op. "Ze moet die rotsigaretten eens in de hoek gooien, dan piept ze ook niet meer zo."

"Je hebt gelijk..." Onwillig haalde hij zijn schouders op. "Zorg jij nou maar dat ze wat meer rust neemt, dan ben je de bovenste beste."

Mam kwam moeizaam overeind "Zet daar maar neer," zei ze toen Sara met de thee kwam, ze hees zich overeind. "Geef me eens een asbak."

"Mam!"

"Ben je soms mijn moeder?" Ze leunde weer achterover in haar stoel.

"Hoe is het met Hanneke?" probeerde mam het over een andere boeg te gooien. Ze inhaleerde en blies de rook in kringetjes omhoog.

"Goed," zei Sara. De waarheid was dat ze Hanneke al weken niet echt had gesproken.

Sara miste de middagjes bij Hanneke thuis. Ze miste de doeltreffendheid waarmee Hanneke haar huiswerk maakte, de warme, gezellige keuken en de kopjes thee waar ze hun chocoladekoekjes in doopten. Sara's cijfers waren drastisch gekelderd, vooral voor Frans en Latijn. Terwijl ze aan niets anders kon denken dan aan de komst van de baby – ze telde de dagen – begon ze zich toch zorgen te maken over haar schoolprestaties.

"Als de baby er is – dat kan nu ieder moment gebeuren -" begon Sara de volgende dag tegen Hanneke, "zullen we dan weer samen huiswerk maken?"

"We zien wel," zei Hanneke, ze zocht met haar ogen het schoolplein af. "Ah, daar is Claartje." Hanneke stapte op haar fiets en reed zonder om te kijken weg. Met een steek van jaloezie keek Sara hen na.

"Ik kan je wel helpen als je ergens moeite mee hebt." Lennie stond met haar fiets in haar hand. Ze had haar haren los waardoor haar gezicht nog smaller leek en haar ogen nog groter.

"Nee joh, zo erg is het nu ook weer niet." Sara ontweek haar blik.

"Oh, maar ik doe het graag." Lennie wachtte tot Sara op haar fiets zat en ging naast haar fietsen. "Hanneke was er snel vandoor." Ze schonk Sara een glimlach.

"Ik moet deze kant op. Tot morgen." Sara gooide haar stuur om en reed het park in. Lennie moest nu niet denken dat het haar ook maar iets kon schelen wat Hanneke deed, maar de hele weg zat het haar dwars.

De vijf maanden waren omgevlogen. Sara keek met verwondering naar haar moeder, die nog steeds dikker werd. De baby moest nu toch wel snel komen anders zou ze uit elkaar knallen.

Midden in de nacht werd Sara wakker van de geluiden in de kamer naast haar. Op de gang en in de kamer werd heen en weer gelopen en klonken gesmoorde geluiden. Meteen realiseerde ze zich wat er aan de hand was, zeiden ze niet dat baby's een voorkeur hadden voor de nacht? Met een ruk trok ze de dekens van zich af en stond met haar handen over haar borst geslagen in de deuropening. Haar vader kwam aangekleed de slaapkamer uit. Hij maakte een gebaar dat ze stil moest zijn.

"Blijf jij bij mam, Sara," fluisterde hij. "Ik ga de vroedvrouw halen." Voor ze iets kon vragen haastte hij zich de trap af. De voordeur werd dichtgeslagen.

Sara bleef in de deuropening staan. Haar moeder probeerde te slapen en draaide onrustig heen en weer. Af en toe greep ze naar haar buik en kreunde. Sara hoopte maar dat haar vader snel terug zou komen. Ze keek op de wekker die op het nachtkastje stond. Half twee. Waar woonde dat mens in godsnaam.

Mam draaide zich om. "Ga naar bed Sara, dit kan nog wel even duren. Laat je deur maar open."

Sara bleef staan, ze kon haar met geen mogelijkheid alleen laten, maar het werd wel tijd dat haar vader terug kwam. Toen ze buiten voetstappen en zacht gepraat hoorde was het twee uur.

Haar vader kwam met de vroedvrouw boven. De vrouw waar ze al die tijd op gewacht hadden, was niet meer zo jong, had kort donker haar en maakte een gejaagde indruk. In haar hand hield ze een zwart leren koffertje. Ze liep achter haar vader de slaapkamer in en de deur werd gesloten.

Sara ging op de rand van haar bed zitten. Ze kon zich niet voorstellen dat er straks babygehuil uit die kamer zou komen. Ze probeerde te luisteren wat er naast haar gebeurde maar de stemmen klonken gedempt. Na een tijdje hoorde ze voetstappen de trap af gaan. Haar vader kwam haar kamer binnen.

"Probeer te slapen, Sara, vannacht gebeurt er niets meer." Toen hij haar teleurgestelde gezicht zag, liet hij er zachtjes op volgen: "Het wordt zeker morgenochtend."

De volgende morgen, ze moest in slaap gevallen zijn, spitste ze haar oren en haastte zich uit bed. Op de gang liep een meisje met een kom warm water en handdoeken. Sara schatte haar ergens in de twintig. Ze had blond opgestoken haar en lachte vriendelijk.

"Hoi, ik ben Janine." Ze knikte verontschuldigend naar de bak in haar handen. "Ik ben Sara." Dezelfde vrouw die Sara vannacht had gezien, stak haar hoofd om de deur van de slaapkamer. "Kom je?"

Het liefst was Sara thuisgebleven, maar haar vader had erop gestaan dat ze gewoon naar school zou gaan. "Als je thuis komt is de baby er."

Ze had net zo goed niet hoeven gaan. De hele morgen keek ze op de klok of staarde naar buiten. Wat zou er thuis gebeuren? Zou de baby er al zijn?

Het was een warme dag. De ramen in het klaslokaal stonden open, kinderen renden lachend en stoeiend voorbij. De zon scheen over het water en glinsterde op de bladeren van de bomen die over het water hingen. En wat nu als het een jongetje was? vroeg ze zich af. Zou ze dan blij zijn? Op papier tekende ze gedachteloos poppetjes met harken als armen en benen en kleurde ze in. Ze zette honderd keer haar handtekening, schrok op als het lesuur weer voorbij was en wist zich aan het eind van de ochtend als eerste naar buiten te wurmen. Zo snel als ze kon fietste ze naar huis. Ze had haar handen om het stuur geklemd en reed of de duivel haar op de hielen zat. Het was nog geen tien minuten fietsen naar huis, maar vandaag duurde het een eeuwigheid.

Een auto toeterde en ontweek haar op het kruispunt. Een fietser maakte een bocht om haar heen en reed de stoep op. Zonder om te kijken vloog ze de weg over en reed de steeg in, opende hijgend de poort en liep de tuin in.

Haar vader was in de tuin tussen de hortensia's aan het spitten. Zonder iets te zeggen liet hij haar gaan. Ze rende langs hem heen, stond stil en draaide zich toen abrupt om.

"Is de baby er al?"

Hij keek naar zijn schop en stampte hem diep de grond in. "De baby is er al geweest."

Heel langzaam opende ze de achterdeur. Haar benen voelden als elastiek. Tree voor tree klom ze de trap op, haar hart klopte in haar keel. Bij de deur van de slaapkamer bleef ze staan. Op een paar geluiden van buitenaf na was het stil. Doodstil. Ze bewoog de klink van de deur omlaag.

In het schemerdonker bleef ze staan en staarde de kamer in. De gordijnen waren gesloten, het daglicht dat erdoorheen scheen verlichtte schaars het grote bed. In de kamer heerste een serene rust. Haar moeder lag op haar rug met haar ogen dicht.

Voorzichtig liep ze verder de slaapkamer in. Haar voeten maakten geen geluid. In de hoek voor de commode bleef ze staan. Haar ademhaling was nauwelijks waarneembaar.

Toen ze uit de stilte naar voren kwam, deed de zuster een stapje opzij. Eén blik op het gezichtje van de baby was voor Sara voldoende om te zien dat ze hier niet meer was.

Eerbiedig gingen Sara's ogen over het naakte kindje. Het was een meisje. Ze was volmaakt, maar van hen weggezweefd. Haar oogjes gesloten, de handjes gevouwen op de borst. De donkere haartjes kleefden aan haar voorhoofd.

De stilte om haar heen was verlammend, sneed door Sara's ziel. Wat had dit kindje misdaan? Zelfs in haar kleine dood lag ze daar, tevreden, nederig, zag ze eruit alsof ze in het gras lag, in een open veld met bloemen die over haar heen bogen, de wind, die met haar speelde, en de zon die haar verwarmde.

Sara opende haar hart voor dit kindje, vouwde het dicht en deed de grendel erop. Geroerd, verdoofd door zo veel schoonheid, deed ze een stap achteruit, liep naar de deur en deed hem achter zich dicht.

Vanuit haar binnenste welde een snik omhoog, haar schouders schokten. Wanhopig hield ze zich vast aan de leuning en liep de trap af en de deur uit. Ze slenterde langs het water, passeerde een moeder met een kindje. Het kind gooide brood naar de eendjes die klapperend met hun vleugels erop af doken, het water spatte op en het kind schaterlachte. Op het water klonk het gepuf van een motorbootje, een SRV-man liep met flessen yoghurt en maakte een praatje aan de deur. De wereld draaide door alsof er niets was gebeurd. Sara voelde zich van God en alle mensen verlaten. Haar benen verplaatsten zich automatisch, de een voor de ander, langs het water door het dichtbegroeide paadje. De leegte van het bestaan, de zinloosheid doorboorde haar hart, kruiste haar ziel en niemand die daar iets aan kon veranderen.

Onder de dikke eik liet ze zich gaan. De pijn sneed haar doormidden, voelde als rauw vlees, verlamde en maakte spreken onmogelijk. Met haar hand veegde ze de tranen weg die onophoudelijk bleven stromen. Ze sloeg haar armen om de boom en drukte haar wang tegen de vertrouwde ruwe bast. Haar tranen vermengden zich met het sap dat uit zijn poriën droop.

Er werd niet meer over gesproken. Het leven ging gewoon door alsof ze er nooit geweest was. Drie dagen was de baby bij hen thuis gebleven. Drie dagen lag ze in het donkerbruine wiegje naast haar ouders. Ze lag op haar rug, de handjes met de kleine nageltjes lagen in elkaar gevouwen op het witte lakentje, de oogjes dicht en om haar mondje een vage glimlach, ze leek gelukkig. Telkens als Sara naar dit wonderbaarlijk mooie schepseltje keek, dat voor niets geboren was, voelde ze een machteloosheid opkomen, die haar verstand uitholde, haar gemoed vulde met een onbestemd verlangen dat in haar borst begon en zich uitstrekte tot ver onder in haar buik. Na schooltijd bracht ze de meeste tijd door bij het wiegje, totdat de zuster of haar moeder haar de kamer uitstuurde.

"Sara, ga jij eens bloemetjes voor je zusje halen," zei de zuster de tweede dag toen Sara net de trap op wilde lopen. Verbaasd, omdat ze het over 'haar zusje' had, draaide Sara zich om.

"Haal maar fresia's, de fotograaf komt zo," ging ze verder. Met tegenzin pakte Sara haar fiets en reed onder het tunneltje door langs de watertoren naar de stad. Ze kende maar één bloemenwinkel, vlak bij de school.

Doelloos liep ze langs de emmers met bloemen. Ze wist niet eens hoe fresia's eruit zagen. Ongeduldig keek ze achterom, voor de toonbank stond een mevrouw in een boek voor bruidsboeketten te kijken. Het winkelmeisje wees haar op de verschillen in prijs en vorm. Toen ze Sara's blik opving kwam de bloemiste achter de toonbank vandaan. "Zoek je iets bijzonders?" vroeg ze vriendelijk.

Sara knikte, haar mond trilde en haar schouders begonnen te schudden. Een gegrom welde op vanuit haar borst.

"Gaat het?" vroeg het meisje bezorgd. "Kom." Ze gaf Sara een arm en nam haar mee naar achteren. "Ga hier maar even zitten, ik kom zo bij je. Wil je een glaasje water?"

Toen ze terugkwam trok ze een stoel bij en boog zich voorover.

Ze legde haar handen op Sara's knieën. "Voor wie zijn die bloemen? Wil je het me vertellen?"

Het begon als een vaag gerasp, onverstaanbaar. Sara schudde haar hoofd, schraapte haar keel, en toen, als een kraan die open-gedraaid werd, stroomden de woorden onsamenhangend, buitelend over elkaar naar buiten. Het meisje onderbrak haar niet, liet haar praten. Toen Sara eindelijk stopte en met een betraand en beschaamd gezicht opkeek, stond het meisje op en pakte een papie-ren zakdoek.

"Sorry." Sara wreef met de zakdoek over haar gezicht.

"Het geeft niet," zei de bloemiste vriendelijk. "Blijf jij maar rustig zitten. Ik haal wel wat deze kant op." Even later kwam ze terug en draaide ze een bosje frêle bloemen in het rond. "Deze zijn net binnen, kijk eens hoe mooi."

Sara knikte. Wat had het allemaal voor zin? Hoe lang was ze wel niet weggeweest, misschien was de fotograaf al geweest en had ze het allemaal voor niets gedaan.

Toen ze thuiskwam maakte ze samen met de zuster een kransje en legde het om de zwarte haartjes.

De fotograaf, een lange knul, gekleed in een rommelig pak, stond onhandig draaiend voor de deur. De zwarte tas klemde hij onder zijn arm, op zijn voorhoofd parelde zweet. Sara wist niet wat ze tegen hem moest zeggen en liet hem binnen. Gelukkig verscheen het gezicht van de zuster boven aan de trap. Ze wenkte dat hij kon komen.

Boven werd de slaapkamerdeur gesloten. Niet veel later kwamen ze de trap weer af. De fotograaf klemde de tas stevig tegen zijn borst. Toen hij Sara zag, wendde hij zijn gezicht af en liep de frisse lucht in.

's Morgens zat ze nog bij het bedje. Voor de laatste keer streelde Sara de donkere haartjes, het slapende gezichtje en de kleine handjes, die teer en doorzichtig op het witte lakentje lagen.

Toen ze uit school kwam was de baby weg; op de plaats waar het bedje had gestaan, stond nu een stoel. Op de commode, op de plaats van de kleertjes en andere babyspulletjes, stond een bos bloemen.

De kleertjes lagen in een doos onder het bed. Met lege ogen keek Sara de kamer rond. De gordijnen waren nu opengeschoven. Ze liep naar het raam en keek omhoog. De zon scheen, de lucht was blauw, windveren zweefden door de lucht en veranderden van vorm. Sara keek ze na en vroeg zich af waar haar zusje nu was.

Ze hoefden alleen hun handen maar naar elkaar uit te strekken. In plaats daarvan dronken ze thee. Kleine slokjes die ze geruisloos starend in het niets naar binnen lieten glijden, hun vingers om het kopje geklemd, het ronde tafeltje met de gebarsten theepot tussen hen in. De zon kwam op en ging onder, de dag veranderde in de nacht en de nacht ging over in de dag. Om vijf uur begonnen de vogels te zingen. Om zes uur werd het licht en om zeven uur stond ze op, zette haar ene voet voor de anderen, at haar ontbijt en fietste iedere dag dezelfde weg naar school en 's middags weer naar huis. De SRV-man kwam langs, de bakker bakte het brood, de vuilnis werd opgehaald, kinderen speelden op de stoep, mannen gingen naar hun werk, uit de kraan bleef water stromen en het gras bleef groeien. Het leven ging verder, de dagen gleden voorbij. De kloof werd dieper. Het verdriet te groot en niemand die er iets aan kon veranderen.

Vijf weken later, Sara was net tot de conclusie gekomen dat het verdriet na een tijd niet slijt of minder wordt, begon de aarde te beven. De spanning was tastbaar in iedere hoek van het huis, sijpelde door de muren, als een wond die begon te etteren, de tralies weken uiteen, het vuil spoot omhoog, het moest eruit.

Zittend voor het raam dronken mam en zij gezamenlijk hun thee, het verdriet en het tafeltje met de gebloemde theepot tussen hen in.

"Het was mijn schuld niet," zei mam. Ze klemde stevig beide handen met de witte knokkels om haar kopje. Sara draaide haar gezicht naar haar moeder, haar hart stond stil. Ze aarzelde of ze wat zou zeggen, hield haar adem in. Een onbestemd gevoel vloog naar haar keel.

"De dokter had me naar het ziekenhuis moeten brengen," zei mam, meer tegen zichzelf dan tegen Sara.

"Niemand die zo goed begrijpt wat een moeder van een groot gezin te lijden heeft, als hij," zei mam altijd. Als ze het over hem had, daalde haar stem en kreeg ze een glans in haar ogen. Hij was haar afgod.

Het maakte niet uit, dacht Sara. Het maakte niet uit wat mam zei. Ze sprak in ieder geval, gaf uiting aan haar gevoel van onmacht. Er was dus nog hoop, ook voor haar.

Het schuldgevoel dat Sara de laatste weken zo gekweld had, verdween. Het leven kreeg weer kleur al was het maar weinig, het zou verder gaan, ze zou zich herstellen, het een plek geven. Ze had het gezien aan andere mensen die een dierbare verloren hadden. Maar voorlopig deed het nog zo oneindig veel pijn.

Na de opmerking die Sara's moeder in een onbewaakt ogenblik van spraakzaamheid over hun dokter had gemaakt, waar ze zich later, zoals ze zelf zei, niets meer van kon herinneren, was ze weer weggedoken in haar eigen wereld. Het grootste gedeelte van de dag zat ze in een stoel voor het raam en keek naar de lucht en de wolken die voorbijdreven, af en toe haalde ze een fotootje uit de zak van haar rok, hield het in de palm van haar hand en staarde ernaar, waarna ze het met vochtige ogen weer terugstopte.

Sara's vader deed zijn best. Hij ontzag zijn vrouw zo veel mogelijk, was beurtelings lief en dan weer streng. Maar mam reageerde slechts door met haar ogen te knipperen, haar schouders op te halen.

Het was voor iedereen een moeilijke tijd. Ondanks dat ze allemaal verscheurd werden door hetzelfde verdriet, was niemand in staat de ander te helpen.

Tussen de middag kauwde mam lusteloos haar brood, haar kaken bewogen automatisch. Bram en Jos waren druk, dat was hun manier van verwerken. Pap probeerde ze tot bedaren te brengen, keek ze vorsend aan, maar ze deden of ze het niet zagen. Bas veegde met zijn handen, die onder de pindakaas zaten, het snot van zijn gezicht. Hij zag er zoals gewoonlijk onsmakelijk uit.

Ineens, alsof er een alarm was afgegaan, doken ze allemaal onder de tafel door naar buiten. In de tuin waren ze aan het lachen en schreeuwen tot de poort dichtsloeg. Toen was het stil. Sara schoof haar stoel naar achteren, pakte haar tas en trok haar jas van de kapstok.

"Wat ga jij doen, Sara?"

"Naar school?"

"Zou jij niet eerst eens die tafel afruimen?" Pap stond in de gang en belemmerde haar de doorgang.

"Daar heb ik echt geen tijd meer voor." Ze wilde er langs, maar hij duwde haar terug de kamer in.

"Vooruit, help je moeder een handje."

"Ik kan niet iedere dag te laat komen." Ze keek naar de klok. "Gisteren was ik ook maar net op tijd."

"Zeg maar dat je je moeder moest helpen," zei mam op monotone toon toen de tafel opgeruimd was, de stoelen weer op hun plaats stonden en ze eindelijk mocht gaan.

De rector stond in de hal. Met zijn vriendelijke gezicht, het haar grijzend aan de slapen, observeerde hij de stroom binnenvallende leerlingen. Hij wilde zich net omdraaien - de gangen waren leeg - toen hij haar langs zag glippen. Met zijn wijsvinger wenkte hij Sara terug. Ze kreeg een hoofd als een boei, voelde de warmte stijgen en bedremmeld liep ze achter hem aan zijn kantoor binnen.

"Ga zitten." Hij wees naar een stoel, liet de deur openstaan en liep de gang in. Even later kwam hij terug met een map die hij voor zich openvouwde. Het duurde even voor hij haar naam gevonden had. "Hier staat dat je deze week al drie keer te laat gekomen bent." Hij leunde achterover in zijn stoel en vouwde zijn handen in zijn nek. "Waarom ben je altijd zo laat?" vroeg hij niet onvriendelijk.

Sara voelde een brok in haar keel, ze kon er nu niet tegen als mensen aardig tegen haar deden. Onbehaaglijk schoof ze heen en weer, staarde naar haar afgetrapte schoenen en bewoog de punt over de vloerbedekking. De zool zat alweer los, ze moest nodig nieuwe schoenen hebben.

De rector boog zich voorover. "Ik heb er wel iets over gehoord, is dat waar?"

Natuurlijk, ze had kunnen weten dat Hanneke er thuis over zou beginnen. Sara rekte zich uit. "Mijn moeder heeft een dode baby gekregen," stamelde ze. "Ze is nog zwak." Het kostte moeite de tranen die achter haar ogen prikten tegen te houden, dus probeerde ze haar stem zo onverschillig mogelijk te laten klinken.

Hij schoof zijn stoel naar achteren. Toen hij langs haar liep liet hij zijn hand op haar schouder rusten. "Je bent een goed kind, maar probeer voortaan op tijd te komen. Ga nu maar gauw naar de klas en zeg maar dat je al bij mij geweest bent."

Nu kwamen die tranen dan toch.

"Gaat het weer een beetje met je moeder?"

Ze wist niet hoe het met haar moeder was, alleen hoe ze zich zelf voelde. De les was al lang begonnen. Ze raapte voor de zoveelste keer al haar moed bijeen en ging de klas in.

Op weg naar huis mopperde Sara in zichzelf. Ze hadden nooit moeten verhuizen. Ze woonden er nu drie jaar en nog steeds kon zij – in tegenstelling tot haar broers, die genoten van alle verborgen hoekjes die het huis te bieden had – zich niet aan het idee onttrekken dat het huis hun ongeluk bracht. De zes lagen behang, de dikke lagen verf in alle kleuren over elkaar aangebracht, de wc – dat kleine vierkante hokje in de gang, waar je letterlijk en figuurlijk je kont niet kon keren -, de vochtige kamers, de slaapkamer waar haar zusje was gestorven en de zolder met zijn krakende trap en zijn donkere hoeken. Alles deed haar huiveren.

Op het moment dat Sara de voordeur opende, wist ze dat er iets mis was. Het was doodstil. Zelfs als mam alleen in huis was, hoorde je ergens het geluid van een kopje dat neergezet werd of de geiser die aanplofte. Ze bleef met de deur in haar hand staan.

"Hallo?" De keukendeur ging op een kier. "Ben jij dat Sara? Kom gauw!"

Snel sloot ze de voordeur en liep naar de keuken, waar haar moeder voorovergebogen, met haar handen steunend onder haar buik, tegen het aanrecht stond. Het water liep met straaltjes in haar hals. Sara trok bleek weg.

"Ik weet het niet," zei mam. Ze kreunde en klapte voorover. Met twee stappen was Sara bij haar.

"Mam, wat is er? Ga even zitten."

"Nee, help me liever de trap op." Voorovergebogen, met haar handen onder haar buik, liep ze de gang in. "Blijf vlak achter me lopen op de trap." Sara volgde met knikkende knieën. Haar moeder kon nog net de slaapkamer halen voordat ze in elkaar zakte.

Sara stond als versteend. Onder haar moeders rok, langs haar benen gutste bloed, met haar mond open staarde ze naar de vloer die zich snel rood begon te kleuren.

Ze rende de trap af, smeet de buitendeur open en bonkte met twee handen op het raam van de buren. "Mijn moeder, mijn moeder, ze bloedt!"

De buurvrouw die op het gebonk afkwam, greep haar bij haar arm. "Let op de kinderen," schreeuwde ze over haar schouder. "Waar is ze, Sara?"

"In de slaapkamer. Gauw, ze bloedt dood!"

Tien minuten later stopte de auto van de dokter voor het huis. Hij vloog met twee treden tegelijk de trap op. Daarna heerste er een enorme bedrijvigheid. Een ziekenwagen kwam en twee broeders kwamen binnen met een brancard. Na een minuut of vijf kwamen ze weer buiten, klapten de deuren van de ziekenwagen dicht, sprongen in de auto en zetten de zwaailichten aan.

Samen met de buurvrouw keek Sara de wagen na. Het laatste wat ze hoorden was de sirene en de piepende banden van de dokter. Ze bleef uit het raam kijken en haar gedachten gingen naar het afgelopen uur. Waarom? Niet hier, niet na alles wat ze de laatste tijd meegemaakt hadden. Hield het dan nooit op? Haar moeder zou toch niet doodgaan? Zo wreed kon God toch niet zijn?

5

Ze liep in een donkere straat. Het enige licht kwam van een straat-
lantaarn op de hoek. Aan de overkant kwam een man aanlopen.
Hij zag er dreigend uit en kwam met zekere passen op haar af.
Ze wilde zich omdraaien en weglopen, maar ze stond aan de grond
genageld. De man kwam steeds dichterbij. Hij kon haar nu bijna aan-
raken, uithalen. Hij stak zijn armen al uit. Op zijn gezicht lag een
valse grijns. Ze wilde gillen, maar er kwam geen geluid.

Op dat moment opende ze haar ogen. Haar droom was zo levensecht dat hij weer verderging als haar ogen dichtvielen. Het beeld van
de man bezorgde haar kippenvel en stond nog uren na de droom op
haar netvlies. Ze wist nu weer waar ze was; ze had de omgeving snel
in zich opgenomen. Het bureautje naast haar bed, de rode schooltas
met boeken ernaast, haar kleren over de stoel in de hoek van het
kamertje. Tot de ochtend deed ze haar best wakker te blijven.

De droom kwam de laatste tijd steeds vaker terug. Dan werd ze
wakker met de doodsangst in haar schoenen, durfde ze zich niet te
verroeren en spitste ze haar oren of hij de trap op sloop of misschien
al achter haar deur stond. Tegen de tijd dat het buiten licht was,
durfde ze haar stijve spieren te ontspannen en rolde ze op haar zij
om nog even te slapen. Niet lang daarna was het al tijd om op te
staan. Ze hoopte dat de droom net zo plotseling zou verdwijnen als
hij was gekomen.

Weer werd Sara wakker, maar nu van de geluiden uit de andere
slaapkamers. Deuren werden dichtgeslagen, voetstappen liepen de
trap af. Ze trok de gordijnen open die nat en vochtig tegen het raam
plakten. De regen kletterde meedogenloos. Het leek wel herfst.
Als een dronkenman stommelde ze naar de kast, kleedde zich aan en
wachtte tot de geluiden in huis verstomden. De deuren van de

slaapkamers stonden open, ze trok de bedden recht en smeet het rondslingerende wasgoed op een hoop onder het raam, het raam zette ze op de haak. Toen ze beneden kwam, was iedereen vertrokken. Nog vijf minuten, dan moest ze ook weg. Ze bracht de ontbijtspullen naar de keuken, klopte het tafelkleed uit, smeerde een boterham en vouwde deze dubbel. Met het brood in haar mond liep ze door de regen naar de schuur. De druppels sloegen in haar gezicht en het brood werd al nat.

"Bah." Sara smeet de boterham in de tuin. Haar fiets lag bedolven onder twee kapotte fietsen. Nijdig trok ze eraan maar haar fiets kwam alleen maar vaster te zitten. Als een bezetene reed ze naar school en zat nog net op tijd op haar plaats.

"We pakken eerst even ons werkboek."

Sara schrok op, zat weer te dromen.

"Sara, doe je ook even mee?"

"O sorry." Ze voelde zich rood worden "Wat zei U ook al weer?"

"Je werkboek graag, dan kunnen we beginnen."

's Middags viel het laatste uur uit. Het was opgehouden te regenen en een waterig zonnetje kwam tevoorschijn. Op haar dooie gemak fietste Sara door het park naar huis. De zon scheen op het water en de blaadjes aan de bomen zochten hun weg naar het licht. Grote herenhuizen met mooie tuinen stonden statig te pronken. In zo'n huis had haar moeder, voor ze trouwde, óók gewoond. Sara probeerde een glimp op te vangen van de mensen die er thuishoorden. De zon scheen op haar gezicht, de hemel trok open en kleurde blauw.

Terwijl ze bij hun voordeur haar sleutel tevoorschijn haalde, keek ze door het raam. Haar vader zou wel in het ziekenhuis bij haar moeder zijn. De rest zat nog op school. Dat kwam goed uit, dan had ze het rijk alleen. Ze opende de voordeur en streek in de ovale spiegel haar haren uit haar gezicht.

In de kamer gekomen verdween Sara's goede humeur op slag. Alle rotzooi van de lunch stond er nog, niets, maar dan ook niets hadden ze opgeruimd. Het tafelkleed lag onder de hagelslag en in het midden was een grote, natte vlek. Het bestek kleefde met de jam aan het tafelkleed, op de grond lag een klont boter. Ze raapte de boter met een stuk wc-papier van de grond en begon met een vies gezicht het bestek bij elkaar te pakken.

Dat kreeg je er nou van, dacht ze woedend, als je die jongens hun gang liet gaan. Ze deden niets dan rottigheid uithalen. In huis hoefden ze nooit iets te doen, daar was zij voor. De een lag in de sloot en kwam onder de modder thuis, de ander had een ruit ingetrapt. Haar moeder vond het stiekem allemaal grappig. Zo leek het in ieder geval; ze hield ze altijd de hand boven het hoofd.

Het bestek kletterde in de gootsteen, de kopjes kinkelden op het aanrecht. De bal die onder een stoel vandaan kwam rollen smeet ze de tuin in. Hij kwam terecht op het hoofd van een tuinkabouter die spontaan in stukken viel. De onthoofde tuinkabouter legde ze onder in de doos met oude kranten. Ze waste de vaat af, klopte het tafelkleed uit en zette de stoelen op hun plaats. Boven opende ze de ramen en trok de deuren dicht. Er was nog steeds niemand thuis.

Terwijl het theewater op stond, zocht ze in de kast naar koekjes, nestelde zich in de hoek van de kamer, trok haar benen onder zich en leunde tevreden achterover. De koekjes sopte ze een voor een in de thee tot ze op waren. Met één hand probeerde ze de knop van de radio om te draaien. Prompt dreunde de muziek uit het krakende apparaat.

"Ben je niet goed wijs, wat bezielt jou in godsnaam!" De knop werd teruggedraaid. Sara schrok.

"Hé pap, ik had je niet eens gehoord."

Haar vader stond met zijn jas nog in zijn hand. "Vind je het gek met al die herrie? Heb je niets beters te doen?" vroeg hij op een toon die Sara de laatste weken wel vaker hoorde.

Verbaasd keek ze hem aan, zich bewust van het totale ontbreken van iets wat er zou moeten zijn, iets wat er altijd was geweest. "Weet je wel wat een troep het hier was? Niemand doet hier wat, alleen ik!" Ze werd kwaad.

"Dat is je geraden." Hij beende de kamer uit. Ze hoorde hem de post uit de brievenbus trekken. "Met je moeder gaat het in ieder geval goed," gromde hij vanuit de gang.

Dat was in ieder geval goed nieuws. Haar hart maakte een sprong van vreugde. Einde geploeter. Ze liep naar de gang. "Weet je al wanneer ze naar huis mag?" Ze probeerde haar stem zo neutraal mogelijk te laten klinken.

Hij draaide zich om. "Als ze een goede nacht heeft, mag ze overmorgen naar huis."

"Gelukkig."

Hij keek haar aan alsof hij het niet helemaal vertrouwde.

"Eerder dan verwacht, hè?" zei ze er snel achteraan.

"Ja," zei hij traag, "dat is waar, maar ze heeft natuurlijk nog veel hulp nodig, ze is nog erg zwak."

"Heb je hulp aangevraagd?"

Hij keek haar met een koele blik aan. "Hulp aangevraagd, hoe bedoel je?"

"Ik dacht dat je zei dat ze hulp nodig had."

"Jij kunt haar toch helpen, of niet soms?" Hij wachtte even. "Is het zoveel gevraagd om eens wat voor je moeder te doen, na alles wat we meegemaakt hebben. Je moest je schamen. Als jij je moeder wat meer geholpen had meisje, dan... dan had de baby misschien nog..." Hij zweeg.

"Nou?" Ze voelde het bloed uit haar gezicht wegtrekken. "Wat bedoel je?"

Hij draaide zich bruusk om. "Niks."

Sara deed een stap achteruit, haar knieën knikten. Zonder haar vader verder een blik waardig te gunnen liep ze de kamer in.

Twee dagen later kwam haar moeder thuis. Er was een bed voor de openslaande deuren van de tuin gezet, de zon scheen precies op het hoofdeinde. Maar toen het iets beter met moeder ging, verschanste ze zich het liefst alleen nog maar in de keuken. De deur trok ze achter zich dicht, alsof ze wilde zeggen: Ik ben er niet, althans niet echt. De keuken mocht alleen worden gebruikt als doorgang van de tuin naar de woonkamer. Dagen bracht haar moeder zittend op de deksel van de centrifuge in de keuken door. Alleen Sara's vader mocht bij haar. Er werd gelezen, gerookt, gemompeld, gezoend en hele veldslagen werden er geleverd. De dunne wanden van de keuken mochten haar dan aan het gezicht onttrekken, de muren waren als van karton.

Vanuit de tuin zag Sara het silhouet van haar moeder. Deze leunde tegen het aanrecht en hield een sigaret bij het vlammetje van de geiser. Toen Sara binnenkwam keek ze op. "Waar kom jij zo laat vandaan?" Ze hield de sigaret omhoog, keek of hij brandde en inhaleerde diep.

"Van school, waar anders?"

"Sinds wanneer duurt die school van jou tot vijf uur?"

Sara gooide haar tas in de hoek. "Je weet toch dat we gezamenlijk huiswerk maken."

"Bij die lui?" zei ze schamper. "Je kunt toch ook naar huis komen. Het lijkt wel of je liever ergens anders zit dan thuis".

"Het is daar rustig, we zitten op haar vaders kantoor. Ik heb nog een hoop in te halen. Wat is daar verkeerd aan?"

Sara was lange tijd loyaal aan haar vader en moeder. Vooral 'vader en moeder', het woord papa en mama kon ze al lang niet meer over haar lippen krijgen.

Haar vader deelde de straffen uit, haar moeder zorgde dat er niemand ongestraft bleef. Het begon vrij onschuldig met een paar lichte klappen, bijna per ongeluk.

"Maar ik heb helemaal niets gedaan," had Sara verontwaardigd geroepen.

"Daarom juist," had haar vader gezegd. Sara begreep er niets van. Ze had hem ontweken en was op haar kamer gaan zitten mokken, totdat hij naar boven was gekomen en zijn arm om haar heen had geslagen.

"Ik weet niet wat me bezielde Sara. Het zal niet meer gebeuren."

"Ik krijg altijd de schuld. Omdat ik 'haar' irritant vind, wordt zij agressief," antwoordde ze.

"Mam heeft veel meegemaakt, ik praat wel met haar."

Dankbaar had ze naar hem opgekeken, het gaf niet, het was een vergissing, hij was immers haar vader.

"Kom je naar beneden?" Hij schonk haar een glimlach die eigenlijk voor haar moeder bestemd was.

"Natuurlijk, neem het maar weer voor haar op," brieste mam. "Jij denkt nog steeds dat het jouw kleine meisje is, maar laat ik je een ding zeggen: het is een gemeen vals loeder. Die meid haalt het bloed onder mijn nagels vandaan."

"Mam, je wordt onredelijk." Zijn stem klonk scherp. "Je gaat nu echt te ver." Hij kwam de keuken uit, zijn ogen fonkelden. "Stond je te luisteren?"

Sara schudde van nee en glipte de kamer in. Zo ging het de laatste tijd aldoor. Haar vader kon haar moeder niet bereiken, hij stond machteloos tegenover haar buien en deed alles om haar gunstig te stemmen, de lieve vrede te bewaren. "Ze was uit haar doen, ze had tijd nodig." Hij negeerde de felle opmerkingen aan zijn adres, probeerde haar verdriet te delen, haar te troosten; tevergeefs. Het enige waar moeder hem in liet delen, was in haar woede. Naarmate hij steeds rustiger werd, niet meer tegen haar in ging en haar links liet liggen, werd zij steeds kwader.

"Wees verdomme een kerel," schreeuwde ze "Ik ben het zat om als een onnozel kind behandeld te worden, doe iets, waar blijf je?" Haar stem sloeg over.

In de kamer hoorde Sara hun voeten schuifelen over de keukenvloer, alsof ze met een bokswedstrijd bezig waren.

"Nou kom op dan," snauwde haar moeder.

Sara wilde niet horen hoe ze hem aantrok, wegduwde, uitdaagde. Het was duidelijk; iemand moest het gedaan hebben, iemand was de oorzaak van al haar ellende. Hij liet zich echter door haar niet uit de tent lokken, hoe graag ze het ook wilde. Hij hield zich in, kon het niet, niet tegen haar.

Het begon rustig. Als hij thuiskwam, liep hij direct door naar de keuken en begroette mam op de manier die zij had voorgeschreven. Hij vroeg hoe haar dag was geweest, waarop ze sneerde dat hij dat niet hoefde te vragen, haar dagen waren allemaal hetzelfde. Op theatrale toon ging ze dan verder: Bram en Jos waren lastig, de kruidenier had om geld gevraagd, ze had de hele dag barstende hoofdpijn en het kon haar oudste dochter ook niets kon schelen hoe zij zich voelde. Naarmate het gesprek luider werd, werd de keukendeur nog eens extra dicht getrokken.

"Jij bent tegenwoordig ook nooit meer thuis."

In de kamer hield Sara haar handen tegen haar oren. Ze wist waar deze gesprekken op uitdraaiden. "Jij zit tegenwoordig ook liever op je werk een beetje gezellig te doen met die meiden, en ik kan hier alles alleen opknappen." "Laat die meid je dan helpen!" begon haar vader te schreeuwen. "Ik moet toch zorgen dat er brood op de plank komt." Ze zeurde net zo lang door tot hij machteloos en woedend de keuken uitstormde. "Rotmeid, waar zit je? Hoe durf je zo tegen je moeder te doen?" schreeuwde hij. "Ik zal je!"

Sara lag in de hoek van de kamer, haar handen beschermend boven haar hoofd. Bij iedere slag gilde ze het uit en ontsnapte er spanning uit haar lichaam. Het gegil maakte hem gek, hij ramde harder en sloeg waar hij haar maar raken kon. Moeder bleef veilig in haar keuken, wist van de prins geen kwaad. Bij iedere slag kroop Sara meer in elkaar, huilde, schreeuwde.

"Houd je kop," brulde hij. "Anders kan je nog meer krijgen, begrepen?"

Ze beet haar tanden op elkaar, wachtte op de volgende klap. Toen die niet kwam keek ze voorzichtig tussen de kieren van haar handen door. Niemand. Eerst richtte ze haar hoofd op, toen strekte ze langzaam, heel langzaam - alles deed zeer - haar hals, haar romp, tot ze ten slotte in haar volle lengte boven de tafel uitkwam. Ze spitste haar oren, vroeg zich af waar hij was. Hoe kon ze langs hen wegkomen? Haar hersens werkten op volle toeren. Ze was doodsbang. Hij was gek geworden. Zij had hem gek gemaakt.

Toen het stil bleef sloop ze uit haar hoek en liep op haar tenen naar de voordeur. Deze pakte ze zachtjes beet, waarna ze hem in een keer openrukte. Zo snel ze kon zorgde ze dat ze weg was van de voordeur. Ze ging op het ijzeren randje van de voortuin zitten, met haar rug naar het raam. Haar gezicht, dat gloeide of ze koorts had, steunde ze in haar handen.

Emoties waarvan ze niet wist dat ze die in zich had, boezemden haar angst in. Een deel ervan kon hem vermoorden, verrot schelden, zijn gezicht openkrabben, weglopen, nooit meer terugkomen.

Het andere deel kon ze nog niet loslaten; de angst dat ze hem kwijt zou raken was te groot. Maar de angst die iedere avond als het donker en stil werd in huis in haar droom op haar afkwam, haar badend in het zweet achterliet en haar van haar nachtrust beroofde, begon aan haar te vreten, holde haar uit. De lichamelijke pijn was slechts een flauwe afspiegeling van wat er in haar binnenste broeide. De minachting die ze voor hem voelde groeide gestaag en er was niets wat ze ertegen kon doen.

Met haar armen om haar knieën geslagen bleef ze op het hekje zitten wachten, in de hoop dat hij haar kwam halen, zijn ongerustheid zou uitspreken over zijn toenemende driftbuien. Hij kwam haar niet halen. Hij sloeg zijn armen niet meer om haar heen, zoals eerst, toen hij met tranen in zijn ogen had beloofd het nooit meer te zullen doen.

"Hé Sara. Blijf je vannacht buiten?" Bram stootte haar aan en bleef bij de deur wachten. Dicht achter hem schuifelde ze naar binnen en liep direct door naar boven, trok de deur achter zich dicht en ging op de rand van het bed zitten. Beneden hoorde ze haar broers lachen. Ze zag het al voor zich, haar vader en moeder op de bank, armen om elkaar heen, zoals altijd na iedere ruzie – zonder zich een moment af te vragen wat ze hun dochter aandeden.

Sara werd langzaam wakker en voelde onmiddellijk de pijn van de blauwe plekken en het geklop in haar hoofd. Voorzichtig ging ze rechtop zitten en betastte de bult op haar hoofd. Hij was flink gezwollen. Elke spier in haar lichaam deed pijn en ze kreunde toen ze haar spiegelbeeld zag.

Het eerste wat Sara hoorde was de temerige stem van haar moeder waarmee ze in de deuropening, als ze er zeker van was dat de buurvrouw meeluisterde, altijd zo aanstellerig om aandacht vroeg. "Dag pap, tot vanavond, prettige dag." Daarna klonk het geluid van de dichtvallende voordeur.

Alsof het prettig was om iedere dag tot laat te werken en dan dat geklaag nog aan te moeten horen, dacht Sara. Ze kleedde zich aan en hoopte dat haar moeder intussen naar boven zou komen om zich achter de deur van haar eigen slaapkamer te verschansen. Ze had geen enkele behoefte om haar voor school tegen het lijf te lopen. Aangezien ze haar moeder maar niet naar boven hoorde komen, moest Sara op gegeven moment wel naar beneden. Staande at ze een broodje en nam een slok thee.

"Dat was niet aardig, gisteravond," sprak haar moeder.

Sara deed of ze haar niet hoorde en nam nog een slok van haar thee.

"Pap bedoelt het zo goed," ging ze ongevraagd verder. "Hij werkt dag en nacht voor jullie. Voortaan zeg je gewoon 'welterusten' voor je naar bed gaat en... Kijk me aan als ik tegen je praat," begon ze nu wat feller. "Regel één van de fatsoensregels."

"Weet je wat regel één is?" reageerde Sara heftig. "Dat je je kinderen niet in elkaar moet slaan."

"Wie zijn kinderen liefheeft, kastijdde ze. Je vader doet het voor je eigen bestwil."

"Voor jouw bestwil bedoel je. Voortaan sla ik gewoon terug."

"Eert Uw vader en Uw moeder. Nooit gehoord van de tien geboden? Brutaal nest!"

"Ja, eentje zoemt er steeds door mijn hoofd."

"O ja?"

"Gij zult niet doden." Met een smak sloeg ze de deur dicht. Bah, schijnheilig gedoe.

De repetitie op school ging beter dan Sara had verwacht. Latijn was niet haar favoriete taal en daarbij had ze slecht geslapen. De lerares liep voortdurend door de klas en stond - of verbeeldde ze het zich - steeds stil bij haar tafeltje. Sara werd misselijk van de muffe lucht van haar parfum; muskus, waarschijnlijk was de fles uitgeschoten. Ze begon te hoesten en hield beide handen voor haar neus. Snel leverde ze haar werk in en zorgde ze dat ze buiten in de frisse lucht kwam. Op het schoolplein masseerde ze haar slapen om de opkomende hoofdpijn tegen te gaan.

Langzaam kwamen de meeste scholieren nu naar buiten. Tot de laatste vertrok bleef Sara op het schoolplein hangen. Het idee om thuis alleen met haar moeder te zitten, haar gejammer aan te moeten horen, was meer dan ze kon verdragen. De tact om niet op het gezeur in te gaan vergde veel moeite. En dan hoorde ze aan het eind toch wel weer die eeuwige brandende vraag: 'Luister je wel, of denk je: barst maar.' Gelukkig had ze morgen twee proefwerken, mooie smoes om direct naar boven te gaan. Dat was nou het rottige, na een ruzie was het moeilijk net te doen alsof er niets gebeurd was. Het was een eeuwig dilemma tussen gevoel en verstand.

De winter had al vroeg zijn intrede gedaan. Er werd al geschaatst. De gracht achter het huis was 's avonds verlicht en bij de koek-en-zopietent was het gezellig. Iedere avond na het eten dook Sara met Jos en Bob het ijs op. De onverwachte kou maakte de winteravonden minder saai.

Het was twee weken voor de kerst. De winkels waren versierd met veel groen en glimmende kerstballen. De etalagepoppen met hun zwierige haardossen en bruinverbrande gezichten - de dames gekleed in jurken afgezet met ruches en kant, de heren met hun donkere pakken, spierwitte overhemden en zilverkleurige dassen - zagen eruit alsof ze zo uit de etalage konden stappen. Uit de luidsprekers klonk muziek. Mensen sjouwden met kerstbomen, en in de huizen werd de kerstverlichting tevoorschijn gehaald.

Met haar handen diep weggestopt in haar zakken hield Sara voor elke etalage stil. Terwijl ze haar neus tegen het raam drukte, snoof ze de geur van kerstmis in zich op. Bij de bibliotheek ging ze naar binnen. De gloed van het donkere hout tegen de wanden, de kasten vol boeken en de grote uitnodigende tafels waar mensen de krant lazen, dat alles omhulde haar als een warme deken.

Het was de eerste keer dat ze een bibliotheek van binnen bekeek. Zoals altijd wanneer ze kasten vol boeken zag overviel haar een gevoel van thuiskomen. Een andere wereld, ze kon er geen genoeg van krijgen. Het liefst zou ze hier de hele dag onzichtbaar in een hoekje ineen zitten, zich begraven in die andere wereld.

Overmorgen moest ze een spreekbeurt houden. Ze had nog geen idee waarover. Stomme opdracht, bedacht ze zich. Niemand die er echt naar luisterde. Ze stond nog steeds in opperste verrukking om zich heen te kijken toen de juffrouw achter de balie Sara over haar veel te grote brillenglazen vragend aankeek. "Mag ik je pasje?"

"Sorry?"

"Ben je wel lid?"

"Het is maar voor een keer".

"Dan mag je alleen boeken met een gele stip uitzoeken, links in het rek. Een gulden vijftig graag," voegde ze er zuinig aan toe.

Afzetter! dacht Sara. De verrukking die ze had bij het zien van de kasten met boeken was snel verdwenen toen ze ze stuk voor stuk doorbladerde. De boeken zagen er vergeeld uit, het papier voelde ruw aan en overal zaten vieze vingerafdrukken. Het zoeken werd nog verder bemoeilijkt, doordat ze geen flauw idee had waar ze het over wilde hebben. Een boek over katten zag er nog redelijk nieuw uit. Ze pakte nog twee op het oog fris uitziende boeken en was klaar.

Daarna ging ze naar het restaurant bij de Hema; de ontmoetings-plaats voor jongelui. Er werd geflirt, er werden afspraakjes gemaakt en sigaretten, die van thuis waren meegepikt, gerookt. Als je geld had werd er wat gedronken. De meesten echter hingen er maar wat rond.

Om vijf uur spurtte Sara naar huis. Ze verheugde zich op de kerst. De drukte in huis, de geur van dennennaalden, je mooiste kleren aan, een hoop lekkers. En 's avonds na het eten mochten ze sterretjes afsteken. Thuisgekomen hing haar moeder net de laatste ballen in de boom. Amy kwam Sara in de gang tegemoet. Ze liet haar hand, die in het verband zat, vol trots aan haar zien.

"O jee, heb je weer in de kerstballen geknepen?"

"Ja," zei Amy. "Ik heb bloed en mama was heel boos op jou."

"Op mij?"

"Sara, ben je daar eindelijk? Je zou toch op tijd zijn!"

"Nou, ik ben er toch!"

"Ja, dat zie ik, schiet maar op en dek snel de tafel voordat pap thuiskomt."

Na het eten ruimde Sara de tafel af en ging naar boven om haar spreekbeurt voor te bereiden. Ze bladerde in de boeken van de bibliotheek en koos het boek over de katten. Niet dat ze wat had met die beesten, maar nog minder met het Vaticaanse concilie.

Verbazingwekkend wat je nog over een kat kunt vertellen! Gelukkig maar, je kunt toch moeilijk verkopen dat je een bloedhekel hebt aan die beesten, er allergisch voor bent en ze je de stuipen op het lijf jagen door altijd onverwacht op je schoot te springen. Je zult toch op zijn minst iets positiefs over ze moeten vertellen en daar was dit boek aardig in geslaagd. Niets dan goeds over de kat. Sara begon zich er een beetje in te verdiepen, hoe meer passie hoe beter. Wat maakte het eigenlijk uit. Het zou niemand iets kunnen schelen wat ze te vertellen had, als het maar snel voorbij was.

De volgende morgen wist Sara het meteen weer. Het was nog aardedonker toen ze rechtop in bed ging zitten, de dekens tot vlak onder haar kin opgetrokken, haar blik gefocust op die ene natte plek op het behang. Er was al zes keer overheen gesausd maar hij bleef tevoorschijn komen. Het was goed je te concentreren op één punt, zodat je gedachten niet aan de loop gingen. Die plek was de klas. De klas zou net zo veel belangstelling hebben als die vlek op de muur, of nog minder. De klasgenoten zouden uit het raam kijken of uit verveling poppetjes tekenen. Tegen de tijd dat ze uitgetekend waren zat zij al lang en breed weer op haar plaats. Voor de laatste keer raffelde ze het hele verhaal nog een keer af, erop lettend dat ze zich alleen maar op die ene vlek concentreerde. Kat in het bakkie!

Snel pakte ze de kleren die ze de avond van tevoren met zorg had uitgezocht. Een saaie trui, een grijze broek en gewone, stevige schoenen. Een blik in de spiegel zei haar dat het een goede keus was. Onopvallend, saai en kleurloos. Precies geschikt! Ze kreeg een steek in haar buik, haar keel voelde gortdroog. Vreemd, dit was niets voor haar. Was ze er te veel mee bezig? Ach, voor je het wist was het voorbij, had ze vakantie.

Op school zat de stemming er al goed in. Het was de laatste schooldag en er werd niet veel meer gedaan. 's Morgens was er een concert in de aula, waarna de scholieren uitgelaten teruggingen naar de klas. Het was gezellig rommelig. Misschien vergat de leraar haar wel, Sara hoopte er stilletjes op.

"Jongens, gaan we nog even zitten?" Hij wachtte tot de rust was weergekeerd. "Nog een half uurtje, dan kunnen jullie naar huis. Sara, jij mag beginnen. Waar ga je het over hebben?"

Sara liep naar voren en ging voor de klas staan. Ze legde

volkomen overbodig haar geordende papieren op de lessenaar. Ze kende het verhaal uit haar hoofd. Vijf minuten. Ze keek de klas in en zag de ogen op haar gericht. Denk erom: het zijn geen gezichten, het is een grote vlek. Je weet wel. Die rotvlek waar je zo'n hekel aan hebt. Ze begon: "De kat. De kat is vele malen slimmer dan… dan…" Kom op, dacht ze, wat is dit nou weer? Ze begon opnieuw. "Sorry. De kat. De kat is een geweldig slim dier." Ze huiverde en trok zenuwachtig aan de zoom van haar trui. De klas wachtte. De gezichten werden wazig, het werden vlekken. Uit alle macht hield ze zich vast aan de lessenaar. De kleuren werden feller, begonnen te draaien, werden als zeepbellen. De bellen spatten voor haar ogen uiteen. Het werden er meer en meer. Ze werd misselijk. Toen hielden de kleuren op, het werd zwart om haar heen en ze begon te vallen.

Twee handen pakten haar stevig beet en zetten haar op een stoel. Alles draaide, ze was nog steeds misselijk. Iemand praatte tegen haar. "Rustig maar, blijf maar rustig zitten." Iemand probeerde haar een slokje te laten drinken. Heel langzaam hield het draaien op. Ze trilde nog aan alle kanten maar voor haar ogen was het rustig. Ze kwam een beetje bij. Er verscheen een warme blos over haar gezicht en het trillen werd minder. De klas was muisstil. Ze werd teruggebracht naar haar plaats. Je kon nog steeds een speld horen vallen. Op haar plaats drong het langzaam tot haar door wat er gebeurd was. Hoe gênant! Ze verborg haar gezicht in haar handen.

De leraar maakte een eind aan de stilte. "We stoppen er mee voor vandaag. We gaan lekker vakantie vieren." Bij de deur hield hij haar tegen. "Je hebt ons wel laten schrikken Sara! Gaat het weer een beetje?"

Het schaamrood vloog naar haar kaken "Ik weet niet wat er was. Het was vreemd, eng eigenlijk."

"Misschien moet je in de vakantie maar even bij de dokter langs," zei hij vriendelijk. "Rust maar lekker uit, het kan wel bloedarmoede zijn."

Ze slikte. Het overweldigde haar dat hij zo bezorgd reageerde. "Fijne vakantie," mompelde ze, "tot volgend jaar."

Het verstikkende gevoel dat onvermijdelijk is. De muren komen op je af, je hart bonst en uit je keel ontsnapt een diepe zucht als een snik. Het angstige benauwde gevoel van de geluiden uit de keuken die al luider klinken en doordringen tot in het diepst van je ziel.

"Ik heb je toch gezegd dat je je handen thuis moet houden." Het was de stem van Sara's moeder. "Je slaat haar nog eens hartstikke dood! Het is toch al zo'n zenuwpees."

"Ja, wat wil je nu eigenlijk?" schreeuwde haar vader met overslaande stem. "Altijd zeur je dat ik het niet voor je opneem en nu is het weer niet goed."

Sara zat boven en stikte van woede en ingehouden nijd. Met een natte washand tegen haar gezwollen lip hoorde ze het geschreeuw uit de keuken en het dichtklappen van de voordeur. Ze kon ze zich niet meer herinneren wanneer het begonnen was, wanneer de liefde voor haar vader was omgeslagen in minachting. Het was geleidelijkaan gegaan. In het begin had ze het hem nog vergeven, gedacht dat het wel weer over zou gaan, dat hij op een dag wakker zou worden en het leven gewoon weer werd als vroeger.

Met een draai in haar maag dacht ze terug aan vroeger, toen ze nog in Amsterdam woonde, haar oma nog leefde, het huis gevuld was met lachende kinderstemmen, haar moeder straalde en haar vader een oase van rust was. Hoe ze warme chocolademelk dronken met noga van gesmolten bruine suiker, die ze aan een knijper deden, en hoe ze spelletjes deden aan de tafel in de achterkamer.

Die ene dag ze was tien. Met zijn allen hadden ze om de grote eettafel gezeten die in het midden van de te kleine eetkamer stond. Het tweepersoonsbed, verscholen achter een zwaar, bruin gordijn, stond opgeklapt tegen de muur. De tafel met de vele stoelen, die 's avonds als het bed omlaag ging, aan de kant geschoven werden, paste er precies in. Op de plank stonden dozen met spelletjes. Normaal gesproken speelde Sara een kaartspel of mens-erger-je-niet met haar broers, terwijl hun ouders in de aangrenzende nette kamer hun koffie dronken en het weekboekje voor de kruidenier invulden. Die zondag zaten ze met zijn allen in de achterkamer. De spelletjes bleven op de plank. Bij het heilighart-beeld dat naast het bed aan de muur hing, brandden kaarsjes.

Ze luisterden allemaal naar de radio. De gezichten van hun ouders stonden ernstig. De opstand in Hongarije was uitgebroken. Het was 1956. Ze moesten stil zijn, anders konden ze het nieuws niet horen. Haar moeder had dus toch gelijk, ze had het al zien aankomen. Ze vertelde aan haar kinderen verhalen over de oorlog alsof ze er zeker van wilde zijn dat ze wisten hoe erg het was geweest. Nooit stopte ze met haar enge verhalen. Sara was zo bang dat ze iedere avond in bed bad. "Oh God, laat het alstublieft geen oorlog worden." Nu was het dan zover.

Die middag zou Sara met haar vader naar de kerk gaan. Er was een extra kerkdienst om geld in te zamelen voor de slachtoffers.

Zoals altijd wanneer ze bang was, kreeg Sara vreselijke pijn in haar buik. Dubbelgevouwen hing ze over de tafel. Haar moeder klaagde over hoofdpijn en hield haar hand tegen haar voorhoofd en deinde kreunend heen en weer. "Gaat het, mam?" vroeg haar vader bezorgd. "Heb je liever dat ik thuisblijf?"

"Ga maar met je dochter, dan kan ik mijn ogen even dicht doen."

Om half drie kwam Sara met haar vader bij de kerk. Met veel moeite konden ze nog net een zitplaats bemachtigen. Sara kromp nog steeds in elkaar van de pijn. Vanuit haar zitplaats keek ze in het rond. Overal stonden bloemen, de late middagzon scheen door de gebrandschilderde ramen, op het altaar brandden tientallen kaarsen.

Toen de bel ging en de misdienaars en de pastoor kwamen, ging iedereen staan. In elkaar gedoken bleef ze zitten, niet in staat om op te staan. Ongeduldig pakt Sara's vader haar arm en trok haar overeind. Ze steunde op de leuning tegenover haar. Nadat ze allemaal weer waren gaan zitten begon het orgel te spelen. Mensen begonnen te zingen, eerst aarzelend, toen luider. Het geluid zwol aan, luider en luider als een eenstemmig protest. Sara was niet de enige die bang was. Kippenvel kroop over haar arm, ze kreeg een brok in haar keel. Haar vader keek opzij, zijn vriendelijke ogen boorde zich in die van haar. Hij pakte haar hand. Hij moest het ook gevoeld hebben.

Hoe was het mogelijk dat iemand zo kon veranderen? Is het alleen onmacht of zijn het beelden uit zijn jeugd die weer bovenkomen? Was dat wat met je gebeurde als je zonder liefde opgroeide? Hij had de tijd van medelijden al achter zich; Sara kon het eigenlijk niet meer opbrengen om daar over na te denken. Nu betrapte ze zich erop dat bij alles wat hij zei een gevoel van achterdocht bij haar opkwam; dat ze hem verweet een schijnheilige slappeling te zijn die naar de pijpen van haar moeder danste.

Nadat hij haar in elkaar geslagen had, was hij zijn frustraties kwijt en begon hij altijd uit te zoeken in hoeverre hij het bij Sara verpest had. "Wij kunnen het samen best rooien, hè Sara?" begon hij dan te slijmen. Ze walgde ervan. Ze kon er niet tegen dat hij het zo snel weer was vergeten, of in ieder geval deed alsof er niets gebeurd was. Ze zat op haar kamer en gruwde. Voor haar was dat onmogelijk.

Ze luisterde naar de geluiden van beneden. Nu zaten ze in de kamer, Sara hoorde hen op normale toon praten.

"Gezellig mam, we nemen nog een kopje koffie. Of heb je liever een drankje?"

"Als je toch loopt pap," teemde mam, "neem dan even mijn sigaretjes mee, dan ben je een schat." Sara ergerde zich dood. Die aanstellerige stem alleen al. Het interesseerde haar moeder helemaal niet of zij boven zat. Het liefst had ze haar jas en tas gepakt en door de voordeur naar buiten gerend, maar waar moest ze naartoe? Uiteindelijk dook ze met tegenzin in bed. Ze kon niet slapen, maar ze wilde ook niet naar beneden.

Hoe moest ze zich nu gedragen? Thuis voelde ze zich niet veilig en op school ook niet. Op geen enkele plek kon ze rustig adem te halen. Ze viel in een onrustige slaap, ze droomde.

Sara liep in een donkere straat. Het enige licht kwam van een straatlantaarn op de hoek. Aan de overkant kwam een man aanlopen. In het schemerige licht zag hij er dreigend uit en kwam met stevige passen op haar af. Sara wilde omdraaien, weglopen, maar haar voeten zaten aan de grond genageld.

De man kwam steeds dichterbij. Hij kon haar nu bijna aanraken, uithalen. Hij stak zijn armen uit om haar te grijpen.

De volgende morgen werd Sara met een barstende hoofdpijn wakker, haar lip nog steeds gezwollen. Ze probeerde het te verdoezelen met make-up, maar het bleef een raar gezicht.

Eenmaal bij school zette ze haar fiets in het rek en wist ze nog steeds niet hoe ze haar lip moest verklaren. De hele weg had ze er over nagedacht.

"He Sara, ga je vanmiddag mee? We gaan... Jemig! Wat is er met jou gebeurd, ruzie met je broers?"

"Nee, met mijn vader. Hij is nogal driftig."

"Nou," zei Hanneke, "dat zou hij mij niet moeten flikken, wat een rotvent." Nu waren alle blikken op haar gevestigd.

"Doet hij dat wel vaker? Laatst zag je er ook al zo raar uit."

Dit gesprek ging helemaal de verkeerde kant op.

"Hij moet hard werken en mijn moeder is niet zo sterk," zei Sara ter verdediging. Lulkoek, zei een stemmetje in haar hoofd, waarom bescherm je hem?

Gelukkig ging de bel en was het gesprek ten einde. Terwijl ze in de klas zat dwaalden haar gedachten af. Hoe bedoelt ze, rotvent? Ze had het wel over haar vader. Waarom kon Sara haar mond ook niet houden? Laat ze maar denken dat ze ruzie had met haar broers. Nu zouden ze denken dat haar vader een engerd was die niets om haar gaf. Dat was absoluut niet zo. Het waren gewoon de omstandigheden. Ze was het enige meisje, daar kon je tegenwoordig niet voorzichtig genoeg mee zijn.

Sara was al gewend aan de uitbarstingen van agressie, toen het lot een onverwachte wending nam. In elkaar gedoken in de kamer wist ze wat er ging komen: het geluid van boven wordt steeds feller, dringt door tot beneden, deuren worden dichtgeklapt en de spanning wordt gelijk met het toenemende volume van de stemmen opgezweept. Het zweet loopt van haar gezicht. Haar haren staan overeind. Haar zenuwen zijn tot het uiterste gespannen. Ze houdt haar adem in, bang dat het geluid daarvan haar aanwezigheid kan verraden. De geur van naderend onheil doet haar neusvleugels trillen, haar spieren verstijven.

Met een vertrokken gezicht kwam hij de kamer ingestoven. Zijn ogen schoten wild heen en weer. Zijn adamsappel vloog op en neer. In een snelle poging om hem te ontwijken sprong ze overeind en plaatste een stoel als een schild tussen hen in. De poot, die al jaren los zat, viel er onder vandaan en de stoel kwam scheef tussen hen in te staan. De losse poot lag ernaast. Terwijl hij over de stoel struikelde en naar haar uithaalde, pakte hij de losse poot en sloeg erop los. Bij iedere slag hoorde ze hem kreunen. Ze schreeuwde het uit. Ze schreeuwde haar longen uit haar lijf. Waar was haar moeder?

Daarna wist ze niets meer. Toen ze bijkwam hoorde ze de stem van haar moeder. "Wat heb je gedaan, pap?" In een waas zag Sara haar. Ze stond op veilige afstand in de deuropening.

Zo leerde Sara geluidloos huilen. Het geluidloze huilen herken je direct, doet het zeerst. Het snijdt door je heen, voelt als rauw vlees, verlamt en maakt spreken onmogelijk.

Sara knipperde met haar ogen, haar arm weigerde dienst en ontlokte haar een kreun van pijn. Moeizaam kwam ze overeind. Ze moest hier weg, die vent was gek, volslagen gek. Hoe lang had het geduurd, vier, vijf minuten, een seconde? Dat deed haar nog iets anders beseffen. Haar moeder was al die tijd in huis geweest, waarschijnlijk, en dat gevoel beangstigde haar nog meer. Gewoon een deur verder, in de keuken. Was het werkelijk zo dat als je maar deed of er niets was, je ogen er voor sloot, je de pijn dan niet voelde?

Sinds die tijd sprak Sara nog nauwelijks. Ze huilde in stilte en had het gevoel dat niemand iets om haar gaf.

Tot die ene dag. "Je loopt toch niet over ons te kletsen hè? Doe die deur eens dicht." Haar moeder maakte een gebaar met haar hoofd richting deur. "Weet je wie hier vanmiddag was?" vroeg ze nadat ze de tussendeur gesloten had, de achterdeur dicht was en ze zich ervan had overtuigd dat in de aangrenzende tuinen geen buren aanwezig waren.

"Geen idee?"

"Je hebt geen idee?" Ze ging vlak voor Sara staan, met haar ogen tot spleetjes en een verbeten mond vroeg ze om een antwoord. "Nou?" Haar moeder kwam dichterbij. Onwillekeurig wendde Sara haar hoofd af. Haar moeder rook naar sigaretten en oud ijzer.

"Oh nee, meisje, wees maar niet bang. Ik raak je met geen vinger aan. Weet je wie?" ging ze bezwerend verder. "De kinderbescherming. Stel je voor. Hij kwam gewoon aan de deur alsof we de eerste de beste asocialen zijn. Nou vraag ik je!"

Had ze het goed gehoord? Eindelijk, eindelijk kwam iemand

haar te hulp. Sara moest zich omdraaien om de vreugde die in haar naar boven sprong en van haar gezicht te lezen moest zijn, te verbloemen. Eindelijk!

"Je weet zeker dat jij het niet was?" vroeg haar moeder nog een keer. Ze keek Sara doordringend aan. Toen ze begreep dat die nergens van wist haalde ze haar schouders op. "Dan moeten het die gereformeerden zijn," mompelde ze. "Zondags voor in de kerk, maar ondertussen..." Ze stak een sigaret op met het vlammetje van de geiser en inhaleerde diep.

"Komen ze nog terug?" Sara schrok van haar eigen stem,

Als door een wesp gestoken draaide haar moeder zich om. "Je denkt toch niet dat ik die lui hier een stap over de drempel laat zetten? We zijn toch zeker geen raar gezin." Ze had ze dus gewoon met zo'n 'air' die iedereen van haar kende, weggestuurd of er niets aan de hand was.

Ondanks dat er geen hulp kwam, was het over met de agressie – althans tegen Sara. Het gezeur van haar moeder was uit de hand gelopen, opnieuw zocht ze een zondebok. En nu worstelde Sara met een schuldgevoel.

Haar vader, die alles deed zolang mam het maar naar haar zin had, moest het nu ontgelden. Hij was een armoedzaaier, ze had nooit met hem moeten trouwen, hij kon zijn handen niet thuishouden. Hun dochter was een wrak, dat kon iedereen zien en nu mocht zij het allemaal weer opknappen.

Ze beraamde een plan om haar dochter weer om te toveren tot een 'normaal' mens en dat deed ze op haar eigen charmante wijze. Ze zorgde dat haar dochter met spoed een uitgebreid lichamelijk onderzoek (in het ziekenhuis bij een kennis van een kennis, van de buurvrouw die in het ziekenhuis werkte) kon ondergaan.

Drie weken lang was Sara iedere dag, afhankelijk van het onderzoek dat op die dag plaats vond, een aantal uur in het ziekenhuis te vinden. Ze ging er alleen naar toe, kwam er alleen vandaan en schoof daarna weer in de schoolbanken of er niets gebeurd was. De onderzoeken werden buiten haar om geregeld door haar moeder, die de school ervan in kennis had gesteld. Het feit dat ze tijdens de lessen te hooi en te gras binnenviel werd door de leraren stilzwijgend geaccepteerd. Dat het hier om een gezondheidskwestie ging, maakte het voor Sara een stuk draaglijker. Gezondheid had je niet in de hand, daar was niets abnormaals aan.

De ene dag lag ze 'opgebaard' in een plastic zuurstoftent met een 'bewaakster' of zuster die je in de gaten houdt, terwijl je geen kant op kunt, en je aan het eind van de dag weer loslaat.

De andere dag meldde ze zich om zeven uur 's morgens bij de afdeling maag, darm. De afdeling maag, darm, waar ze door een behulpzame zuster naar binnen geduwd werd, was een klein vertrek. In het midden stond een grote tafel. Eromheen stonden acht stoelen waarvan er drie bezet waren. Degenen die de stoelen bezetten - oude mensen - hingen aan lange, roze, rubberen slangen die uit hun mond staken. Hun ogen puilden uit hun kassen alsof ze in een vissenkom zaten. Voor hen sputterde een glazen buis met vies geel vocht. Voor ze het wist zat ze op de vierde stoel. "Rustig doorslikken, het duurt maar even."

De zuster duwde haar mond open en de slang achter in haar keel. In pure doodsangst maaide Sara met haar armen om zich heen. Zo gemakkelijk liet ze zich niet vermoorden. De zuster duwde door. "Nu slikken."

Ze voelde de slang verder haar slokdarm ingaan. Daarna voelde ze niets meer.

Waar waren ze in godsnaam naar op zoek? vroeg ze zich af. Terwijl het speeksel langs haar mond droop, staarde ze star voor zich uit, probeerde zich te verheugen op iets wat haar gedachten zou afleiden, als de dood dat ze moest spugen. De wijzers van de grote klok boven de deur tikten genadeloos door zonder dat er iemand naar hen kwam kijken. Voor haar op tafel stond de glazen fles.

Drie weken later was de grote dag van de uitslag. Weer fietste ze alleen naar het ziekenhuis. Het was kwart voor vier, ze moest flink doortrappen; om vier uur had ze een afspraak. Precies op tijd zat ze alleen tegenover de kennis, van de kennis, van de buurvrouw. Ze zag hem voor het eerst.

Als hij het vreemd vond dat een meisje van veertien alleen kwam voor de uitslag van zo'n uitgebreid onderzoek, dan liet hij er niets van merken. Hij was een vriendelijke man, een beetje gezet. Ze schatte van middelbare leeftijd. Hij leunde achterover in zijn stoel, vroeg waar ze op school zat, of ze nog broers en zussen had, vertelde dat zijn jongste in het examenjaar van dezelfde school zat en het erg zwaar had. Hij was meer een vader dan een dokter.

Ten slotte pakte hij de map die voor hem lag. "We hebben je grondig binnenstebuiten gekeerd, maar hebben niets kunnen constateren." Hij keek op van het dossier. "Dat is in ieder geval goed nieuws. Maak je niet zo veel zorgen, daar heb je nog een heel leven voor. Een beetje meer plezier kan geen kwaad. Beloof je dat?"

Toen ze thuiskwam was de tafel gedekt, de sla, de dampende schalen met aardappels en de juskommen stonden op tafel. Ze konden eten.

Sara wachtte tot haar moeder iets vroeg. Zou ze het vergeten zijn? "Ik was nog in het ziekenhuis."

"Dat weet ik," zei mam.

"Alles was goed."

"Gelukkig."

Ze moest het zich allemaal niet zo aantrekken. Met de boekentas achter op haar fiets reed ze richting de stad. Het was haar gelukt er op school ongemerkt tussenuit te piepen. Ze had weer zo naar gedroomd en haast niet geslapen. Het werd tijd dat ze haar gedachten eens ging verzetten, eens iets leuks ging doen, iets waar ze in de klas ontzag mee zou boeken. Spijbelen, al was het maar als tegenhanger voor haar onzekere gedrag van de laatste tijd. Wat had het voor zin om op school te zitten als je je toch niet kon concentreren? Ze zette haar fiets achter de bibliotheek en slenterde de stad in, terwijl ze zich voortdurend afvroeg wat anderen deden als ze spijbelden.

Ze liep langs de etalages en stond overal veel te lang stil. Bij de Hema ging ze naar binnen en staarde naar de lekkernijen in de vitrines. Haar handen jeukten en de verkoopster knikte vriendelijk.

Hier moest ze weg, te veel mensen die haar kenden. Het was nog verdomde moeilijk om stoer te zijn! Ze slenterde door de stad tot ze geen voeten meer overhad. Ze rammelde van de honger en had geen gulden op zak. Ze had al zes keer de stad op en neer gelopen en wist niet hoe ze de uren vol moest maken, het was lang niet zo leuk als ze gedacht had.

Tegen de tijd dat de school uitging, verschool ze zich achter het fietsenhok en wachtte haar vriendinnen op. Ze kwamen stuk voor stuk naar buiten. Op de speelplaats bleven ze staan praten. Eindelijk liepen ze naar hun fiets. Sara kwam achter het hok vandaan.

"Waar kom jij vandaan?, was je weer ziek?"

Zie je, ook dat nog, dat waren ze dus nog niet vergeten. "Nee joh, gewoon geen zin."

Ongelovig keken ze haar aan. "Je hebt gewoon gespijbeld?"

"Ja, kijk niet zo verbaasd, zo bijzonder is dat toch niet. Er zijn leukere dingen dan op school zitten."

Behalve een paar bewonderende en ongelovige reacties van haar klasgenoten had het spijbelen haar niets meer opgebracht dan nog meer onrust. Het feit dat ze haar mond niet meer opendeed, of beter gezegd, er geen geluid meer uit liet voortkomen, had niets te maken met haar prestaties. Integendeel, zoals gewoonlijk wanneer ze zich rot voelde, dook ze in de boeken. Innerlijke kennis vergaren was de enige zinnige tegenpool tegen monddood.

Bij het noemen van haar naam in de klas verstijfde ze, het zweet stond op haar gezicht, haar keel werd dichtgeknepen en haar benen wiebelden zenuwachtig heen en weer. De leraar wachtte geduldig. Het antwoord lag op haar lippen, maar hoe ze ook haar best deed - er kwam geen geluid. De gezichten begonnen nu langzaam haar richting uit te draaien. Alle ogen waren afwachtend op haar gericht.

Daarna sprak hij, dat was het moment waarop ze wachtte de voor haar bevrijdende woorden. "Ik begrijp het al, weer niet geleerd," waarna hij haar negeerde en zijn aandacht op een ander richtte.

Ondanks dat ze weer verder kon ademhalen, en zich op de les kon concentreren, besefte ze terdege dat er iets moest veranderen. Goed, die spreekbeurt was een afgang, een ongelukkig incident dat iedereen kon overkomen. Je moest het gewoon vergeten, er niet zo'n drama van maken. Maar het lukte haar niet, het werd al erger.

De geluiden en geuren van mensen verstikten haar, de paniek groeide met de dag. Het was als een gezwel dat steeds verder groeide, haar op de meest ongelukkige momenten overmeesterde en uiteindelijk kapot maakte. De angst splitste zich: aan de ene kant het onveilige huis en de wetenschap dat ze er steeds weer naar terug moest keren; aan de andere kant de school, haar laatste veilige onderkomen, dat nu ook werd ondermijnd door het verlies van haar stem.

Zolang ze met haar neus in de boeken zat, kennis tot zich nam, waardeerde ze zichzelf, vulde haar bestaan zich met hoop. Wat in haar hoofd zat kon niemand haar ontnemen. Maar als ze weer werd aangestaard door mensen die macht over haar dachten te hebben, verdween haar zelfvertrouwen als sneeuw voor de zon. Op zulke momenten zou ze hen kunnen vermoorden. Waar haalden ze het lef vandaan? Of het nu ging om lichamelijk of fysiek geweld. Door het feit dat ze haar niet zagen als hun gelijke, kwamen er emoties los waar ze zich voor schaamde en die haar tegelijkertijd angst aanjoegen, haar het gevoel gaven dat ze in en in slecht was, tot alles in staat en dat alles wat haar overkwam haar toekwam.

Als het waar is dat alles wat aandacht krijgt groeit, dan wist ze daar alles van. De angst voor school, de angst te moeten spreken, de angst niet te kunnen spreken begon zijn vruchten af te werpen: het groeide met de dag. In haar hoofd was geen ruimte voor andere gedachten. Nog nooit had iets zo veel aandacht gehad als de angst in al zijn vormen en gedaantes. En zo kwam het dat al die aandacht en de pijn die ze geleden had er uiteindelijk toe leidde, dat ze voor de tweede maal bleef zitten en de school haar als leerling niet langer accepteerde. De beslissing van de school, die als een nederlaag hoorde te voelen, kwam als een bevrijding.

Ze was al lang niet meer in staat zelf beslissingen te nemen. Nu deden andere mensen dat voor haar, zorgden dat ze niet bleef hangen op een plek waar ze destructief en ongelukkig was.

Ze wilde vergeten. Leven in plaats van overleven en dat was precies wat ze van plan was te gaan doen.

Deel II

6

Als niet-aangeboren gekte een ziekte was die bestreden kon worden, zodat je je weer normaal onder de mensen kon begeven, was dat het eerste waar Sara aan moest werken.

De wachtkamer van de psychiater zat vol. Vanuit de verste hoek gluurde Sara vanonder haar wimpers naar de bonte verzameling mensen. Ze dacht aan wat de dokter gezegd had. "Kindje toch. Waarom wil je dat?" had hij met zijn zuidelijke accent gevraagd. "Daar hoor jij toch niet thuis. Wat vindt mama daarvan?" Ze had haar schouders opgehaald, waaruit hij dan maar op moest maken dat ze daar niet zoveel mee te maken had. Het ging nu om haar en niet om 'mama'. De dokter had geprobeerd haar op andere gedachte te brengen, maar had ten slotte zuchtend een briefje geschreven. "Houd me op de hoogte, Sara, en doe de groeten aan mama."

Nu wachtte ze op haar beurt. Haar buurman zat voorover gebogen en praatte tegen een beestje dat in een mandje voor hem stond. Hij aaide het beestje over zijn kop. "Blijf maar lief liggen, baasje blijft bij je. Baasje loopt niet weg. Nee, nou niet huilen," en hij boog zich wat dieper over het mandje heen, "dan moet baasje ook huilen." De tranen liepen over zijn bolle wangen. Onhandig veegde hij met zijn mouw over zijn gezicht, nam het mandje op schoot. Het mandje was leeg.

De vrouw tegenover Sara zat met haar wijsvinger tegen haar hoofd te tikken, pakte een spiegeltje uit haar tas en deed knalrode lippenstift op en om haar mond, waarna ze zichtbaar tevreden het spiegeltje met veel omhaal weer terug stopte. Het was wel een rare tante. Maar die waar je het niet aan zag, waren dat niet de gevaarlijkste?

"Volgende!" De deur ging open en Sara hoorde haar naam.

De psychiater, een kalende man van middelbare leeftijd, stak net boven zijn bureau uit. Hij legde papieren van links naar rechts, waarna hij de stapel met een schuin hoofd bekeek, recht legde en opnieuw weer een voor een de papieren naar links legde. De wand achter hem was bedekt met rijen hangmappen in donkerbruin papier. In het midden van de kamer stond een bureau, op twee stoelen en een schemerlamp na het enige meubel in dit sombere vertrek.

Sara aarzelde. De psychiater leek zich niet bewust van haar aanwezigheid. Ze nam plaats op de stoel tegenover hem. De gordijnen van donkerrood fluweel waren gesloten en lieten slechts in het midden een streep licht door.

Zonder ook maar enige notie van haar te nemen, draaide de psychiater zijn stoel naar de muur. Hij rommelde tussen de mappen, draaide zich weer om en krabde nadenkend op zijn voorhoofd. Hij was nog steeds afwezig.

Met verbazing sloeg Sara het schouwspel gade. Dat kreeg je ervan, dacht ze, als je de hele dag tussen die mafketels zat.

"Wat mankeert jou eigenlijk!" donderde hij opeens.

Als een komeet schoot Sara omhoog, de stoel kantelde en met een arm steunde ze op de grond. Met moeite herstelde ze zich. Hij wachtte.

"Dat dus," stotterde ze toen ze met een rood hoofd weer op haar stoel zat. Hij knikte alsof hij het tot zover begreep en maakte met zijn hand een ongeduldig draaiende beweging.

"Ik schrik als mensen me onverwacht aanspreken."

"Dus je was er niet op bedacht?"

"Dat is het juist. Ik ben er constant op bedacht." In de stilte die hierop volgde, ademde ze de loodzware lucht in.

De psychiater staarde uit het raam. Sara frunnikte aan de zoom van haar jas.

"Je hoeft hier niet meer terug te komen," verbrak hij plotseling de stilte. "Ga maar een flink eind fietsen... Volgende!" Om aan te geven hoe druk hij het had en dat het gesprek was afgelopen begon hij zijn papieren van links naar rechts te leggen.

In de wachtkamer zat de vrouw weer met haar spiegeltje. Toen ze Sara zag lachte ze waardoor haar knalrode lippenstift uitschoot.

Ze zwaaide tot Sara de deur achter zich dicht trok.

Buitengekomen bleef Sara ontredderd staan. Wat had ze nou verwacht, gehoopt? Een bevestiging van dat ze zo gek was als een deur, of moest ze juist blij zijn dat ze gewoon was. Hoe gek wil je wezen? vroeg ze zich af.

Daarna was ze weer terug bij af. Had ze gedacht dat met het verlaten van school een groot gedeelte van haar probleem opgelost was, dan had ze het mis. Het begon nu pas goed. Sara was zich er terdege van bewust dat de bevrijding, zoals ze het wegsturen van school voelde, maar van korte duur was. Nu moest ze zich gaan beraden op wat ze nu echt wilde. De vraag was: wat kon ze?

In de tussentijd zorgde ze voor haar eigen gemoedsrust en voor een groot gedeelte dat van haar moeder. Mam, die, zoals ze zelf zei, niet voor het huishouden in de wieg gelegd was, liet zo veel mogelijk aan Sara over. Beiden zorgden ervoor, dat de dagen zonder ernstige incidenten voorbij gingen. Het was als een stilzwijgende overeenkomst. Ze zorgden dat ze niet langer dan strikt noodzakelijk in elkaars gezelschap vertoefden, Sara vermeed de keuken met alle daarbij behorende intieme gesprekken. De aanwezigheid van haar moeder kon ze alleen voelen aan de hitte van haar blikken op haar rug.

Had Sara de eerste weken het zoeken naar een baan nog voor zich uit kunnen schuiven om haar geschokte zenuwen tot bedaren te laten komen, nu werkte dat niet meer. Integendeel. Twee was te veel.

Haar moeder was de eerste die een baan had. Ze had er niets voor hoeven doen. Die baan kwam zo maar, onverwacht uit de lucht vallen.

"Denk je eens in, Sara. Hele dagen voor de klas! Ze belden me er zelf over op, ik wist niet eens dat ze iemand vroegen." Ze was uitzinnig van vreugde. "Het is echt niet zo eenvoudig in deze tijd, en dan meteen een vaste aanstelling. Als een van jullie nou eens bij de bakker wat lekkers haalt. Neem maar twee ons gemengde koekjes."

"Geef maar geld," zei Sara.

"Laat maar opschrijven. Het zal de laatste keer wel zijn," zei mam.

"We gaan nu eindelijk eens geld verdienen."

"Jeetje, wat een bof," dacht Sara, terwijl ze naar de overkant van de straat liep. Hele dagen, dan kon zij nog wel even rustig rondkijken.

"Wat zal het zijn, Sara?" De vrouw van de bakker leunde over de toonbank.

"Twee ons gemengde koekjes."

"Iets te vieren?" vroeg ze over haar schouder.

"Mijn moeder heeft een baan."

"Je moeder?"

"Ja, voor de klas, hele dagen."

"Hele dagen, en jullie dan?"

"Dat komt wel goed. We redden ons wel!"

Dat was makkelijker gezegd dan gedaan. Hoe word je onafhankelijk als je afhankelijker bent dan ooit en hoe vind je een baan als je alleen weet waar je niet goed in bent? Dat was waar Sara mee worstelde. Naast het oppassen in de avonduren waarmee ze wat geld verdiende, had ze behalve het huishouden niet veel te doen. De kamer was aan kant, de stoelen waren onder de tafel geschoven, het pluche lopertje dat zo eng aanvoelde, lag schuin over de tafel. In het midden stond de stenen asbak. De stoel naast de kachel stond recht en er lag voor zover ze kon zien geen rommel op de grond.

Toen ze op school zat, zou ze er een moord voor hebben gedaan om ongestoord alleen thuis te zijn, zich te verkneukelen met een boek, weggedoken in een hoek. Nu ze de hele dag alleen was, oelde ze zich schuldig, nutteloos, alsof ze het niet verdiende.

Nog eenmaal keek ze de kamer rond en toen ging ze naar beneden. Ze pakte haar fiets uit de schuur en reed naar de stad. Bij het eerste arbeidsbureau las ze, met haar neus tegen het raam gedrukt, de vacatures die uitnodigend om binnen te komen op een groot bord in de etalage prijkten. Kantoorpersoneel, schoonmaaksters en dat was het wel zo'n beetje. Het was nog maar het eerste bureau. Er waren er zoveel. Bij de vierde begon de afschuwelijke waarheid tot haar door te dringen. Keuzevrijheid is een illusie als je herhaaldelijk wordt geconfronteerd met onopgeloste problemen. Haar maag kwam in opstand, een onbestemd gevoel in haar buik strekte zich uit tot haar benen, haar lijf begon te trillen. Verdomme! Wat was er van haar terecht gekomen, waar waren haar ambities, haar dromen, haar idealen? Ze draaide de Vogelstraat in, een van de zijstraatjes van de hoofdstraat die uitkomt bij de Singel. Op de hoek tegenover V&D zag ze het staan: 'Engelssprekend gezin met twee kleine kinderen zoekt oppas. Liefst intern.' Het was nu of nooit. De draaideur ging zwaar, maar door er met haar volle gewicht tegenaan te duwen bracht ze het gevaarte in beweging.

"Ik neem zo spoedig mogelijk contact met u op." De jonge vrouw achter het bureau tegenover de deur keek op en maakte een uitnodigend gebaar naar haar bureau. Ze droeg een zwarte coltrui en had donker, kort, krullend haar. Haar ogen leken groot achter haar brillenglazen met rood montuur.

Bang dat de wanhoop van haar gezicht te lezen was en haar volledig zou verlammen, zette Sara haar ene voet voor haar andere en schuifelde naar het bureau.

"Ga zitten."

Iets binnenin zei haar, dwong haar, nu in actie te komen, dingen te doen, maatregelen te nemen, die er voor zorgden dat ze bleef functioneren.

"Wat voor werk zou je willen doen?"

Ze verstijfde.

"Kantoorwerk, zou je daar iets voor voelen?" stelde de jonge vrouw voor.

"In de etalage," stuntelde Sara, "oppas voor dag en nacht. Dat lijkt me wel iets."

"Wil je koffie?" Zonder op antwoord te wachten stond het meisje op en liep naar de hoek.

Aan een bureau tegenover hen ging het nu wat feller toe. "Het lukt toch wel hè? Ik kan niet eeuwig thuis blijven zitten, Ik heb een vrouw en een gezin."

De jonge vrouw kwam terug en schoof een beker koffie over de tafel. "Wat heb je hiervoor gedaan?" vroeg ze vriendelijk terwijl ze een formulier voor zich neer legde.

"School, maar daar ben ik mee gestopt." De vlammen sloegen naar haar gezicht. "Ik wilde liever iets met kinderen doen."

"Spreek je Engels?" Sara knikte. De vrouw pakte de telefoon en draaide een nummer. Nadat de zoemtoon een paar keer was overgegaan, legde ze hem neer.

"Heb je ervaring met kinderen?"

"Genoeg." Het kwam er overtuigend uit. Sara wist niet waar ze in eens de moed vandaan haalde.

"Ik zal proberen zo snel mogelijk een gesprek voor je te regelen. Ik weet niet of dat vandaag nog lukt, maar ik doe mijn best. Je krijgt in ieder geval een telefoontje."

Een halfuur later stond ze buiten. De zon scheen. Op de hoek voor V&D stond de bloemenman, zijn kar vol met irissen, gladiolen, rode papavers en emmers vol zonnebloemen. In het warenhuis baanden moeders met kleine kinderen zich een weg, hun stemmen licht en vol blijdschap. Boven aan de roltrap botste Sara, nog met haar hoofd in de wolken, tegen een knul. "He, ben je niet goed bij je hoofd?" snauwde hij.

"Dat zeggen ze." Vandaag kon niemand haar meer uit haar humeur halen. Bij het rek met badkleding bleef ze staan en haalde er een rood katoenen setje uit. Verliefd staarde ze naar het topje dat was afgezet met een rand witte broderie. Zoiets moois had ze nog nooit gehad. Ze zag zichzelf al in het zwembad, vol bewonderende blikken. Ze draaide het prijskaartje om en begon het geld dat ze met moeite met oppassen bij elkaar gespaard had uit te tellen.

In de paskamer bekeek ze zich zelf in de spiegel. Dit was het helemaal. Ze draaide zich om.

"Leuk hè? Helemaal in deze zomer," zei een verkoopster. "De maat is ook goed."

Sara rekende af en liep blij de zaak uit. Het was een vreemd gevoel. Haar eerste zelfgekochte kledingstuk. Deze dag had een onverwachte goede wending genomen. Wat zouden ze thuis wel niet zeggen!

Op het terras waar ze langs liep kwam een tafeltje vrij. Ze ging zitten en maakte meteen het pakje open om er nog eens extra van te genieten. Haar ogen streelden de nieuwe aankoop.

De ober was al twee keer langs geweest maar steeds had ze het zogenaamd te druk met andere dingen. Haar geld was bijna op en ze had geen idee wat een consumptie hier kostte. Ze kon nog even naar het toilet gaan en dan stiekem op een kaartje kijken naar de prijzen. Ze besloot op te stappen. Ze fietste langzaam. Voor vieren was er zeker niemand thuis en ze had zo veel te vertellen dat ze het niet zou kunnen verdragen om lang alleen in huis te zitten. Thuisgekomen hing ze haar jas aan de kapstok en zette de koffiepot aan. Haar moeder wilde altijd graag even zitten als ze thuiskwam en ze kon al helemaal niet tegen rommel. De sleutel in de voordeur werd omgedraaid.

"Hallo!"

"Ik heb net koffie gezet."

"Gezellig," zei mam. "Precies wat ik nodig heb. Kopje koffie en een sigaretje. Zullen we buiten gaan zitten?" Sara schonk drie kopjes koffie in.

"Waar blijft je vader?" vroeg mam. Ze zette haar handen op de leuning van de stoel en rekte zich uit om door het raam te kijken. Zuchtend liet ze zich weer vallen, "Wat een drukte vandaag, er is vast storm op komst." Ze trok nog een stoel bij en wreef over haar vermoeide voeten. "Waar blijft die man nou? Zijn koffie wordt koud. Ben jij nog iets opgeschoten? Was je nog naar het arbeidsbureau?"

"Het meeste is kantoorwerk, vreselijk, dat kan ik echt niet. Afschuwelijk, de hele dag in zo'n benauwd hok."

"Nee, eerlijk gezegd geloof ik ook niet dat je daar geschikt voor bent." Haar moeder ging weer zitten stak een nieuwe sigaret op.

"Vandaag of morgen word ik gebeld."

"Je bent er dus wel geweest!" zei mam verheugd.

"Ja, uiteindelijk zag ik een advertentie in de etalage bij een Engels gezin."

"Schoonmaakster?"

"Voor de kinderen."

"Werkster dus."

"Ze vragen oppas voor twee kleine kinderen, liefst intern."

"Intern! Wat is dat nu weer voor onzin. Dat vindt je vader nooit goed."

"Ik zal je wat leuks laten zien," zei Sara om het over een andere boeg te gooien.

Ze liep naar de deur en botste tegen haar vader.

"Koffie Sara!" zei pap terwijl hij de tuin in liep. "Daar kom je zo maar niet vanaf, wat een kletskous, die buurvrouw."

Mam keek hem geërgerd aan. "Jij kunt er anders ook wat van. Ze is alleen maar nieuwsgierig. Dat zeg ik je nou zo vaak."

Sara schonk hem het laatste beetje koffie in en liep omhoog. "Even iets pakken," riep ze over haar schouder. Boven trok ze haar nieuwe bikini aan. Ze liep naar de slaapkamer van haar ouders en stond boven op het bed om in de spiegel te kijken. Het stond echt leuk! Tevreden liep ze de trap af en ging de tuin in.

"Nou? Zeg er eens wat van, mooi of niet? De laatste mode." Het was stil. Verbaasd keek ze van de een naar de ander. "Niet mooi?" Haar vaders mond hing open, zijn blik stond op storm, haar moeder keek van haar man naar haar dochter. Onzeker draaide Sara zich om.

Haar vader was de eerste die in actie kwam. Zijn ogen strak op haar gericht kwam hij langzaam overeind. "Hoe durf je? Hoe durf je?" Zijn ogen schoten vuur, speeksel liep langs zijn mond. "Wie denk je wel dat je bent? Mam, kijk nou toch eens, onze dochter ziet er uit als de eerste de beste hoer.!" Zijn stem sloeg over. "Ik zal het persoonlijk van je lijf rukken, dat smerige ordinaire ding. Hoe durf je er zo bij te lopen!"

Snel duwde Sara een tuinstoel tussen hen in en probeerde weg te komen. Hij haalde over de stoel naar haar uit. "Hier…! Ik zal je…"

Maar nu kwam mam overeind. "Blijf van haar af", siste ze en ging voor hem staan. "Als je haar met een vinger aanraakt zal ik haar eens wat vertellen."

Haar vader verschoot van kleur en liet zich voor een seconde overrompelen. Toen haalde hij weer uit.

"Ga naar binnen, pap," mam was vastberaden. "Nu! Alsof je zelf niet graag naar meisjes kijkt."

"Zie je dan niet hoe ze er uitziet? Je trekt dat vieze ding nu uit en dan verscheur ik het persoonlijk." Hij liep naar binnen en gooide de deur met een knal dicht.

Daar stond ze dan. Sara snapte er niets van, de lol was eraf. Tranen van woede liepen over haar gezicht. Het was gewoon maar een tweedelig badpak. Wat vals om er zo over tekeer te gaan.

"Doe maar gauw uit," zei haar moeder bezorgd.

"Waarom?"

"Daarom."

"Omdat die idioot het zegt?"

"Ja, en tussen haakjes: zo praat je niet over je vader."

"Nou, ik wil je niet ongerust maken maar die vent is knettergek."

"Zo is het wel genoeg, Sara. Je vader is alleen maar bezorgd."

"Dat ben ik ook."

Uiteindelijk was Sara gezwicht, tenslotte had haar moeder het voor het eerst waar ze bij stond voor haar opgenomen.

"Goed, maar dan ga ik bij Hanneke langs en als haar moeder het goed vindt, blijf ik daar eten. Ik heb geen zin om met 'die man' aan tafel te zitten."

"Die man, is je vader."

Sara trok wat anders aan en vroeg zich af waar ze het kledingstuk zou verstoppen. Ze was er zeker van dat hij het ging zoeken als ze weg was. Uiteindelijk stopte ze het onder haar trui. Ze stak haar hoofd om de hoek van de keukendeur. "Ik ben weg."

"Alles goed, Sara?" Dat was de buurvrouw, die natuurlijk alles had gevolgd van achter de schutting.

"Ja hoor! Nou ja, een beetje ruzie, verder niets."

"Komt in de beste families voor," zei ze, maar ze bleef haar nastaren tot ze de hoek om was.

's Avonds werd er nergens meer over gepraat. Zoals gewoonlijk na een ruzie deed haar vader overdreven vrolijk en amicaal tegen haar. Hij maakte de gebruikelijke grapjes waar ze zo'n hekel aan had. "Wij kunnen het best met elkaar vinden, hè Sara?" Hij wilde haar aanraken, ze ontweek hem. Hij wilde iets zeggen, maar durfde het niet.

Ze verbaasde zich er iedere keer weer over. Nooit zei hij eens 'het spijt me' of iets dergelijks. Misschien was het dan beter te verteren, maar hij kon de woorden niet over zijn lippen krijgen. Ze kon alleen maar hopen dat ze morgen gebeld werd door het arbeidsbureau. Voor dag en nacht. Dat was nog het beste. Bij het idee begon ze te zweten, vroeg zich af of dat wel echt was wat ze wilde.

Wilde ze wel bij haar familie weg?

Hoe kon het nu dat wat vanmiddag nog de oplossing had geleken, haar nu ineens een weeïg gevoel in haar buik bezorgde. Vanmiddag was ze nog vol goede moed. Om de tafel zaten de jongens te kaarten, ze lachten en maakten een hoop herrie. Van boven klonken luide kinderstemmen, in de keuken rinkelden de kopjes. Sara voelde zich eenzamer dan ooit.

Het voelt alsof ze tegen de stroom in zwemt, steeds harder moet vechten om boven te blijven. Wat het ene moment voelt als moed, voelt het volgende moment als machteloosheid, een laffe vlucht.

In Amsterdam stapte ze uit de trein en liep met de stroom mee naar de uitgang. Boven aan de trap bij de ingang bevond zich de stationsrestauratie. In de deuropening tussen de gordijnen bleef ze staan. De wanden waren tot de helft met hout bekleed. Het rook er naar vers gemalen koffie. Het grote restaurant werd door houten schotten en planten onderverdeeld in intieme ruimtes, waarachter geroezemoes klonk. Boven de tafeltjes hing sfeervolle, melkachtige verlichting.

De deur van het damestoilet ging open en er kwam een vrouw met twee kinderen naar buiten. Ze ging bij een man zitten. De vrouw was gezet en had blond, krullend haar tot op haar schouders. Sara schatte haar een jaar of vijfendertig. De man zag er veel jonger uit, bijna een jongen nog. Verder waren er geen kinderen in het restaurant, dus zij moesten het gezin zijn waar ze naar zocht. Schoorvoetend naderde Sara hun tafeltje en stelde zich voor.

Sara zat tegenover de vrouw en zag dat ze er van dichtbij jonger uitzag. Ze had lichtblauwe poelen van ogen en een open vriendelijk gezicht. Haar rust, haar natuurlijke manier van spreken; geen eindeloze ondervragingen, haar totale gebrek aan ijdelheid of snoeverij en haar enthousiasme wanneer ze het over haar kinderen had, werkte aanstekelijk. Het klikte meteen.

Sara leunde ontspannen achterover en bleef het liefst de hele dag zo zitten.

7

"Het schijnen nette lui te zijn," klonk de stem van haar vader. Sara stopte en bleef tegen de muur geleund staan luisteren.

"Hoe weet jij dat nou?" hoorde ze haar moeder zeggen. "Ben je bij het arbeidsbureau geweest?"

"Ja, wat dacht jij dan? Dat ik mijn dochter zo maar laat gaan? We kennen die mensen niet eens."

"Ik snap al helemaal niet wat haar bezielt. Naar Amsterdam. Alsof hier in de buurt geen baantjes zijn." Het was stil. "Ze kan nog niet eens voor zichzelf opkomen." Haar stem klonk snoevend. "Wat is er? Zit je te janken?"

"Ik vind het gewoon niet plezierig, zo'n jong ding."

"Stel je niet zo aan. Ze gaat niet emigreren. Voor je het weet staat ze weer op de stoep. Let op mijn woorden".

Sara had genoeg gehoord. Haar vader vond het dus erg. Dat had ze wel verwacht, maar om een andere reden.

Het was de dag van haar vertrek. Haar tas stond in de gang.

"Ga eens bij tante Rie langs en vergeet niet iedere week te bellen," zei mam.

"Doe een jas aan, het is koud buiten," zei pap terwijl hij de tas van de grond oppakte. "Portemonnee? Sleutel? Het adres? Heb je alles?"

Normaal gesproken zou Sara zich hieraan geërgerd hebben. Nu voelde ze in haar jaszak, gaf haar vader en moeder een zoen en liep de straat uit.

Het huis bestond uit drie verdiepingen. De benedenverdieping lag net als bij het huis van haar oma onder de straat. Zelfs het smedijzeren hekje voor het smalle raam ontbrak niet. Voorzichtig trok ze aan de koperen bel. Bij het horen van de zoemtoon duwde ze tegen de zware houten voordeur.

Boven aan de trap stond Sue. De kinderen hingen aan haar benen. De zware tas met zich meezeulend (wat zat er allemaal niet in?) trok ze zich aan de leuning omhoog.

"Geef maar." Sue pakte de tas aan en gebaarde de kinderen de kamer in te gaan. "Ze zitten de hele ochtend al te wachten. Koffie?" Bij het zien van de woonkamer voelde Sara een lichte huivering. Ze rilde en trok de mouwen van haar trui omlaag. De kamer was schaars gemeubileerd. Alles wees erop dat ze hier niet lang zouden blijven. Er stond een grote eettafel met vier stoelen. De eettafel lag vol met kranten, papieren en andere paperassen. Aan de lange muur stond als enige onderbreking een ladenkastje. Tegen de muur bij het raam stond een groene bank, daar tegenover een leren doorgezakte fauteuil. De grond was bezaaid met speelgoed. De kamer zag eruit alsof ze midden in de verhuizing zaten. Alleen een paar grote stukken moesten nog worden weggehaald.

Na het koffiedrinken nam Sue haar mee naar boven. Het bovenste gedeelte was op een enkel ijzeren bed na leeg en werd niet meer gebruikt. Op de middelste verdieping aan de achterkant van het huis bevonden zich twee slaapkamers en een badkamer.

"Dit is jouw kamer." Sue opende de deur van een ruime slaapkamer aan de voorkant van het huis. De slaapkamer keek uit over de Amstel met de woonboten die er gezellig uitzagen. Sara was tevreden. In de kamer naast haar sliepen de kinderen. Ze waren achter moeders rok vandaan gekomen en trokken nu de kasten leeg om hun speelgoed te laten zien. Sue en haar man sliepen aan de andere kant van het huis.

De keuken op de eerste verdieping was ook achter in het huis. Het was een smalle pijpenla waar tegen de wand nog net een tafeltje met vier klapstoeltjes kon staan.

De eerste dagen waren onwennig. Het was Sara niet precies duidelijk wat er van haar verlangd werd. 's Morgens kleedde ze zich aan, ver voor het eerste ochtendlicht door de gordijnen scheen. Vervolgens wachtte ze, gezeten op haar bed, tot de eerste zwakke geluiden uit de kinderkamer tot haar doordrongen. Voordat ze hun ouders wakker zouden maken, stond Sara al naast hun bed. Met de kinderen en hun kleren onder haar arm sloop ze de trap af. Pas in de kamer achter de gesloten deur, werd er gesproken. In de keuken maakte Sara het ontbijt voor de kinderen klaar. Geroosterd brood met jam. Daarna speelden ze spelletjes, gooiden de kinderen het kasje open en haalden alles, maar dan ook alles wat er aan speelgoed in zat, tevoorschijn. Ze liet ze maar, als ze maar stil waren.

Hoewel de lucht er dreigend uitzag, wandelden Sara die middag, gewapend met een boodschappenlijstje, naar het park. Daar liet Sara de kinderen eendjes voeren en spelen op het klimrek en op de schommel. Voortdurend keek ze omhoog. Het begon onheilspellend te waaien en de lucht werd zwart. Het water begon te rimpelen, eenden vlogen op. Aan de rand van de vijver stond een reiger, zijn hals sierlijk gebogen als een 'S', zich niet verroerend.

Toen het begon te regenen zette Sara Melanie in de wandelwagen, de hevig tegenstribbelende Jamy op haar schoot en trok de kap van de wagen over hen heen. Het verkeer raasde met grote snelheid langs, ruitenwissers vlogen over beslagen ramen.

Eenmaal thuis kwamen de moeilijke uurtjes. Zo goed en zo kwaad als het kon, hield ze de kinderen bezig. Ze bleven uit de buurt van hun vader, zodat deze ongestoord de krant kon lezen. Ze gaf de kinderen aan de keukentafel eerder te eten, waste hun handen en hun gezichten en deed alvast de pyjama aan. Daarna mochten ze in bed boekjes lezen, terwijl Sara tegelijk met Sue en Peter in de keuken at, waarna Peter wegging. Peter was een pianist en werkte 's avonds. Soms hoorde Sara hem midden in de nacht thuiskomen en de koelkast opentrekken. Na het avondeten ging Sue naar boven naar de kinderen en Sara ruimde de kamer en de keuken op.

Na twee weken kenden Sara de bewoners van de woonboten, de slager op de hoek en de Turk. De laatste kwam naar buiten zodra hij haar zag. Bij hem lagen de appels, tomaten en sinaasappels opgepoetst en zorgvuldig opgestapeld voor de deur. Als Sara afrekende kon hij het niet laten een paar bosjes verse kruiden, vergezeld van het recept waarin ze thuishoorden, in de tas te laten glijden. Langs de kade, de verschillende woonboten observerend, slenterde Sara naar huis.

Op de groene boot woonden Herman en Hennie. Hennie hield van plastic witte tuinmeubeltjes, maar niet van kunstbloemen. Haar zwarte haar zat als een suikerspin op haar hoofd. Hals, armen en vingers waren behangen met goud. Herman hield van mensen en niet van plastic tuinstoeltjes. Het grootste gedeelte van de dag bracht hij door op een houten klapstoeltje op de kade. Hij had een volle bos grijs haar, dat hem het uiterlijk van een kunstenaar en iets vertrouwds gaf. Middelmatig postuur en een paar vriendelijke blauwe ogen onder zware grijze wenkbrauwen. Het zag ernaar uit dat iedereen hem kende, voorbijgangers zwaaiden of maakten een praatje. Hun boot lag recht tegenover het huis van Peter en Sue.

"Woon je daar?" vroeg Herman toen Sara met de kinderen langssliep. Hij wees naar de voordeur. "Mijn broer verhuurt het huis aan een Engelse familie."

"Klopt, ik zorg voor de kinderen."

De boot zag er verzorgd uit. Hier hingen echte geraniums in bakken aan de reling. Op het dek hing in tegenstelling tot de meeste boten geen was en op het witte plastic zitje stond ook weer een echte geranium. Verder waren alle boten verschillend, maar was de inrichting identiek. Geruite gordijntjes, met een lint opzij gebonden, hingen voor de kleine raampjes. Een plastic bloemstukje pronkte daartussenin.

De avonden bracht Sara door met Sue. Sue verbeterde haar met een glimlach als ze krom Engels sprak. Dankzij de kinderen en Sue's engelengeduld vorderde Sara's Engels sneller dan ze gedacht had. Bij Sue voelde ze zich op haar gemak. Eigenlijk was Sara wel blij dat Peter 's avonds weg was. Ze vertelde over haar familie, de gezellige drukte in huis, haar vader en moeder die zich nog steeds gedroegen als een verliefd stel en over de school die ze voortijdig verlaten had.

"Je kunt altijd nog studeren," zei Sue. "Er zijn zo veel meisjes van jouw leeftijd die van school gaan en hun studie later toch weer oppakken. Zo gek is dat niet."

Sara sprak met Sue zoals ze nog nooit met haar moeder gepraat had.

Iedere dag liep ze met de kinderen langs de woonboot waar – de kinderen wisten het al – ze altijd iets lekkers mochten uitzoeken uit de blikken koektrommel die Hennie tevoorschijn haalde als ze hen zag aankomen.

Maandag was Peters vrije dag. Sue en hij kwamen dan laat uit bed en gingen in de stad lunchen. Deze maandag was Sue vroeger dan anders beneden. In haar ochtendjas kwam ze de keuken in waar de kinderen aan de keukentafel zaten te eten. Sara keek verrast. "Koffie?"

Sue's haren waren met een elastiekje bij elkaar gebonden en zoals gewoonlijk viel het Sara op wat een blozende wangen ze had. Ze gaf de kinderen een kus. "Gaan jullie maar spelen." De kinderen vlogen van tafel. Sue pakte hun borden en leunde tegen het aanrecht. "Peter moet vier dagen weg. Dit theater is te klein en het ligt niet gunstig." De koffiepot pruttelde. Boven uit het kastje pakte ze twee bekers. "Ik wilde eigenlijk vragen. Nou ja, de vraag is…" Ze keek bedenkelijk. "Ik weet niet of ik het je al kan vragen?"

Sara moest lachen.

"Denk je dat je het aankunt, vier dagen alleen met de kinderen?" Ze zette de koffie op tafel en ging zitten. "Ik wil graag mee."

Sara wachtte.

"De kinderen zijn aan je gewend, ze vinden je aardig. Dat kan ik zien."

"Ga maar. Ik red het wel"

"Neem vandaag vrij," zei Sue opgelucht. "Je kunt uitgaan, winkelen, neem tijd voor jezelf. Je zit hier maar alleen met mij en de kinderen."

Ieder ander zou het als een compliment beschouwd hebben, maar Sara voelde hoe haar handen klam werden en de warmte opsteeg naar haar gezicht. Sue zou wel gedacht hebben dat ze maar een sloom meisje was, dat iedere avond maar thuis zit te hangen zonder ooit de deur uit te gaan. Wie weet had ze wel stiekem gehoopt eens een avond alleen thuis te zijn, had ze een gloeiende hekel aan iedere avond theedrinken en converseren in moeizaam Engels.

"Graag," hoorde Sara zichzelf tot haar verbazing zeggen.

"Heb je al naar huis gebeld?"

"Nog niet." Het klonk scherper dan de bedoeling was. Als ze naar huis wilde bellen moest ze dat zelf beslissen. "Je vindt het toch niet erg als ik na de lunch ga?"

Sue glimlachte. "Ga nou maar."

Eigenlijk wilde Sara zo snel mogelijk weg, hen niet langer tot last zijn. Maar waar moest ze naar toe? Ze kon op de trein stappen en naar huis gaan. Meteen verwierp ze die gedachte. Ze zouden allemaal op school zitten en als ze thuiskwamen zouden haar broers haar bestoken met vragen over Amsterdam. Wat moest ze zeggen? Ik zit al veertien dagen met twee kinderen, we doen spelletjes, gaan aan de wandel en 's avonds drink ik thee met Sue en ga om half elf naar bed. Ik ken 'de Turk' en 'de slager', alleen van af en toe een praatje, en een ouder echtpaar dat de kinderen iedere dag om klokslag half vier als we langslopen iets lekkers toestopt. Voor het donker zijn we weer binnen.

Om één uur vertrok Sara. Ze had zich met zorg gekleed. Een lila truitje met bijpassend vest, een paars strak rokje en schoenen met blokhakjes. Toen ze aangekleed in de keuken verscheen, knikte Sue goedkeurend. Sara klemde haar hand om de schoudertas, zei de kinderen gedag en liep met snelle passen de trap af.

"Heb je een sleutel?" riep Sue over de trap gebogen. Voor de zekerheid voelde ze in haar tas en hield de sleutel omhoog.

"Okay."

Buiten zwaaide ze naar Herman en liep met opgeheven hoofd de straat uit. Het idee was plotseling in haar opgekomen, ze had niet veel keus. Terwijl ze op de rand van haar bed haar geld geteld had en alle zakken en broekzakken nakeek, was ze niet verder gekomen dan vijftien gulden. Net genoeg voor de tram en de bus. Er zat dus niets anders op dan op visite. Sue had haar nog niets betaald. En ze had niet het lef ernaar te vragen. Ze kan nog niet eens voor zichzelf opkomen, vloog het door haar hoofd. Haar moeder had gelijk.

De klok hing nog op dezelfde plaats. Tante Rie ging Sara voor door het smalle gangetje naar de kamer. In de kamer stonden dezelfde donkerbruine meubels die ze zich van vroeger herinnerde.

De kast de tafel met de eikenhouten stoelen. Niets was veranderd, alleen de tafel stond tegen de muur geschoven waardoor de kamer kleiner leek. De meubels glommen en overal hing de geur van boenwas. Sara stond in het midden van de kamer en keek om zich heen.

"Is er iets?" Tante Rie hield niet van rommel en droeg nooit schoenen in huis. Mannen hadden haar nooit geboeid of andersom. Haar neus was spits. Spitser dan Sara zich herinnerde; in het smalle gezicht leek het wel een skischans. Tante Rie hield van theeleuten en roddelen.

"Thee?" Ze liet de deur openstaan. In de keuken hoorde Sara haar heen en weer sloffen. Wanneer was ze hier voor het laatst geweest? Bij de begrafenis van haar oma, dat is zes, nee al zeven jaar terug. Wat een tijd.

"Hoe is het met je moeder?" vroeg tante Rie.

Snel stond Sara op en pakte de rammelende kopjes van het dienblad dat tante Rie naar binnen droeg. Uit de kast haalde tante de koektrommel. "De laatste keer op je vaders verjaardag vond ik haar nogal stil," ging ze verder zonder op antwoord te wachten. Ze schonk de kopjes vol. "Hier neem gerust." Ze schoof de schaal met koekjes over tafel. Ze nam er zelf een en nam een slokje van haar thee. Haar pink stak omhoog. "Vertel eens, hoe gaat het thuis?" Ze leunde behaaglijk achterover in haar stoel.

Sara had het kunnen weten. Tante Rie vroeg te veel, had een scherpe blik en een nog scherpere tong, maar volgens Sara bedoelde ze het goed. Haar leven bestond uit opstaan, schoonmaken, kopje koffie, uurtje slapen, boodschappen en zorgen dat 's avonds het eten klaarstond voor haar werkende zussen. En de volgende dag weer hetzelfde. De nieuwtjes hoorde ze bij de bakker of de kruidenier op de hoek.

Sara gaf dan ook geduldig antwoord op de vragen die ze op haar afvuurde en in haar enthousiasme, zodat haar tante die avond tijdens het eten ook eens iets nieuws kon vertellen, vertelde Sara sappige verhalen, hier en daar wat aangedikt, over haar broers en over haar moeder. Vooral over haar moeder. Het waren tenslotte zussen. Ze vertelde hoe haar moeder was opgefleurd sinds ze voor de klas stond.

"Je moeder is totaal ongeschikt voor het huishouden," zei tante Rie snibbig. "Altijd al geweest. En je vader is een goedzak. Blijf je eten?" Ze stond op en verdween naar de keuken.

Sara keek in het rond. Voor geen prijs! Het was belachelijk om hiernaar toe te komen. Wat had ze gedacht? Dat alles nog net zo was als vroeger? Haar moeder had gelijk; met de dood van haar oma had het huis zijn ziel verloren.

"Nou? Blijf je?" Tante Rie kwam terug met een stapel fotoboeken. Ze schoof haar stoel naast Sara en spreidde ze uit. "Kijk, hier staat je moeder, en dat ben ik." Ze wees vol trots naar een vergeelde foto. "Toen waren we nog jong," lachte ze. "En hier," ze wierp een verliefde blik.

"Mag ik de kelder zien?"

"De kelder?" herhaalde ze. "Wat moet je daar? Maar, als je dat echt wilt." Teleurgesteld schoof ze het fotoboek weg.

De kelder, de plek die ze kende uit haar geheugen, was nog hetzelfde. De pilaren, de tussenwanden, het tuimelraam met de tralies aan de straatkant, precies zoals ze het zich herinnerde. Zelfs de geur. Ze liep door de verschillende open ruimtes zonder deuren en keek door het kleine raam met de tralies naar de straatkant. Hier, in deze kelder, kwamen haar herinneringen tot leven. Hier speelden ze met haar broers verstoppertje, zag ze zichzelf achter een pilaar staan, haar handen voor haar ogen zodat ze haar niet konden zien. Bram die haar altijd liet schrikken vanachter de tralies van het raam.

Aan een rek hingen wat kleren en een bontjas; onmiddellijk zag ze het gezicht van haar oma voor zich. Ronde, bolle wangen weggedoken in de kraag van de jas. Daarnaast stond een kist. In de kist zaten hoeden, allerlei soorten. Ze pakte er een uit en zette hem op. Stak haar neus in de bontjas en snoof diep de geur van vroeger. Ze snoof nog een keer.

Tante Rie stond nog in de deuropening. Haar handen leunden tegen de deurpost. "Wat zoek je?" vroeg ze ongeduldig.

"Niets. Ik heb het al gevonden."

Tante Rie sloot zorgvuldig de kelderdeur. "Het is daar zo koud." Ze rilde. "Kom dan laat ik je de foto's zien."

"Ik moet gaan. Om vier uur heb ik een afspraak."

"Heb je een vriend?"

"Nee, geen vriend. Een oude vriendin."

"Dus je blijft niet eten?"

Bij de buitendeur gaf Sara tante Rie een kus.

"Doe je thuis de groeten?" Ze duwde haar een briefje van tien in haar hand.

Net zoals ze op de automatische piloot bij het huis van haar oma was gekomen, nam ze op goed geluk de tram naar hun oude huis. Op de Burgemeester van Leeuwenlaan stapte ze uit en bij een telefooncel zocht ze het nummer van Marjolein. Ze zou haar toch nog wel kennen? Zij was háar in ieder geval nooit vergeten. Haar vaste vriendin, die ze uit het oog verloren had toen ze waren verhuisd uit Amsterdam.

"Bremer." Sara's hart stond stil. Ze herkende de stem. "Hallo?"

"Met Sara, een vriendin van Marjolein." Even was het stil aan de andere kant. "Ben jij dat Sara? Marjolein is om vijf uur thuis. Alles goed?"

"Ja hoor, ik bel nog wel." De verbinding werd verbroken.

Ze woonde er nog en haar vader, die toch ook al in de zestig moest zijn, wist meteen wie ze was. Dat was gunstig. Nu liep ze wat sneller, het werd schemerig en voor het donker wilde ze in haar vertrouwde buurt zijn. Een lichte misselijkheid overviel haar, ze masseerde haar maag. Als ze eerst maar in de Van Maerlandstraat straat was, dan kon ze een beetje heen en weer lopen, hun oude huis bekijken, het grasveld waar ze altijd speelden voor de deur. En vanaf de bunkers aan de zijkant van het veld had ze een goed zicht op de verschillende portieken en kon ze alles goed in de gaten houden. Als ze Marjolein dan zag, zou ze doen alsof ze net kwam aanlopen.

Ze stond al op de brug toen ze zich omdraaide. Vreemd, de brug was altijd verderop geweest. Had ze iets gemist? Ze liep terug en las de straatbordjes. Deze flats kende ze niet. Ze las nog eens het straatbord, het stond er toch echt.

Voor het middelste portaal bleef ze staan. Op het onderste naamplaatje stond Bremer.

Het was dus echt zo. 'Niemandsland', het grasveld met de bunkers en de bossages die het zicht op de Haarlemmerweg belemmerden, waren verdwenen. Daarvoor waren flats van vierhoog in de plaats gekomen. De flat waar ze vroeger gewoond had was driehoog.

Het was maar goed dat het schemerig was. Haar maag draaide, haar nek deed zeer, niets was meer wat het was, zelfs haar herinneringen waar ze jaren op had geteerd, de plek waar ze jaren naar terugverlangd had, waren bedrog. Bestonden niet meer.

Waar was ze mee bezig? Waarom ging ze niet gewoon terug naar Sue en de kinderen. Maar misschien had Peter wel een vrije avond, waren ze blij dat ze eindelijk eens alleen waren. Ze kon ze niet zo maar overvallen. "Hallo, hier ben ik weer. Jullie dachten een avondje voor jezelf te hebben. Nou vergeet het maar. Deze dame heeft geen vrienden, kent niemand en voelt zich hopeloos alleen." Nee. Ze zou zeker tot elf uur weg moeten blijven.

Haar gedachten werden onderbroken door gelach. Het meisje, opvallend klein, hooggehakt - haar hakjes klikten op de straat -, strakke broek en zwart, strak truitje, lachte uitbundig. Naast haar, zeker twee koppen groter, kort, blond haar en gekleed in een zwarte ribbroek en leren jasje, liep een knul. Zijn schouders wiegden beurtelings van voor naar achter, de ijzers van zijn laarzen hoorde je van een kilometer afstand. Het donkere lange haar, de schuine ogen?

"Marjolein?"

Ze hield haar pas in. Haar blik ging langs Sara. Van haar twinset, haar rok, naar de blokhakken. De jongen liep achteloos door.

"Sara?" Onwennig staarden ze elkaar aan.

"Het is hier nogal veranderd," zei Sara om de stilte te verbreken.

Marjolein haalde onverschillig haar schouders op. "Kom je voor mij? Of was je toevallig in de buurt?"

"Beide."

De lange knul stond buiten tegen de deurpost geleund en wachtte. "Dirk." Hij gaf haar een slap handje.

Toen Marjolein de voordeur opende, raakte ze even van haar stuk. De flat was nog net als vroeger. Overal aan de wand hingen tapijten en in de kamer herkende ze de dekenkisten met houtsnij-werk. De deur van de smalle keuken, die toegang gaf tot het balkon, stond open. Vanuit de kamer kwam een oude man, zijn rug was gebogen, maar zijn gezicht met de pientere ogen zou ze overal herkennen. Hij begroette haar hartelijk, waarna hij zich weer, net als vroeger, terugtrok in zijn kamer.

Vroeger had alles in die kamer Sara ontzag ingeboezemd. De zware kleden, dekenkisten met houtsnijwerk, het rek met aller-lei verschillende pijpen dat naast de deur hing. In die kamer, tussen zijn boeken en zijn oudkoloniale meubels, hield hij de sfeer van Indonesië levend. De enige die hem daar mocht storen en thee brengen was het kleine vrouwtje met het gelige gezicht en het grappige accent.

Dirk hing in de kamer op de bank. Zijn lange, magere benen staken ver vooruit. Uit zijn zak viste hij een pakje zware shag. Het was duidelijk dat hij zich helemaal thuisvoelde. Marjolein liet hem alleen en Sara liep achter haar aan de keuken in.

"Waar is iedereen?" vroeg Sara. Bij Marjolein was het altijd druk en gezellig.

"Als je mijn broers en zussen bedoelt, die zijn allang het huis uit."

Natuurlijk. Stom van haar. Marjolein was een nakomertje.

"Ik woon hier alleen met mijn vader. Nou ja, en Dirk natuurlijk."

"Is hij je vriend?"

"Ik heb mazzel, mijn vader is de makkelijkste niet. Maar Dirk vindt hij tof."

"En je moeder?"

"Die is dood. Leeft de jouwe nog?"

Sara schrok. Natuurlijk, haar moeder was nog jong.

Marjolein vulde een pan met water en zette hem op het vuur. "We gaan straks naar een feest, als je mee wil? Je hebt me nog niet verteld waarom je hier bent."

Sara zat met haar rug tegen de muur op een houten opstapje. De balkondeur stond open. Ze keek toe hoe Marjolein uien sneed, gehakt in een koekenpan braadde en een blik tomatenpuree erdoor roerde. Haar moeder hield niet van tomatenpuree. Er was een hoop waar ze niet van hield. Hoe zou het eigenlijk met haar gaan? schoot het door haar hoofd.

Marjolein schudde een pak macaroni leeg in het kokende water. "Wat voor werk doe je? Je zit niet meer op school, toch?"

"Hoe weet jij dat?"

"Nogal wiedes. Anders zat je hier niet."

Sara vertelde over haar baantje, over Sue en de kinderen, hoe ze geboft had en dat ze natuurlijk, nu ze in Amsterdam werkte, haar oude buurtje en wat vrienden, waar Marjolein ook bij hoorde, wilde opzoeken. Ze praatte veel, te vlug en te stoer, waarbij ze de details vermeed. Het beviel haar prima in Amsterdam, ging ze verder. Ze voelde zich er helemaal thuis. Marjolein knikte en roerde in de saus.

Ze aten met zijn drieën in de keuken. Sara zat op het houten krukje, het bord balanceerde op haar schoot, Marjolein en Dirk op het aanrecht en Marjoleins vader at op zijn kamer. Dirk zette zijn lege bord opzij, draaide een shagje, boerde en liet zijn hand op Marjoleins bovenbeen rusten. Af en toe gleed zijn hand omhoog terwijl hij tegen de witte tegeltjes leunde, zijn lange benen raakten de muur tegenover hem. Nadat ze klaar waren met eten zette ze de borden in de gootsteen.

"Moeten we dat niet afwassen?" vroeg Sara.

"Morgen."

Onderweg draaide Dirk twee shagjes. "Als je er ook een wilt? Hij stak Sara het pakje shag toe. Even later staken ze snel de drukke weg over waar twee trams elkaar passeerden, het kostte Sara de grootste moeite hen bij te houden. Nog net op tijd trok Dirk haar de tram in. Twee haltes verder stapten ze uit. Ze sloegen de hoek om en liepen door smalle donkere straten. Hier en daar stond een lantaarnpaal.

Sara liep vlak achter Marjolein en Dirk, en keek schichtig om zich heen. Ze hield helemaal niet van dit soort buurten. Oude lege pakhuizen met aan een kant huizen. De meeste onbewoonbaar.

Ze hielden stil voor een fel verlicht huis. Overal, zowel boven als beneden, brandde licht, de voordeur stond open en door de geopende ramen klonk harde muziek. Een jongeman, geheel in het zwart, met donkere krullen die in een staart bij elkaar gebonden waren, verwelkomde hen. Dirk en Marjolein vielen hem om de hals, begroetten hem, klopten hem op zijn rug en schouder, en duwde haar naar voren. Sara stak haar hand uit, maar hij was alweer met twee blonde dames, type feestbeest, aan het kletsen.

Op de trap zaten stelletjes te lallen, of leunden dronken tegen de leuning. Boven, op de gang, werd geschreeuwd en met deuren geslagen. "Sodemieter op," klonk vanuit een van de kamers waarop de deur lachend werd dichtgesmeten. In de woonkamer, waar slechts een klein lampje in de hoek brandde, lagen matrassen tegen de muur. De enige bank werd bezet door een wirwar van armen en benen, en naar de bewegingen en geluiden te horen zou het niet lang meer duren.

Gegeneerd keek Sara de andere kant op en zag in het schemerige licht drie gasten zitten, met hun hoofden naar elkaar gebogen. Om de beurt namen ze een trek van een sigaret. Een wiebelde met zijn hoofd heen en weer en tuurde glazig in de verte. Sara had geen idee of hij nu naar haar keek of dat hij net een spook gezien had.

Marjolein en Dirk doken op de matras tegenover de bank, waar nu alleen nog wat gehijg vandaan kwam. Alsof ze niet anders gewend was, plofte Sara naast hen neer. Ze vervloekte haar kleren en de stomme schoenen. Dirk haalde uit zijn binnenzak een fles martini en nadat hij hem voor een kwart had leeggedronken gaf hij de fles door. Dankbaar pakte ze hem aan en nam een paar fikse teugen. Na twee maal te zijn rondgegaan legde hij de fles naast zich neer.

De martini deed zijn werk. Ontspannen leunde ze achterover en nam de omgeving in zich op. Er bleven, naar het gelach en geschreeuw uit de gang te horen, steeds nieuwe mensen komen. In de hoek bij de drie jongens werd het nu druk. Het had nu meer weg van een mierenhoop. Jongens en meisjes krioelden door elkaar, overal zag Sara maaiende handen en benen. Naast haar zat Marjolein bovenop Dirk. Vanuit de hoek klonken hoge hysterische gilletjes.

Het raam stond open en een koude wind bezorgde Sara kippenvel. Ze rilde en keek naast zich, waar Dirk de fles martini verstopt had. Dirk zat nu met zijn ogen dicht en hing in extase achterover.

Sara stond op, rekte haar stijve ledematen uit en hing de tas, die ze steeds op schoot had gehouden, over haar schouder. Uit alle macht probeerde ze het schuifraam omlaag te duwen. Waarom ging dat nu niet? Het bleef ergens op hangen. De straat was op een enkele lantaarnpaal na donker. Aan de overkant stonden pakhuizen met ingeslagen ramen. De wind blies door haar truitje. Waarom wilde dat rotraam nu niet dicht? Ze keek over haar schouder, maar het was duidelijk dat ze vanuit de kamer geen hulp hoefde te verwachten.

Voor ze het wist zat ze op de vensterbank, zwiepte haar benen naar de andere kant en sprong ze naar buiten. Haar rok bleef hangen, de stof scheurde en ze landde op handen en voeten. Haar knie schuurde over de straat.

De voordeur stond nog steeds open en vanuit de gang klonk gelach. Zo snel ze kon kwam Sara overeind, wreef over haar pijnlijke knie en handen, en liep, zoals altijd wanneer ze alleen in het donker over straat moest, met stevige mannenpassen. Haar hart bonsde, haar ogen schoten van links naar rechts, angstig keek ze ieder portiek in. Haar oren gespitst op ieder geluid, passen achter, opzij van haar. Steeds sneller liep ze, over haar schouder kijkend, door de lugubere straatjes. De bel van een tram deed haar schrikken, maar stelde haar ook gerust. Ze versnelde haar pas in de richting van het geluid.

Het licht op de overloop brandde. Verder was het donker in huis. Zo zacht als ze kon, liep ze de trap op, luisterde aan de deur van de kinderen en ging haar slaapkamer in. Toen ze de gordijnen sloot, zag ze in het schemerige licht van een straatlantaarn de vertrouwde ruggen van Herman en Hennie voor het raam. Sara kleedde zich uit en dook in bed. Haar ogen werden moe, ze trok de dekens omhoog en nestelde zich in haar veilige bed.

Haar oma stond al op haar te wachten. Ze omhelsde haar en draaide haar in het rond. Ze drukte haar bijna plat tegen haar zachte lijf, dat naar bloemetjes rook.

Door de lange gang liepen ze langs de kamer en de kelder naar de keuken. In de keuken was het warm, rook het naar chocolademelk en zelfgemaakte koekjes. Oma pakte haar schort en knoopte dat om haar middel. Op de tafel lag het rood met wit geruite tafelkleed, het plastic dat er overheen lag, rook zuur. Terwijl oma met haar rug naar haar toe in het steelpannetje roerde, bewonderde Sara de mooie zilveren kam waarmee ze haar grijze haren omhoog hield en haar ronde zachte vormen.

Oma draaide zich om en glimlachte. Sara glimlachte terug, nooit zou ze iets zeggen van dat stinkende plastic. Oma zette twee kommen met chocolademelk op tafel en schoof de schaal met zandkoekjes naar haar toe. Ze legden de zandkoekjes op hun tong en namen voorzichtig een slok. De koekjes vielen in je mond uiteen.

Daarna gingen zouden ze naar het theater gaan. Oma zette de mokken op het aanrecht. "Tijd voor de show!" Sara wist wat dat betekende. Oma hield de kelderdeur voor haar open: "Artiesten eerst." Ze liet Sara voorgaan en sloot de deur.

Het was een groot theater onder de grond. Lang geleden had haar moeder daar geslapen met haar zussen, daarna was het verbouwd. Er waren vier kamers. Twee kleedkamers voor de artiesten, een garderobe en het theater. Zoals gewoonlijk gingen ze meteen naar de garderobekamer. Er stond een houten kist, met veel houtsnijwerk. Daarin zaten de toneelkleren.

Sara zocht voor dit optreden een paarse, lange jurk met gouddraad. In de kast ernaast stonden muiltjes en schoenen met hoge hakken. Wel honderd! Ze koos de gouden muiltjes en uit de doos met sieraden een armband vol edelstenen. Oma lachte goedkeurend. Zelf pakte ze een hoed met brede rand met een enorme rode roos erop, een geborduurde omslagdoek en schoenen met hoge hakken.

Sara ging naar de kleedkamer voor de artiesten, oma ging alvast het theater in. Het theater was fel verlicht. Haar oma zat op de eerste rij. De omslagdoek gaf haar iets voornaams, de hoed stond een beetje schuin. Onder haar zwarte rok droeg ze roze hoge hakken.

Toen ze binnenkwam ging oma staan en begon te klappen. Sara liep een paar stappen bij haar vandaan, ging op het podium staan, boog naar het publiek en knipte met haar vingers naar het orkest in de hoek.

Daarna begon ze te zingen, zo mooi, zo hoog en zo zuiver.

Nadat de laatste tonen wegstierven, bleef het lang stil. Sara stond met haar hoofd gebogen, haar handen om de microfoon geklemd. Daarna barstte het applaus los. Oma stormde het podium op. Ze had tranen in haar ogen en gaf bloemen aan de artiest, die haar lachend moest van zich moest afschudden om nogmaals naar de zaal te buigen.

Na de voorstelling ging oma met Sara mee naar de kleedkamer, ze deden het licht uit en sloten de deur.

Sara zat op het klimrek. Het dunne piekhaar werd met een speldje opzij gehouden. Marjolein hing ondersteboven. De rok van haar jurk hing omlaag, haar donkere paardstaart zwiepte heen en weer.

"Je mag het aan niemand vertellen, het is een geheim," zei Sara.

Marjolein knikte vol bewondering.

"Zullen we tikkertje spelen?" Behendig sprongen ze tegelijkertijd van het klimrek en renden lachend achter elkaar aan door Niemandsland.

Toen Sara wakker werd, wist ze even niet waar ze was. De beelden spookten nog levensecht door haar hoofd. Ze zat er nog middenin en vroeg zich af wat ze betekenden.

Het was kil, ze ging rechtop in bed zitten en trok de dekens onder haar kin. Op de gang hoorde ze kinderstemmem. Beneden sloeg een deur. Toen herinnerde ze het zich weer, Sue en Peter... Ze zouden vandaag vertrekken.

Het was negen uur, Sara had zich verslapen. Snel kleedde ze zich aan en haastte zich de trap af. Uit de keuken kwam de geur van koffie en geroosterd brood. Sara putte zich in duizend verontschuldigingen. Gelukkig had Sue het te druk om het haar kwalijk te nemen.

Sue omhelsde Jamy en Melanie, gaf Sara een zoen op haar wang en liep naar de rode Chevrolet, die voor het huis geparkeerd stond. Peter pakte de koffer van haar aan en sloot de achterklep van de auto. Met grote stappen kwam hij de trap op. Hij tilde Jamy boven zich uit en gaf Melanie een kus. Voor Sara had hij een envelop waar op de achterkant telefoonnummers en namen stonden. Hij gaf de kinderen nog een kus en tikte Sara haar arm - "Take care".

Sue zat al in de auto. Sara zag dat Peter zich door het raam naar haar toeboog. Zij zocht in haar zak en knikte. Toen stapte hij aan de andere in. Sue zwaaide naar boven. De kinderen zwaaiden tot de auto de hoek om was.

In de keuken schonk Sara zichzelf een kop koffie in en maakte twee geroosterde boterhammen die ze meenam naar de kamer. Jamy lag op de grond met zijn autootjes. Melanie kroop met een boekje naast haar op de bank. Ze schoof steeds een beetje dichter naar Sara toe, totdat ze zowat bij haar op schoot zat. Sara sloeg haar armen om het meisje en streelde haar blonde haar. Melanie nestelde zich dankbaar tegen haar aan.

Wat gaan we doen? vroeg Sara zich af nadat ze tussen de middag worstjes hadden gegeten. Buiten motregende het. De lucht zag grijs. Het onbehaaglijke gevoel dat ze de hele dag had weggeduwd kwam op in haar maag, maakte haar somber. Ze liep het huis van boven tot onder door, controleerde de ramen en trok de deuren van de kamers die niet gebruikt werden in het slot. De kinderkamer, de overloop en haar eigen slaapkamer baadden in het licht. In de woonkamer deed ze de lichten aan, daarna inspecteerde ze de koelkast. Vissticks, melk, een stuk kaas en een geopend blikje leverpastei. In de kast stonden pindakaas en chocoladepasta. Aan de keukentafel maakte ze een lijstje.

Ze zou naar de supermarkt gaan en zo veel mogelijk meenemen. De boodschappen kon ze onder in de kinderwagen zetten en desnoods kon ze aan het handvat ook nòg een tas hangen. Ze moest zorgen dat ze voor het donker binnen waren. Dat ze niet in het donker of de schemering de straat op hoefden. Als er eten in huis was en alle ramen en deuren waren gesloten, voelde ze zich misschien wat beter.

Het was een geluk dat Herman en Hennie zo dichtbij woonden. En tot laat in de avond brandde er licht. Dat was in ieder geval een veilig gevoel.

Nadat ze Jamy geknuffeld had en de haartjes uit zijn gezichtje had weggestreken, zette ze hem in de kinderwagen. Ze bukte zich om Melanie haar jasje dicht te maken en trok haar tegen zich aan.

De supermarkt was hel verlicht en lekker warm. Op haar dooie gemak slenterde ze tussen de schappen. Het felle licht deed haar goed, de kinderen vergaapten zich aan het snoep en legde het in haar mandje. Ze deed of ze het niet zag en vergat voor een moment de onrust die door haar lijf woelde.

Ver voor de schemering liep ze langs de kade naar huis. De kinderen wilden nog naar de speeltuin. Jamy begon te huilen. Dat kon ze er niet bij hebben. Onder uit de wagen haalde ze een zak koekjes. Ze probeerde hem af te leiden, maar hij bleef zich in de wagen in allerlei bochten wringen.

"Het valt niet mee, he?" zei Herman, die zag hoe ze uit alle macht probeerde Jamy, die zich helemaal schrap zette, in de wagen te houden. "Wat is er jongen?" Hij boog zich over de wagen. Jamy duwde hem weg.

"Zijn ouders zijn een paar dagen weg, hij is een beetje van streek." Hennie stond nu ook buiten. "Willen jullie een kopje thee?" vroeg ze vriendelijk.

Sara aarzelde. Dat was een aantrekkelijk aanbod, beter dan alleen zijn, maar ze wist niet of Sue dat wilde en bovendien zou het straks schemerig en dan snel donker worden. Voor het donker wilde ze alles op slot hebben.

"Volgende keer Hennie, ze zijn moe." Ze maakte dat ze wegkwam voordat ze verder konden aandringen.

Hoewel ze zeker wist dat ze boven alles op slot had, controleerde ze het huis van boven tot onder opnieuw. Ze keek in de kasten onder de bedden, controleerde de ramen en wachtte tot ze de deur in het slot hoorde vallen. Ze controleerde de deur van het souterrain die beneden in de gang uitkwam en liep naar de keuken. Ze bakte vissticks en aardappeltjes, verwarmde een potje doperwtjes met worteltjes en opende een blik appelmoes, die ze in een schaal leegde. De keuken was vol met damp. Er was geen raam, alleen een soort gat in de muur, dat als afzuiger dienst deed.

Ze aten in de kamer. De papieren die normaal de hele tafel besloegen, legde ze op een stapel. Ze voerde Jamy, die niet gewend was aan de tafel te zitten, en liep met het bord achter hem aan de hele kamer rond. Melanie at de helft en schoof de rest aan de kant. Het maakte haar niet uit. Ze bracht de borden naar de keuken, waste af, haalde zoals ze thuis gewend was een doekje over het aanrecht en het keukenvloertje. Daarna pakte ze een kan en vulde hem met limonade. Uit de kast haalde ze twee bekers en een flesje voor Jamy. Ze zocht in de kast of ze nog iets vond voor vanavond, als ze alleen zou zijn, en sloot de keukendeur. Achter in het huis hoefde ze niet meer te zijn.

In de kamer op de overloop en boven in de slaapkamers brandde licht. Ze trok de kinderen naast zich op de bank en vertelde een verhaaltje over een jongetje en een meisje. Het jongetje heette Jamy en het meisje Melanie. De kinderen hingen aan haar lippen, ze hield ze aan de praat tot Jamy zijn oogjes niet meer open kon houden.

Met lood in haar schoenen, het vervelende gevoel in haar buik negerend, liep ze met hen naar boven, knuffelde ze en legde ze in hun bedjes. Voor ze de deur sloot, sliepen ze al bijna. Nu was ze echt moederziel alleen.

In de kamer ruimde ze het speelgoed op en trok de kussens van de bank recht. Ze richtte zich op en keek door het raam. Mistflarden maakten de overkant bijna onzichtbaar. Wat moest ze in hemelsnaam de hele avond doen. De onrust, het gevoel van eenzaamheid dat de hele dag aan haar had geknaagd, speelde nu in alle hevigheid op. Nog nooit was ze een dag alleen in huis geweest. Wat deed ze thuis als ze zich alleen voelde? Dat was geen vergelijking. Thuis voelde ze zich alleen; hier was ze alleen en verantwoordelijk voor twee slapende kinderen. Thuis zouden ze nu gaan eten of net klaar zijn. De tafel zou worden afgeruimd en de kaarten tevoorschijn komen. Zouden ze haar missen? Ze nam zich voor morgen naar huis te bellen.

De gebeurtenissen van de vorige dag schoten door haar hoofd. Ze had gezocht naar een plek waar ze zich thuis zou voelen. Ooit was Niemandsland van hen, was Marjolein haar beste vriendin en het huis van haar oma een warm en vertrouwd onderkomen. Nu was alleen de geur in de kelder nog hetzelfde.

Haar mond was zo droog als kurk. Op de vensterbank stond de glazen kan met limonade. Alleen die vieze zoete lucht al! Stom, ze had voor zichzelf een fles martini moeten kopen. Een paar glazen voor het slapen gaan had geen kwaad gekund.

Buiten werd de mist dikker, de overkant was niet meer te zien. Ze stond op en luisterde onder aan de trap. Het was stil. Boven brandden alle lichten. In de gang naar de keuken was het donker. Ze was altijd bang geweest in het donker. Zolang ze zich kon herinneren, zelfs in hun eigen huis, waar zo veel mensen sliepen, had ze 's nachts niet in het donker naar de wc gedurfd.

Terwijl ze onder aan de trap luisterde of het boven stil was keek ze het diepe donkere gat in naar de benedendeur. Had ze de voordeur wel op slot gedaan? Ze dacht erover de gordijnen dicht te doen. Ze besloot van niet. Ze ging in de stoel voor het raam zitten. Vanaf die plaats kon ze zowel de kamerdeur als de straat in de gaten houden.

Waar zouden Sue en Peter de drank bewaren? Eigenlijk had ze Sue nog nooit met een drankje gezien en Peter al helemaal niet. Misschien in de keukenkast. In de kamer, in het enige kastje, dat uitpuilde van het speelgoed, stond het zeker niet. Met de moed der wanhoop begaf ze zich, steeds over haar schouder kijkend, naar de keuken. Het duurde even voor ze het knopje vond en het licht aanflitste. Onder in de keukenkast tussen lege limonadeflessen en conservenblikken stond een aangebroken fles cognac. Hij zat nog voor de helft vol. Ze pakte een beker, ze zag zo snel geen glas, en schonk hem vol. Het merk cognac kende ze wel. Ze kon altijd nog een nieuwe fles kopen voor ze thuiskwamen.

Ze ging op de stoel bij het raam zitten en zette de beker aan haar lippen. Ze hoopte dat de drank haar zenuwen enigszins tot rust zouden brengen. Het spul smaakte naar eau de cologne, het brandde in haar keel. Snel nam ze nog een slok. Morgen zou ze iets anders kopen, maar vandaag moest het maar. Een loom gevoel maakte zich van haar meester, haar zenuwen kalmeerden. Ze voelde zich niet meer zo gespannen en zakte onderuit.

Beneden werd aan het slot gerommeld. Was het de drank of was het echt? Al haar zintuigen stonden direct weer op scherp. Zachtjes, zonder geluid, zette ze de beker op de vensterbank. Haar hart bonsde in haar keel; nu kwam er iemand de trap op. Waar ze altijd bang voor was geweest gebeurde nu echt!

Het raam haalde ze van de knip en gooide het wijdopen.

Aan de overkant bij Herman brandde nog licht, al was het door de mist nauwelijks te zien. Ze wist dat ze geen geluid uit zou kunnen brengen. Als aan de grond genageld bleef ze staan. De voetstappen op de trap kwamen nu dichterbij.

Haar mond hing open, haar keel werd dichtgeknepen, haar adem stokte. Niet in staat zich te verroeren wachtte ze tot ze het traphekje hoorde.

"Hallo."

Ze verstijfde. Ze kende die stem.

"Mag ik verder komen?"

Langzaam zette ze zich in beweging. "Ben jij het?" vroeg ze, haar handen voor haar borst houdend, haar spieren gespannen.

"Alles goed?" vroeg Herman bezorgd.

"Jezus man. Ik schrok me rot. Waarom heb je niet gewoon aangebeld? Ik kreeg zowat een beroerte."

"Sorry, niet bij nagedacht. Ik moest wat uit het souterrain halen en dacht, ik zal maar even gedag zeggen, anders denkt ze dat er wordt ingebroken. Zo te zien kun je wel wat gezelschap gebruiken."

Ze dacht na. Ze wist zeker dat ze die deur op slot had gedaan. Of niet? "Nou ja in ieder geval ben ik blij dat jij het bent."

Hij ging zonder te vragen op de bank zitten, rilde, stond op, pakte de beker die voor het geopende raam stond, snoof eraan en sloot het raam. "Wat drink je?"

Ze voelde zich betrapt "Cognac. Ik ben niet gewend alleen te zijn," liet ze er beschaamd op volgen.

"Geef mij er ook maar een, dan houd ik je wel gezelschap. Dan komt er geen mens binnen, niet dat je daar bang voor hoeft te zijn. Het is hier een nette buurt."

Haar knieën knikten nog toen ze naar de keuken liep. Morgen zou ze een nieuwe fles kopen. Ze had het geld van tante Rie nog in haar zak.

"Ik heb geen glazen, dus je zult het zo moeten drinken," verontschuldigde ze zich.

"Geeft niets. Proost." Hij hief de beker omhoog. "Neem alsjeblieft zelf ook een slok, je ziet er uit als een lopend lijk. Mooie meisjes moeten niet hele avonden alleen zitten. Ik weet er alles van, mijn dochter is netjes getrouwd, maar nu zit ze thuis luiers te verschonen, terwijl hij gaat biljarten. Ze had vrienden zat, kon ze uitzoeken, maar ze moest hem. Je weet hoe dat gaat met vaders. Kom niet aan hun meisie."

De drank ontspande haar, maakte haar week. Ze dacht aan haar eigen vader, of het gemis, tranen prikten achter haar ogen. Buiten begon het te regenen, de druppels tikten tegen de ruiten. En vanuit de kant van de keuken klonk een heftig getik alsof een vogel met zijn snavel tegen de ijzeren dakgoot tikte. Ze was blij dat Herman er was. Geluiden in het donker waren anders dan overdag. Nu maakten die geluiden haar niet angstig, maakte ze zich geen zorgen waar ze vandaan kwamen.

Ze keek op haar horloge; het was nog vroeg. Nu de drank haar slaperig gemaakt had, wilde ze dat hij ging. Wat zou Hennie wel niet denken? Haar moeder zou het nooit goed vinden als haar vader zo lang ergens bleef hangen. Dat wist ze zeker. Het idee dat Herman en Hennie aan de overkant nog uren op waren, stond Sara wel aan.

Morgen zou ze naar huis bellen. Wie weet vond een van haar broers het wel leuk om een paar dagen naar Amsterdam te komen. Daar zou Sue toch geen bezwaar tegen hebben.

Sara voelde dat ze begon af te dwalen, dat haar oogleden omlaag vielen. "Morgen staan de kinderen weer vroeg voor mijn neus, ik wil eigenlijk naar bed."

"Je hebt gelijk. Ik drink dit op en dan moest ik er maar eens vandoor." Hij dronk het laatste restje op en stond op. "Doe de deur achter me op slot."

Achter hem aan liep ze de trap af. Bij de deur draaide hij zich om. Daarna ging alles in een flits. Hij duwde haar tegen de muur en voor ze wist wat er gebeurde, drukte hij zich tegen haar aan, zijn hand verdween onder haar rok en hij drukte zijn natte lippen op haar mond. Een straaltje speeksel droop omlaag.

Ze probeerde hem van zich af te duwen, krabde hem over zijn gezicht. Zijn greep werd steviger, zijn hand bewoog ruw tussen haar benen, hij boog zich omlaag en begroef zijn hoofd onder haar rok. Een arm zo zwaar als een boomstam klemde om haar middel. Hij duwde haar tegen de trap en wierp haar achterover. Hij lag nu bovenop haar. Ze voelde hoe hij hard werd en driftig met één hand zijn broek probeerde los te maken.

De klap kwam hard aan. Als een wilde stier rolden zijn ogen door zijn hoofd. Grommend kwam hij overeind; haalde naar haar uit. Met ongekende kracht liet ze de staaf op hem neerkomen. Hij draaide om zijn as en als een drenkeling greep hij naar het touw van de trapleuning. Toen zakte hij omlaag. Het bloed sijpelde van zijn schouder in zijn openstaande overhemd. Hij ademde roggelend. Zijn ogen schoten omhoog, hij vloekte.

Met één trap lag hij buiten. Het was hondenweer, er was niemand te zien. Sara vergrendelde de voordeur, sneed het touw om hem open te trekken door en zette een bezem onder de klink van het souterrain. De paraplu zette ze terug in de bak. Daarna dronk ze in één teug het laatste restje cognac uit de fles en ging naar bed.

Ze wordt wakker van de stilte. Badend in het zweet probeert ze haar ogen open te houden Er klopt iets niet. Ze ziet iets over het hoofd. Hij is er nog, hij is nog in de buurt. Ze voelt het. Al haar zintuigen staan op scherp. Hij kan overal zijn, vlak naast het bed, in de hoek van de kamer, op de gang achter de deur. Ze durft zich niet te verroeren, houdt haar adem in. Ze voelt zijn aanwezigheid van alle kanten.

De leegte van de stilte, het totale ontbreken van leven, zelfs geen ademtocht. De wereld is opgehouden te bestaan. En heeft mij vergeten, alleen achtergelaten, hier in dit bed. Waar zit hij? De stilte is angstaanjagend. Dit is geen droom, dit is echt.

Pas tegen de ochtend, toen het licht door de gordijnen naar binnen scheen en de dag begon, durfde ze haar vermoeide ogen te sluiten.

De volgende morgen werd ze wakker met een barstende hoofdpijn en kon ze zich niet precies herinneren hoe het allemaal was gegaan. Beelden en gevoelens tolden door elkaar. Was het echt gebeurd of had ze het gedroomd? Had ze eerst de cognac leeggedronken of was dat nadat ze hem naar buiten geschopt had?

In de keuken maakte ze toast met jam voor de kinderen en zette koffie. Haar handen klemden zich om de beker hete koffie. Ze keek hoe Jamy zijn gezicht onder de jam smeerde. Melanie kleurde, met haar tong uit haar mond, in haar kleurboek. Haar blonde vlashaartjes hingen voor haar gezicht. Vertederd veegde Sara de haartjes naar achteren.

Zo op het eerste gezicht was het een normale morgen. De koffie maakte haar geest helder. De beelden in haar hoofd begonnen zich te rangschikken. Ze stond op, het touw om de deur te openen was doorgesneden. Vluchtig stak ze haar hoofd om de keukendeur, gaf de kinderen allebei een donut die ze dankbaar aannamen, maakte een theedoek nat en ging de trap af. Ze poetste de bloedvlekken van de onderste traptreden en maakte het touw met een lus weer vast aan het slot. De bezem bij het souterrain liet ze staan. Ze opende de voordeur. Niets te zien. De grijze kinderhoofdjes glinsterden van de ochtendnevel. Tevreden sloot ze de deur en deed hem op het nachtslot.

"Ik weet wat we gaan doen," zei ze tegen de kinderen. Ze voelde zich volkomen kalm. "We gaan eerst het huis mooi maken." Kleertjes en speelgoed slingerden over de grond. Op de vensterbank stond de lege fles cognac. De limonadekan, die nu alleen op de bodem nog een vage kleur rood vertoonde, zag er troebel uit. "We ruimen alles op. Jullie gaan me helpen. Dat kunnen jullie toch wel? Dan maken we alles heel mooi voor als papa en mama weer terug komen. Een verrassing. Zullen we dat doen?" Daarna gaan we naar de supermarkt en mogen jullie iets uitzoeken.

"Mag je ook twee dingen?" vroeg Melanie.

"Vast wel. We kopen ook bananen en mandarijntjes en zetten een schaal met koekjes op tafel. Maar jullie moeten ook bloemen uitzoeken," zei ze met een serieus gezicht.

Ze begonnen in de kamer. Vuile spullen werden naar de keuken gebracht en rondslingerende kleren werden op de trap gelegd. Ze keerde de bovenste lade van het enige kastje dat in de kamer stond om en legde er de papieren die op tafel lagen in. Melanie en Jamy moesten het kastje, dat uitpuilde van het speelgoed, opruimen. Melanie deed de spelletjes in de bijbehorende dozen en stapelde ze keurig op in het kastje. Om Jamy uit de buurt van Melanie te houden gaf ze hem een uitgewrongen vaatdoekje, waarmee hij over de vloer aaide.

Terwijl ze zelf een doek over de vensterbank haalde, gluurde ze stiekem naar de gisteren nog zo vertrouwde overkant. De vitrage was gesloten. Er was nog geen beweging te zien. Vreemd genoeg kon het haar niet schelen. Ze had altijd geweten dat er een monster in haar sloop. Dat er een dag zou komen waarop hij zich zou openbaren. Ze haalde haar schouders op. Niets was wat het was, niets was wat het leek.

Boven maakte ze de bedden op, zette de ramen open en liet de frisse lucht binnen. "We gaan ons extra mooi aankleden." Ze liet het bad vol lopen met warm water en een flinke scheut badschuim. Ze kleedde zichzelf en de kinderen uit en gleed in het warme water. Ze kneep haar neus dicht en verdween onder water, waste haar haren en stapte als eerste uit bad. Met een handdoek wreef ze haar haren droog en drapeerde de handdoek om haar lichaam. Daarna haalde ze de stop uit het bad. Het water verdween en twee rillende kinderen stonden klaar om eruit getild te worden. Ze kleedde ze snel aan en zette ze gewapend met een stapel boekjes op haar bed.

De wasserette was om de hoek, maar dat kon wachten tot morgen. Uit de keuken haalde ze een tas en de portemonnee. Ze voelde of het geld van tante Rie en de sleutel in haar zak zaten.

Via de Keizersgracht wandelden ze naar het Waterlooplein. Op de markt was een hoop te zien. Amerikanen stonden stil bij de kraampjes met spullen, waarvan Sara niet eens meer wist dat ze bestonden. Curiosa, houten pijpenstandaards, tafelaanstekers met paardenkoppen. Bontjassen, leren jassen, tassen, hoeden, een rieten kinderwagen met dichte witte wielen die haar herinnerde aan de plaatjes in de boeken van Ot en Sien. Antieke lijsten, kastjes, pilotenjacks. Afrikaanse maskers. Het was een gezellige drukte. Bij de tweedehands boeken bleef ze staan. "Vijf voor een joetje, juffie." Ze nam er drie voor zichzelf, en liet de kinderen er ieder een uitzoeken.

Een oudere vrouw had in haar geblondeerde touwhaar een rode bloem gestoken. Ze droeg dezelfde kleren die zowel aan hangertjes als uitgespreid op de grond om haar heen lagen: een wapperende gebloemde rok, een blouse met ruches en een rode omslagdoek.

Aan haar riem, die ze om haar middel droeg, hing een met gele stof omhulde zakflacon. Ze danste om de rekken, haar rok cirkelde in het rond. Mensen bleven staan en maakten foto's. Door ernaar te kijken voelde Sara zich blij worden. Ze wist sowieso niet wat haar vandaag bezielde, na gisteren voelde ze een eigenaardig voldaan gevoel. Ze was vergeten hoe het was om je blij en zorgeloos te voelen.

De bloemenstal was uitgedost met enkel blauwe bloemen. Van margrieten, rozen tot blauwe frêle veldbloemetjes, als een blauw tapijt, stonden ze te pronken in de heldere najaarszon. Met een bos margrieten en een zak met tien oliebollen verlieten ze de markt. In de supermarkt herinnerde Melanie haar eraan dat ze nog één en misschien wel twee dingen mochten uitzoeken. Beladen met boodschappen wandelden ze langs de gracht naar huis. De kinderen hadden het lekkers dat ze uitgezocht hadden onder hun arm geklemd en weigerden het los te laten. Zelf had ze nog geaarzeld bij de drank. Een fles martini. Het was tenslotte feest. En als Sue, wat waarschijnlijk niet het geval zou zijn, naar de cognac zou vragen, zou ze zeggen dat ze iedere avond een glaasje had genomen.

Thuisgekomen wilde ze de bloemen in een vaas zetten. Een vaas, ja, waar haalde ze een vaas vandaan? De limonadekan. Ze schikte de bloemen, legde het fruit op het grootste bord dat ze kon vinden en zette het op de opgeruimde tafel. Goedkeurend keek ze in het rond. Ze deed het licht boven de tafel aan. Het zag er meteen gezellig uit. Een beetje huiselijk. Met de schaal oliebollen tussen hen in, nestelden ze zich met de boeken die ze gekocht hadden op de bank. *Gejaagd door de wind* was het eerste boek dat ze zou lezen. Al snel zat ze er middenin en vergat de wereld om zich heen.

Een gil van Melanie bracht haar tegen haar zin weer terug in de werkelijkheid. Jamy maakte vreemde kokhalzende geluiden. Haar boek opzij leggend, zocht ze naar iets dat ze voor zijn mond kon houden. Te laat. Met een grote boog, terwijl ze probeerde zijn truitje zover uit te rekken dat het voor zijn mond zat, spuugde hij zijn broek en de bank onder. Met zijn handen omhoog duwde ze hem voor zich uit de trap op naar de badkamer.

Voor de tweede maal die dag liet ze het bad vollopen en kleedde ze hem uit. Onder luid gebrul waste ze zijn haren en boende hem schoon. Melanie stond in de deuropening en keek onthutst toe. Gewassen en in hun pyjama zaten ze even later met zijn tweeën op de vensterbank. Jamy had weer wat kleur op zijn wangen. De bank was voor het grootste gedeelte nat, maar schoon.

De schaal met oliebollen was leeg. Ze had beter op moeten letten. Als ze ook eenmaal in een boek zat… In plaats van eten te koken, maakte ze een schaaltje fruit voor ze. Een appeltje, vooral niet te grote stukken en schijfjes banaan. Daarna tilde ze Jamy de trap op. Zijn hoofdje rustte op haar schouder. Dankbaar liet hij zich toestoppen. Sara knuffelde hem en veegde de haartjes uit zijn gezicht. Ze trok de dekens wat verder omhoog. Hij draaide op zijn zij, zijn duim in zijn mond. Melanie zat op de rand van haar bed.

"Zal ik nog een verhaaltje vertellen?" fluisterde Sara in haar oor. "Schuif eens op, dan kom ik naast je liggen." Zachtjes pratend vertelde ze over Bas, het konijntje, dat ontroostbaar was omdat zijn vriendje uit de dierenwinkel was verkocht en nu bij andere mensen woonde. Melanie kroop dichter tegen haar aan. Gelukkig liep het allemaal nog goed af. Melanie strekte haar armpjes naar haar uit en hield haar stevig vast. Ze streelde het gezichtje van het kind en drukte er voor de derde keer een kus op. Ze wachtte tot ze de rustige ademhaling van het slapende kind hoorde en liet zich uit het bed glijden. Ze wilde de gordijnen van de slaapkamer sluiten, maar staarde in het donker naar buiten. Het was een heldere nacht, sterren stonden aan de hemel en op het water weerkaatste het licht van de lantaarnpalen. Ze liet alleen het licht op de overloop branden.

In de keuken roosterde ze een paar boterhammen met kaas, sneed ze door de helft, zette water op voor thee en nam het brood en de thee mee naar de woonkamer. De bank was nog nat, dus ging ze met het boek op schoot in de stoel naast het raam zitten. Na een half uur was ze nog op bladzijde een. Ze las de zinnen over en over. Het lukte haar niet haar aandacht erbij te houden. Haar gedachten dwaalden af naar de afgelopen twee dagen, ze probeerde te begrijpen wat er was gebeurd. De dingen waren niet meer hetzelfde als vroeger, niet meer zo vanzelfsprekend. Ze had gedacht in

Amsterdam iets terug te vinden waar ze steeds stiekem naar verlangd had, maar dat ze eigenlijk al lang geleden was kwijtgeraakt.

Ze sloeg het boek dicht. Ze voelde zich moederziel alleen. Was ze maar weer thuis! Alles beter dan dit. Ze dacht aan haar broers die met hun luide stemmen en hun humor het hele huis vulden. Ze rook de bekende geur van aardappels en jus, zag het natte wasgoed dat aan het rekje voor de kachel stond te dampen en voelde de lucht die begon te trillen als haar vader thuiskwam.

En nu, terwijl ze hier in Amsterdam in haar eentje zat, werd ze overvallen door weemoed. Waarom kwamen spookbeelden altijd gelijk met het donker worden? Het was of er dan een kast geopend werd waarin gedachten opgeslagen waren die het daglicht niet konden verdragen. Om een eind te maken aan deze gevoelens pakte ze haar boek weer op.

Aan de overkant gingen de buitenlichten aan. De deur ging open en Herman, gekleed in een donkere schipperstrui die tot de hals gesloten was, tuurde de kade af. Na een tijdje in een bepaalde richting gekeken te hebben, ging hij terug naar binnen en sloot de deur.

Na vier dagen met niemand anders dan alleen met de kinderen gesproken te hebben, was ze blij toen de rode Chevrolet voor de deur stopte. De kinderen renden naar het raam en Sara haastte zich naar de deur.

Sue omhelsde de kinderen die uitbundig op haar afvlogen. Sara hielp Peter de bagage naar boven te dragen. In de kamer keek hij goedkeurend om zich heen. "Ziet er gezellig uit." Het kleine verschil was dus wel te zien. De kamer was aan kant, de papieren waren van de tafel. In plaats daarvan stonden er bloemen en fruit.

Ze liet Sue en Peter met de kinderen alleen en ging naar de keuken om koffie te zetten. De kinderen waren druk en scheurden vol ongeduld het papier van de kadootjes. Het huis leefde weer. Sue kwam naar de keuken. "Hier, dit is voor jou, ik hoop dat je het mooi vindt," zei ze terwijl ze een pakje op de keukentafel legde.

"Voor mij?" Ze schonk het water op de koffie en maakte het open. "Dank je wel." Ze drapeerde de mosgroene omslagdoek om haar schouders. Heerlijk warm en wat een mooie kleur!

"Ik dacht wel dat je die kleur mooi zou vinden." Sara deed de doek weer af en vouwde hem zorgvuldig op. Ze schonk koffie in, legde de speculaasjes, pepernoten en de chocoladekoekjes die ze de kinderen had laten uitzoeken op een schaaltje. De kinderen lagen op de grond met hun nieuwe speeltjes. Bij het zien van de koekjes veerden ze overeind. Sara keek Jamy die een hand vol pepernoten pakte, veelbetekenend aan. Hij liet er een terugvallen en draaide zich snel om. Peter dronk zijn koffie, en gaf Sue en de kinderen een kus.

"Is het al zo laat?" vroeg Sue.

"Het is kwart voor een," antwoordde Sara automatisch.

"Zo laat? Dan mag je wel opschieten. Ik had geen idee." Sue gaf Peter zijn jas en liep met hem mee naar de voordeur.

"Het gaat allemaal niet zoals gepland," zei ze toen ze de kamer weer inkwam. "Mij benieuwen hoe dit afloopt." Ze trok Jamy op schoot. "Wat hebben jullie zoal gedaan? Zijn jullie een beetje lief geweest?"

"Ze waren erg lief," zei Sara snel. "We zijn naar de markt en naar de speeltuin geweest, hebben oliebollen gekocht." Jamy knikte. "We hebben boekjes gelezen en spelletjes gedaan."

"Je hebt goed je best gedaan," zei Sue teegn Sara. "Was je bang 's nachts?"

Sara dacht aan de stok onder de klink van het souterrain en voelde dat het bloed van haar hals naar haar hoofd steeg. "Een beetje."

"Geeft niets. Het is een oud huis," zei Sue, die zag dat ze haar in verlegenheid had gebracht. "Neem het weekend vrij. Dat heb je wel verdiend. Peter is het hele weekend thuis en zoals het er nu uitziet zal hij niet blij zijn, of er moet een wonder gebeuren. Het oude theater – dat weet je – lekt, dus dat is gesloten en het andere in Den Haag dat ze op het oog hadden, is nog tot eind december volgeboekt. Als het tegenzit, ziet het ernaar uit dat deze tournee voortijdig wordt afgebroken," ze zuchtte.

"Dat betekent dat jullie terug naar Engeland gaan?" vroeg Sara.

"Daar ziet het wel naar uit".

Daar schrok Sara van. Ze wilde niet met hangende pootjes weer thuiskomen. Maar het was nu, na drie weken, in elk geval wel eens tijd om bij haar ouders langs te gaan. Ze miste hen, en vooral haar broers, ook wel een beetje.

De volgende dag liep Melanie aan Sara's hand mee. In de telefooncel op de hoek tilde Sara haar op en liet haar het geld in de gleuf doen. Ze wilde net de hoorn er weer opleggen toen er werd opgenomen.

"Mam?"

"Ben jij dat Sara?" hijgde ze. "Ik kom van buiten gerend. Waarom heb je niets van je laten horen?"

"Je hoort me nu toch."

"Dat is waar."

"Je moet de groeten hebben van tante Rie."

"Ja, ze heeft me gebeld. Ze vond je een beetje vreemd, erg onrustig."

"Was dat het enige wat ze te vertellen had? Geen wonder dat ze nooit getrouwd is. Het is en het blijft ook een oude zeur."

"Wanneer zien we je weer?"

"Daar bel ik juist voor. Vanmiddag." Het was stil aan de andere kant. Een vrachtwagen denderde voorbij. Melanie werd zwaar. "Ben je er nog?" Sara zocht in haar jaszak naar los geld.

"Je vader is bezig met de slaapkamers. De hele bovenverdieping staat op zijn kop."

"Oh, is het weer zover?"

"Ik begrijp niet waar je het over hebt." Zelfs door de telefoon herkende Sara dat toontje. Ze wist precies wat er aan de hand was. Als haar moeder weer aan het stressen was, reageerde haar vader daarop door het huis te schilderen.

"Jouw kamertje," hoorde ze aan de andere kant van de lijn, "staat vol verf, en je bed staat zolang op zolder. Waarom kom je niet volgende week? Dan is het klaar."

"Ik ben voor het eten thuis." Spinnijdig gooide ze de hoorn op de haak. Eerst zitten ze te zeuren dat je niet naar Amsterdam mag, te gevaarlijk. Doen ze achter je rug om een onderzoek naar het gezin waar je terecht komt en als je dan je hielen gelicht hebt, vinden ze het wel lekker rustig.

"Hoe laat gaat je trein?" vroeg Sue toen Sara weer terug was. "Wil je hier nog eten?"

Sara schudde van nee. "Geen idee. Volgens mij ieder halfuur."

Op het moment had ze andere dingen aan haar hoofd. Ten eerste het gesprek met haar moeder en ten tweede, hoe kwam ze aan geld? Haar moeder had groot gelijk, ze kon nog niet eens voor zichzelf opkomen. Het enige wat ze had, waren een paar losse guldens, daar kwam ze niet ver mee.

"Is er iets?" vroeg Sue, toen Sara maar bleef dralen.

"Kan ik wat geld lenen voor de trein?"

"Lieve hemel kind." Sue sloeg haar hand voor haar mond. "Geen seconde aan gedacht." Ze liep naar haar tas. "Ik geef je vast wat. Als je terugkomt, zullen we het precies uitrekenen." Zonder na te tellen pakte Sara met een rood hoofd het geld aan en zorgde dat ze wegkwam.

Met twee treden tegelijk rende ze het perron op. De coupés zaten vol jongelui die voor het weekend naar huis gingen. Opgezweept door hun drukke en enthousiaste gepraat verheugde ze zich op haar thuiskomst. Het zou allemaal wel meevallen. Haar boze bui van vanmorgen na het telefoongesprek maakte plaats voor nieuwsgierigheid.

Ze keek uit het raam. Het glooiende landschap trok in een sneltreinvaart aan haar voorbij. Toen ze op het perron uit de trein stapte, was het of ze thuiskwam. De lucht was blauw. De vogels zongen. Zelfs de mensen op het station leken bekenden.

Sara's thuiskomst was echter nog maar een greintje van wat haar moeder haar beloofd had. Sara moest haar gelijk geven. Ze had beter een week later kunnen komen. De bovenverdieping stond op zijn kop. Ieder had op zijn manier haar afwezigheid aangegrepen om er beter van te worden. Haar kamertje was ontruimd en om praktische redenen voor Jan, die in dienst zou gaan en alleen in het weekend thuis zou komen, gereserveerd. De jongens gingen naar de voorkamer en de ouderkamer verhuisde naar achteren. Restte nog een klein hok aan de achterkant en de zolder. Het hokje aan de achterkant was net groot genoeg voor een eenpersoons opklapbed.

"Waar hadden jullie mij gedacht?" vroeg ze sarcastisch nadat ze haar vader, de enige die thuis was, gedag had gezegd. "Waar is iedereen?" vroeg ze terwijl ze om zich heen de rotzooi op de bovenverdieping in ogenschouw nam.

"Ik heb je moeder naar de kapper gestuurd. Je weet hoe ze is."

Benedengekomen liep Sara de kamer in. Die zag er gelukkig netjes uit. Tenminste nog een plek in huis waar je fatsoenlijk kon zitten. Maar daar was haar vader alweer. Hij gebaarde haar om mee te komen en sloot de deur.

Ze liep de krakende trap op. Haar vader kwam zenuwachtig achter haar aan. "Mam komt zo thuis," zei hij.

"Ik reken erop dat je aardig tegen haar bent en niet meteen begint te blazen."

"Nou nog mooier. Ik word van mijn kamer verdreven en moet maar zien waar ik slaap. Mijn moeder, die wist dat ik thuiskwam, vlucht het huis uit en van mij verwacht je dat ik een en al toewijding ben."

"Ik wijs je er alleen maar op." Hij pakte zijn poetsdoek, gooide hem over zijn schouder en liep verder naar boven.

Niet goed wetend wat ze moest doen liep Sara maar achter hem aan. Ze liet de deur wijdopen, knipte het knopje van het licht naar zolder aan en klom de zoldertrap op. De late middagzon scheen door het schuine raam en bracht schaduwen aan op de ruwe planken. In het midden tussen de openstapeling van oude spiralen, potjes, kopjes, oude wandschemerlampjes met vergeelde kappen en wat voor rotzooi nog meer, overzag ze de ruimte. Als alle rommel eruit zou kunnen? Ze begon het voor zich te zien. De wanden en balken, fris wit geschilderd. De planken moesten geschuurd. Haar bed zou dan daar kunnen. Ze liep een paar treden naar beneden, stak haar hoofd boven het trapgat uit. Helemaal goed. Vanaf dat punt kon je het bed niet zien. En dan naast haar bed een wastafel, daar een kast. De kast was een probleem. De kast moest tegen de enige rechte muur staan. Geen punt, dan kon ze aan de zij-kant een spiegel hangen. Het idee begon haar wel aan te staan. Een plek voor zichzelf. Op kamers in haar eigen huis. In de hoek stonden dozen met spullen, dik onder het stof.

"Die dozen, mogen die weg?"

"Wat mij betreft mag alles weg. Als mam het tenminste goed vindt."

Beneden werd de sleutel in het slot omgedraaid.

"Help mee even, Sara." Hij pakte zijn potten verf en veegde de kwast schoon aan de lap over zijn schouder.

"Ben je boven?" vroeg mam onder aan de trap.

"Ik kom mam." Hij greep naar zijn schouder en veegde met de verflap het zweet van zijn voorhoofd.

"Heb je nog geen koffie gezet?"

"Ik kom toch?" herhaalde hij.

"Ben je nou nog niet aangekleed?" vroeg ze afkeurend omhoog kijkend.

"Barst."

"Wat zeg je schat?"

"Niets mam."

"Ik dacht dat je wat zei."

Hij maakte een hoofdbeweging naar Sara. "Ga jij maar vast naar beneden." Met zijn verfhanden knoopte hij zijn overhemd dicht en stopte hem in zijn broek. Hij trok zijn riem aan en liep achter haar aan.

Beneden botste Sara tegen haar moeder. "Hoi," zei ze tegen haar moeder, terwijl ze haar met tegenzin een kus gaf.

Haar moeder draaide zich om en wierp een korte blik op haar echtgenoot. Hij stonk naar terpentijn.

"Je bent vroeg mam," zei hij.

Ze negeerde zijn toontje. "Hoe zit mijn haar?" Koket draaide ze met haar hoofd.

"Netjes."

"Is dat alles? Netjes?"

"Die rommel moet van zolder," ging hij onverstoorbaar verder. "Nu we het boven toch grondig aanpakken," ging pap verder, "kunnen we het beter in een keer goed doen. Dan hebben we weer wat meer ruimte en een slaapkamer erbij," voegde hij er triomfante-lijk aan toe.

"Voor haar? Voor die enkele keer dat mevrouw thuiskomt! Eens in de twee, wat zeg ik, drie weken. Geen telefoontje, geen ansicht, niets, gewoon niets." Ze spuugde de woorden eruit.

"Als het tegenzit, of meezit, net hoe je het bekijkt," zei Sara, "ben ik over een week, uiterlijk twee weken, weer thuis."

"Nou, wat heb ik je gezegd." Mam hief haar handpalmen omhoog en keek over Sara heen naar haar vader.

"Een wastafel en een stopcontact," mompelde haar vader, meer in zichzelf dan tegen iemand in het bijzonder, "en ik zal aan Piet vragen of hij de schuine wanden wil behangen." Oom Piet kwam ieder jaar de kamer behangen, dus dat zit wel goed, dacht Sara.

Hoewel mam nog steeds tegensputterde begonnen ze zondag met het leeghalen van de zolder. In het midden van de zolder stonden de dozen vol spullen, die Sara een voor een door haar vingers gaan. Het deed bijna zeer; oude potjes, kopjes zonder oor, schoteltjes, suikerpotjes en wat al niet meer. Allemaal rotzooi en toch hadden ze allemaal hun geschiedenis. Was het ooit iemands favoriete theepot of kopje geweest? Wat een mens al niet verzamelt in al die jaren!

Het ergste was dat alles door de achterdeur naar de schuur moest. "Het gaat de buren niets aan," zei Sara's moeder, "en bovendien is het zondag." Ze verschanste zich met een kop koffie en haar wekelijkse lijfblad voor het raam.

Toen Sara weer in de trein naar Amsterdam zat, en de watertoren en het groene vlakke landschap aan zich voorbij zag flitsen, bedacht ze dat het weekend zo slecht nog niet was gegaan. Bram had haar geholpen met haar zolderkamer en zelfs haar vader scheen schik te hebben in haar enthousiasme.

In Amsterdam werd ze opgewacht door een paar uitgelaten kinderen, die blij waren haar te zien. Ze trokken haar de kamer in en haalden al hun speelgoed tevoorschijn.

Het was gegaan zoals verwacht. Sue vertelde het uitgebreid en verontschuldigde zich honderdmaal. Het was voor hen vervelend, maar - en dat besefte ze al te goed – het was ook vervelend voor Sara. Die overtuigde Sue er echter van dat het nu eenmaal zo was en dat het voor hen het vervelendst was. Zij vond wel weer wat anders.

De dag voor hun vertrek naar Engeland nam Sue Sara mee de stad in. De kinderen gingen uitgelaten met hun vader naar Artis.

"We gaan eerst winkelen," zei Sue en sleepte Sara mee door de draaideuren van de Bijenkorf. Sue bleef staan bij de parfums en spoot uit de overvloedig aanwezige grote monsterflessen.

"Dit is mijn lievelingsgeur." Ze snoof de geur op van haar pols.

Verbaasd over zo veel luxe keek Sara om zich heen en wierp een terloopse blik in een van de vele spiegels. Thuis had ze er goed uitgezien; voor ze wegging was er nog niets dat haar stoorde. Maar naast deze luxe verbleekte alles. Zelfs de verkoopsters zagen eruit of ze zo uit een modeblad kwamen. Sara's jas voelde armoedig en haar schoenen waren hopeloos ouderwets.

Sue pakte haar argeloos bij haar arm en loodste haar langs de tassen, de sjaals en andere verleidelijke accessoires de roltrap op. De prijskaartjes aan de kleding beloofden niet veel goeds. De prijzen gingen Sara's budget ver te boven en dus zocht ze voor de vorm tussen de truitjes. Sue moest niet denken dat ze zich verveelde. Maar zelfs een truitje zou niet gaan lukken. Het goedkoopste kostte al meer dan ze in haar zak had.

Een eindje verderop struinde Sue aandachtig tussen de rekken. Af en toe hield ze een kledingstuk voor zich, draaide en bekeek zichzelf van alle kanten in de spiegel. "Dit is net iets voor jou." Met glimmende ogen trok ze een jas uit het rek.

"Pas eens." De jas paste precies. De kleur was prachtig en de lengte helemaal goed. "Die krijg je van mij," zei Sue enthousiast. "Hij staat je fantastisch."

Sara voelde het bloed naar haar wangen stijgen.

"Kijk maar niet zo verbaasd. Ik was toch al van plan je iets te geven."

Na de Bijenkorf nam Sue Sara mee naar, volgens eigen zeggen, de beste chinees. In de Binnen Bantammerstraat werd de deur voor hen geopend. Sara keek haar ogen uit. De rode vloerbedekking waar je in wegzakte, de vergulde drakenkoppen, de zachte muziek, de roodfluwelen stoel die werd aangeschoven. Ze voelde zich weer die onnozele tiener die overal nerveus van werd. Haar spieren spanden zich.

"Iets drinken?" vroeg de kelner.

"Twee droge martini met ijs," zei Sue zonder erbij na te denken. De kelner bracht de drankjes en de kaart.

Na twee martini's en een rijsttafel voor twee personen leunde Sara relaxed achterover. Ze wreef over haar buik. Ze voelde hoe haar spieren zich ontspanden door de drank en de zachte, sfeervolle muziek.

Sue bestelde koffie en sloeg haar ogen ten hemel toen ze daarna een slok van haar likeurtje nam. "Wil je echt niets meer? Je kunt toch wel iets nemen? Een cognacje?"

Sara voelde hoe haar wangen begonnen te gloeien. "Oké, een kleintje dan."

Daarna hadden ze in dezelfde straat lampen gekocht. Sara was direct verguld van rode papieren lampen met de kwastjes eraan. Ze leken op de lampen bij de Chinees. Ze kocht er twee van verschillende grootte, voor haar zolderkamertje. Voor op het bed kocht ze Chinese kussentjes. Van de verkoper kreeg ze, hij moest lachen om haar enthousiasme, een asbak van vijfentwintig voor tien gulden. In een souvenirwinkel besteedde ze haar laatste geld aan cadeautjes voor de kinderen.

Gearmd liepen Sara en Sue, een beetje lacherig van de drank, de gracht op. Toen Sue de sleutel in het slot stak, hoorden ze boven stemmen. Beladen met tassen liepen ze de huiskamer in.

In de deuropening bleef Sara als aan de grond genageld staan. Het was of ze geen lucht meer kreeg. Haar hart bonsde als een wilde.

"Dit is Herman de overbuurman." Peter maakte een gebaar naar de man in de stoel.

"Dag Sara," zei Herman alsof het de gewoonste zaak van de wereld was.

Peter trok zijn wenkbrauwen op, keek van de een naar de ander. "Jullie kennen elkaar dus al."

Sara knikte. "Des te beter."

"Ze slapen als rozen." Sue kwam van boven. "Trek je nieuwe jas eens aan."

Ook dat nog. Met een rood hoofd trok Sara, om Sue een plezier te doen, de jas aan en trok de kraag hoog op. Ze hoopte maar dat ze niet zagen hoe haar knieën knikten.

"Hoe ziet ze eruit?" vroeg Sue, zich omdraaiend naar de mannen.

Peter kwam overeind en knikte goedkeurend. "Staat je heel mooi."

Sue gaf Sara een knipoog.

Peter ging naar de keuken en kwam terug met vier glazen en een fles. "Zullen we iets drinken op het afscheid?" Hij schonk de glazen halfvol en zette de fles op de vensterbank.

Sara herkende het merk en voelde het bloed naar haar wangen stijgen. Ze trok haar jas uit, hing hem aan de kapstok en klemde haar koude handen om haar verhitte gezicht, daarna vermande ze zich en liep de kamer in.

Peter reikte de glazen aan. Met twee handen pakte Sara haar glas aan.

"Proost. Hoe zeggen ze dat ook alweer in Holland: een goede buur is beter dan een verre vriend?" Hij hief het glas naar Herman en nam een teug.

8

Al had Amsterdam niet het avontuur opgeleverd dat Sara ervan verwacht had, toch miste ze het. Vanaf het moment dat ze over de drempel van haar huis stapte, was het net of ze tegen een betonnen muur aanliep. Ze verstijfde. Onmiddellijk herkende ze het onbehaaglijke gevoel.

Maar ook haar broers, de drukte. De warme kachel waar ze haar verkleumde handen aan kon warmen. En vooral het gevoel weer thuis te zijn, ergens bij te horen.

"Pap, hoe vaak heb ik je nu gezegd dat je de aardappels beter moet pitten."

"Vaak genoeg, mam."

"Waarom doe je dat dan niet?"

Hetzelfde geteem. Verzonken in gedachten liep Sara naar het raam. In de maand dat ze weg was, had haar moeder dus een nieuwe slaaf gevonden. Sara bevroor en voelde weer die machteloosheid die haar hier in huis altijd overviel.

"Sara."

Ze draaide zich om.

Mam stond met haar handen in haar zij midden in de kamer. "Ik wil dat je zo snel mogelijk werk zoekt. Het is hier geen hotel. Je vader kan ook niet alles, moet je zien." Ze trok met haar vinger een streep over de kast.

"Je koffie mam?"

"Dank je, pap."

Sara liep de kamer uit. Wat een misselijk gedoe.

De zolder zag er al veel beter uit. De wanden waren zoals beloofd behangen. De balken waren gevernist. Hier en daar zat een veeg op het nieuwe behang. Naast haar bed zat een stopcontact en een wastafel. De kast, althans de omheining, ook door oom Piet in elkaar geknutseld, stond tegenover het trapgat.

"Joehoe!"

Sara keek op de klok. Was het al zo laat? "Kom maar boven."

Zware voetstappen klonken op de trap. "Was je me vergeten?" Rob, de buurjongen die had beloofd haar verder te komen helpen met haar zolderkamer, hijgde. Zijn hoofd was net zo rood als zijn haar.

"Ik breng dit naar beneden, wil je iets drinken?" vroeg Sara.

"Als dat zou kunnen. Maar goed dat hierboven niet nog een verdieping zit." Hij veegde het zweet van zijn voorhoofd.

Twee uur werkten ze aan een stuk door. Rob deed het grove werk, Sara gaf het gereedschap aan. Naast de kast timmerden ze een halfrond barretje afgezet met riefmatten van een gesloopte schutting. Boven de bar hingen de Chinese lampen. De schuine wanden waren afgezet met gekleurde doeken.

"Doe het licht eens aan?" Rob knikte tevreden. "Die doen het. En naast de wastafel?"

Sara trok aan het koordje boven haar bed. Een schemerig licht verspreidde zich over de achterkant van de zolder.

"Die doet het ook. Nu nog de spiegel. Wil je hem in de breedte of in de lengte?" Rob hield de passpiegel boven zijn hoofd.

"Doe maar in de lengte."

Rob schroefde de laatste schroef erin. Van een afstand bekeek hij het resultaat. "Voor het mooie iets te schuin," zei hij, "maar daar is niets aan te doen." De spiegel scheen precies onder de bar. Verder zag het er gezellig uit. In het licht van de Chinese lampen, leek zijn haar nog roder dan normaal. Hij grijnsde tevreden.

"Kan ik U misschien wat inschenken?" Hij haalde een flesje berenburg en twee glaasjes uit de binnenzak van zijn jas. Nu werd het pas echt gezellig.

"Even wachten!" Sara liep de zoldertrap af en luisterde aandachtig. Geen geluid, niets. Het duurde nog zeker een uur voor haar moeder thuiskwam. Beneden inspecteerde ze de tuin en de keuken, en zette ze de stoelen netjes naast elkaar om de eettafel.

Ze zocht beneden in een paar jassen en vond wat ze zocht.

Een pakje sigaretten. Niet zo heel verwonderlijk. Mam was goed voor twee pakjes per dag en had ze overal verstopt. Sara nam er vier uit, zocht een doosje lucifers en tegen beter weten in speurde ze de lege koelkast af naar lekkers.

Boven staken Rob en Sara een sigaret op. Tevreden keken ze om zich heen, bliezen de rook omhoog die om de rode lampen uiteen waaide. "Het lijkt wel een sprookje uit Duizend-en-een-nacht," grijnsde Sara. "Het enige wat ontbreekt, is de rode tulband om ons hoofd." Ze zaten ieder aan een kant van de bar, hij erachter, zij ervoor, en dronken de berenburg.

"Dankjewel Rob," zei Sara, het klonk een beetje aangeschoten. "Het ziet er geweldig uit, we zouden hier feestjes kunnen geven."

Rob blies de rook in kringetjes omhoog en schonk haar nog eens in. "We?" Hij keek haar met een schele blik aan, Sara schoot in de lach wat hem een beetje kwaad maakte. Hij kwam nu achter de bar vandaan, struikelde en viel vlak voor haar voeten. "Uw genadige dienaar" hikte hij.

Sara gaf hem een hand en trok hem lachend overeind. Op de rand van het bed bleven ze met de armen om elkaar zitten en rookten de laatste sigaretten. Daarna leegde ze de asbak, zette het raam op de verste stand open en gingen ze naar beneden. De houten traptreden kraakten ongelooflijk. Daar moest ze wat aan doen.

Sara had lang geoefend. De tweede tree van onderen was het ergst. Hoe ze er ook op was gaan staan, hij bleef kraken, ten slotte besloot ze hem gewoon over te slaan. Ook dat was nog een kunst op zich: je moest je optrekken aan de leuning. Maar nu had ze het voor elkaar. Ze had de proef op de som genomen en was nadat de slaapkamerdeur van haar ouders ernaast hermetisch was afgesloten, haar bed uitgegaan en de trap op en neer gelopen. Haar vader was niet een keer wakker geworden.

Vandaag werd de zolder, haar droomparadijsje, ingewijd met een buurtfeestje. Het had heel wat voeten in de aarde gehad.

"Wat gaan jullie dan doen, wat moet je nou de hele avond op die zolder?" vroeg haar vader.

"Plaatjes draaien, kletsen, gewoon gezell

"Dat kan toch ook beneden." Uiteindelijk had hij toegestemd. "Als je maar weet dat het om twaalf uur afgelopen is. Mam en ik zitten beneden."

De hele middag sleepte Sara glazen omhoog, bakjes, flessen cola. Ze controleerde de pick-up en zette glazen potjes neer als asbak. Van mam had ze een half flesje vieux gekregen. "Niets tegen je vader zeggen," had ze geheimzinnig gefluisterd. Kijk, dat was nou iets wat Sara niet verwacht had. De lampen verspreidden een sfeervolle gloed en tevreden keek ze om zich heen. Het bed werd rechtgetrokken en de kussentjes honderd keer verlegd. Vervolgens had ze zich met zorg opgemaakt. Ze bekeek het resultaat in de spiegel. Haar anders zo witte gezicht had in het licht van de lampen een roze gloed. Nu nog een beetje lippenstift.

Van beneden klonken stemmen. Met zes treden tegelijk rende ze de trap af. Mieke en Louise, die verderop in de straat woonden, stonden voor de deur.

"Gezellig, kom erin." De gang was meteen vol.

"Zal ik mijn jas hier hangen?" Mieke opende haar jas zodat een fles aan de binnenkant zichtbaar werd.

"Neem maar mee naar boven, dan leggen we ze daar neer." Ze liepen achter Sara aan naar boven. "Zet die fles maar achter de bar."

Beneden ging de bel. Nu kwamen ze allemaal tegelijk. Sara's vader deed de deur open.

"Kom maar boven en neem jullie jassen maar mee," riep Sara van boven. Haar vader maakte aanstalten omhoog te komen. "Laat maar, ik red het wel."

De deur van de zolder ging dicht. De muziek kraakte en de gasten zetten hun goede giften op de bar. Drank, veel sigaretten, een worst en een paar zakken chips. De glazen werden volgeschonken en er werd veel gerookt.

"Gaaf hok hier." Mieke liet haar blik over de zolder dwalen. "Hier kunnen we nog heel wat leuke feestjes houden." Rob zat op het bed en leunde gerieflijk in de kussens, alsof het compliment ook hem betrof.

"Ik ga naar beneden, ben zo terug." Sara trok de deur achter zich dicht voor het lawaai. Pap en mam zaten televisie te kijken en op de tafel stond een fles jenever en berenburg.

"Je komt toch niet iedere vijf minuten kijken, hè pap?"

Hij keek op van de televisie. "Dat hangt van jou af, Sara, maar twaalf uur is twaalf uur." En hij schonk zichzelf nog eens in.

Sara knikte tevreden. Dat ging goed.

Boven was het feest in volle gang. De meesten waren al een beetje aangeschoten. Op de bar stonden de glazen halfvol en achter de bar de flessen. Het halve flesje vieux dat Sara van haar moeder had gekregen, was aangevuld met wat anders. Ook door de cola werd van alles gegoten. Jan, haar broer, die voor de muziek moest zorgen, scharrelde met een vriendin van Sara van de lagere school.

De muziek van Boudewijn de Groot sprak hen het meest aan, vooral zijn teksten. Alsof hij over hen zong. Een paar meiden deinden mee op de maat.

Sara stond voor de bar, ze had een sigaret in haar mond en pakte de fles cognac. Ze boog een beetje naar voren en keek in de spiegel. Haar mond viel open. In de spiegel zag ze achter de bar op de grond een paar spierwitte billen op en neer bewegen. Ze wilde zich net omdraaien om te zien wie ze miste, toen ze werd geroepen. "Hè Sara, kom eens. Wat doen we hiermee?"

In de hoek zat Suus. Ze zat op haar hurken met haar hoofd tussen haar knieën.

"Jezus, die is hartstikke dronken." Ook dat nog. Het feestje begon een beetje uit de hand te lopen.

"Als we haar de trap af kunnen smokkelen, breng ik haar wel naar huis," zei Hans, een vriend van Jan, altijd even behulpzaam.

Met vijf man gingen ze naar beneden. Suus hing als een lappenpop tussen Hans en Rob in. Haar benen bungelden boven de grond.

Sara vloog met veel lawaai de wc in.

"Ik hou je vader en moeder wel gezelschap," knipoogde Mieke die de kamer inging en de deur achter zich sloot. Mieke was niet de aangewezen persoon om bij hen te zitten, maar Sara had nu geen tijd om daar lang over na te denken. Sara bleef net zo lang op de wc tot ze zeker wist dat Suus de deur uit was. Daarna trok ze door en stak haar hoofd om de hoek van de kamerdeur.

"Ga je mee, Mieke, of blijf je hier zitten?" Mieke stond meteen op en doofde haar sigaret in de asbak op de tafel. Dat was precies waar haar moeder zo'n hekel aan had. "Van die mensen die altijd om een sigaretje vragen, die van hen liggen altijd thuis."

"Twaalf uur hè, Sara," zei haar vader. Hij tikte op zijn horloge.

Verbeeldde Sara het, of klonk hij ook een beetje beneveld? "Is goed," riep ze, en weg waren ze. Bovengekomen keek ze snel achter de bar, maar er was niemand meer te zien. Opgelucht haalde ze adem.

Om klokslag twaalf uur stond haar vader onder aan de trap. "Maak er een eind aan Sara, het is tijd." Hij kwam de trap op.

Snel ging Sara naar beneden en versperde hem de weg. "Ziet er gezellig uit, hè?" zei ze vlug.

"Hmm." Hij probeerde van onder aan de trap schuin omhoog te gluren.

"We ruimen het op en dan stuur ik ze weg."

"Tien minuten," en hij daalde weer af naar zijn eigen bar.

De flessen werden bij elkaar gezet en in een tas gestopt. "Verdeel wat over is buiten, maar neem ook de lege mee. Dat kleine flesje mag je hier laten staan." Sara zette het lege flesje vieux met twee colaflessen op de bar.

"Moeten we vaker doen joh! Dan komen we voortaan eerst hier en dan gaan we op stap. Gezellig, en veel goedkoper," zei Mieke.

"Zullen we nog naar de kroeg?" vroeg Bob. De meesten stonden al op de trap.

"Gaan jullie maar." Sara was kapot. Ze liep met ze mee naar beneden.

Bij de voordeur riepen ze door elkaar. "Was gezellig, weet je zeker dat je niet meegaat?"

"Heel zeker."

"Nou, bedankt en tot morgen hè." Giechelend liepen ze de straat in.

Nadat iedereen vertrokken was, overviel Sara een gevoel van eenzaamheid. Er waren nog steeds genoeg mensen thuis, en toch had ze het gevoel dat er op de hele wereld niemand zo eenzaam was als zij.

Ze kon de slaap niet vatten. Na een paar uren woelen tastte ze achter de gekleurde doeken, die als gordijn fungeerden. Het was een heldere nacht, Sara kon de sterren zien. Een ster stond alleen. Hij was groter, feller. Gebiologeerd bleef ze ernaar staren. Wie zou het zijn? Was het haar oma, haar zusje? Hoe zou het daarboven zijn? Ook overdag kon ze uren staren, naar de wolken die voorbij dreven. Hangend uit het zolderraam, kijkend naar de nachtelijke hemel, fantaseerde ze over een ver land waar iedereen zonder angst in harmonie met elkaar leefde.

Toen ze de volgende morgen haar ogen probeerde te openen, was het eerste wat ze dacht: Ik moet een baan zoeken, mijn leven op de rit zien te krijgen.

Ze had maar een paar uur geslapen. Eén blik in de spiegel was voldoende om te zien dat dit veel te kort was. Haar huid zag vaal en haar keel voelde gezwollen. Onder haar ogen zag ze zwarte mascara zitten.

Beneden hoorde ze stemmen. Kwart voor tien. Het gebeurde nooit dat ze haar zo lang lieten slapen. Op zondag werd er gemeenschappelijk, netjes gekapt en aangekleed, ontbeten. Sara haalde een washand over haar gezicht, poetste haar tanden, haalde een kam door het haar dat alle kanten opvloog en haastte zich naar beneden.

Het eerste wat haar opviel was de kleding van haar vader. Hij droeg zijn gestreepte ochtendjas, een theedoek hing over zijn schouder. Om hem heen hing een eigenaardige lucht. Ze vermoedde dat hij te veel gedronken had. Hij zweette overmatig en het servies werd hardhandig op het aanrecht gesmakt.

"Kan ik iets doen?" vroeg ze schijnheilig.

"Ja, opdonderen."

Dat was niet tegen dovemansoren gezegd. Uit de krantenbak viste Sara de zaterdagkrant en ging ermee naar boven. Ze spreidde hem uit op het bed. Haar oog viel op een advertentie voor tijdelijk personeel. Precies wat ze nodig had. Dan verdiende ze geld en in de tussentijd kon ze naar iets anders zoeken.

"Om half elf hebben we een kwartier pauze, tussen de middag een uur. Het is niet de bedoeling dat je dan het terrein verlaat.

Je kunt je brood opeten in de kantine, koffie en thee is gratis. Je kunt direct beginnen." Sara volgde de vrouw met het knotje en de plooirok.

Om tien uur stond ze achter een machine die iedere seconde nieuwe pleisters uitspuugde. Het was een kwestie van opletten. Je moest op tijd een hendel overhalen anders zaten je vingers eronder. Om half twaalf hing ze op een bank. Na een hevige aanval van buikpijn en anderhalf uur kermen met haar armen om haar buik geslagen, haar hoofd in haar schoot, mocht ze om één uur naar huis. Juffrouw van Gaal, zo heette haar leidinggevende, was niet onaardig geweest. "Je mag gaan en wat mij betreft mag je wegblijven."

"Hoe ging het vandaag?" vroeg mam voor de tweede keer. Ze draaide aan de wijzerplaat van haar horloge.

"Dat heb je al gevraagd."

"Ja, maar ik heb nog geen antwoord gekregen."

"Slecht."

"Hoe bedoel je?"

"Ze was zo blij met me, dat ik voor de middag al naar huis mocht."

"Je liegt het."

"Nee, echt."

"Je denkt dat je je gang kunt gaan. Mij voor gek kan verslijten, maar ik waarschuw je, wacht maar tot je vader thuis is."

"Het was maar een fabrieksbaan."

"Kun je nagaan," snoefde Sara's moeder minachtend.

Haar volgende baan duurde langer. Het gebouw lag aan de rand van de stad, afgelegen, tussen het groen. Eens per dag werd het personeel opgeschrikt door het geloei van koeien die het slachthuis, het enige andere gebouw in de buurt, werden ingedreven. Het geluid ging door merg en been. Het werk was, net als bij de vorige baan, niet veel bijzonders. Het belangrijkste was dat ze geld verdiende en de mensen die er werkten aardig waren. Het werd Sara steeds duidelijker dat haar lijf reageerde op de sfeer die ergens hing. Er waren twee mogelijkheden: de sfeer was warm of koud. En op haar werk was die gelukkig warm.

Als ze niet opviel kon Sara alles. Ze zorgde dat ze op tijd kwam en werkte in hetzelfde ritme als de anderen – desnoods hield ze haar vaart in als het moest en probeerde net zo aandachtig naar de wolletjes, die op kaarten geplakt moesten worden, te kijken als haar collega's die links en rechts van haar zaten.

Toch had ze niet genoeg haar best gedaan. Maar dat kon ze onmogelijk tegen de man tegenover haar zeggen. Hij trommelde ongeduldig met zijn pen op de tafel. "Ik begrijp het niet," zei hij met een meewarige blik. "Cheffin van de wolafdeling. Je kunt zelfs opklimmen tot cheffin van de typekamer."

De rillingen liepen over haar rug.

"Je krijgt veel meer verantwoording, je salaris gaat omhoog."

Het koude zweet brak haar uit, ze verstijfde. Ze dacht aan de gevolgen: vergaderen, verantwoording, opvallen.

"Een eigen bureau," sprak de man hoopvol. Hij tilde speels een wenkbrauw omhoog, om zijn mond verscheen een flauwe glimlach.

Ze schudde haar hoofd.

"Jammer," zuchtte hij. "Dan wens ik je het allerbeste. Je zult je redenen wel hebben."

"Je lijkt wel niet goed wijs! Zonder papieren cheffin. Je mag God op je blote knieën danken. Maar nee hoor. Mevrouw neemt de benen." Mam zocht in haar zak naar sigaretten, stak er een aan en inhaleerde diep. Ze hief haar ogen ten hemel en blies een grote wolk rook omhoog. "Heer o Heer," zuchtte ze, "waar heb ik dit aan verdiend."

Uiteindelijk vond Sara een baan als oppas bij een gezin met twee kinderen in een nabij gelegen dorp. Jan zat in dienst en Bram was bij de krant aangenomen. En nu de kleintjes zo klein niet meer waren, gingen hun vader en moeder voor het eerst op vakantie.

De avond voor hun vertrek zat het gezin gezamenlijk om de tafel. Sara's moeder had haar lippen opeengeklemd en om haar mond trok een klein spiertje samen. Op de tafel lag een uitgerolde strook behang, met aan het begin en het eind een zware asbak. Bovenaan de rol stond met dikke letters:

HUISREGELS

En daaronder:

IEDERE AVOND KOKEN.
NIET OP REKENING KOPEN.
HET HUIS AAN KANT.
MAANDAG WASSEN.
ZONDAG NAAR DE KERK.
GEEN RUZIE MAKEN.

Pas nadat de kinderen met hun hand op het hart beloofden alles te doen wat op de lijst stond, konden ze gaan.

De volgende morgen was het zover. "En jongens, jullie weten wat we afgesproken hebben. Sara, er ligt huishoudgeld op de schoorsteen." Hun vader en moeder stonden met hun jas aan en hadden moeite om weg te komen. Vader keek om zich heen. "Niets vergeten?" Toen zei hij resoluut: "Kom mam, we gaan."

De kinderen bleven in de deuropening staan zwaaiden tot ze uit het zicht verdwenen waren. "Zo, die zijn weg." Ze ploften op de stoelen om de tafel, hun voeten op een andere stoel.

"Geef mij eens een peuk," zei Bram. "Een hele week…" Hij leunde achterover in zijn stoel. "Zet jij even koffie Sara, dat is jouw werk."

"Sorry, ik moet gaan, anders mis ik de bus. Waarom komen jullie mij vanavond niet ophalen bij mijn werk, dan eten we ergens een patatje en gaan we stappen." Ze pakte haar tas en deed de deur open. In de deuropening bleef ze staan en zei: "En vergeet het huishoudgeld niet!"

Het was gezellig druk. Het huis gonsde van boven tot onder. Bram en Bob hadden Sara zoals afgesproken opgehaald van haar werk en gezamenlijk waren ze de kroeg ingedoken.

"Doe maar vier biertjes," zei Bob. "Super hè? We gaan er een mooie week van maken."

Ze proostten op dit ongekende geluk. Dat bleven ze doen, tot tien uur, toen was het huishoudgeld op. Daarna vertelden ze aan iedereen dat ze alleen thuis waren en iedereen natuurlijk van harte welkom was, mits ze iets te drinken mee zouden nemen. Ze gingen naar huis, waar binnen een mum van tijd de tafel vol drank stond. En nog steeds bleef de deurbel rinkelen. Ze dansten, dronken tot diep in de nacht. Hier en daar zat een stel te vrijen. Om vier uur 's morgens zetten ze iedereen eruit met de belofte dat ze morgen weer terug mochten komen.

Het was al licht toen Sara voorzichtig haar ogen opende. In haar hoofd dreunde de laatst gedraaide plaat op vol volume en haar keel zat potdicht. Ze probeerde haar hoofd op te tillen maar het viel als een steen weer terug op het kussen. Ze moest opstaan en aan het werk, maar hoe?

Toen ze de trap af liep kwam de zure lucht van drank haar tegemoet. Haar maag kwam acuut in opstand. In de bus ging ze vlakbij de deur zitten. Bij iedere halte stak ze haar hoofd naar buiten voor een hap frisse lucht. Ze nam zich voor het vandaag wat rustiger aan te doen.

Vier dagen duurde het. Vier lange slopende dagen. Toen stortten ze helemaal in. Het huis was een chaos. Ze sliepen amper, rookten, dronken en liepen op hun tandvlees. Sara keek de kamer rond. Overal stonden volle asbakken, halflege glazen, lege flessen en open zakken met resten van patat en andere snacks. "We stoppen ermee," zei ze tegen Bram, die in een stoel hing met zijn benen over de rand. "Het huis is een ravage en over twee dagen zijn pap en mam weer terug."

Bram gaf geen antwoord, hij sliep.

Eén dag voor hun ouders thuiskwamen, begonnen ze met schoonmaken. De was hing aan de lijn en de vuile glazen, asbakken, bekers en pannetjes stonden hoog opgestapeld op het aanrecht, klaar om afgewassen te worden. Sara stond buiten de lege flessen in een tas te doen toen Amy onverwachts achter haar stond. Ze had haar jongste zusje al de hele week niet gezien, aangezien zij tijdens de vakantie bij een vriendinnetje uit logeren was.

"Wat zijn jullie aan het doen, wat een troep."

Sara duwde haar terug de gang in. "We zijn aan het schoonmaken, we willen pap en mam verrassen."

"Nou dat zal wel lukken," zei Amy. Ze liep de kamer in. "Wat is dat?" Ze wees op een brandplek op de salontafel.

"O dat… een beetje bijschuren, meer niet."

Amy ging er met haar hand overheen. "Dat zal met jou ook wel gebeuren." Sara was blij toen Amy de deur achter zich dicht trok.

Die avond deden ze de bel eruit. Voor het eerst sinds vijf dagen genoten ze van een echte warme maaltijd. De pannen werden tot de bodem leeg geschraapt.

"Daar waren we aan toe, zeg." Sara pakte de spullen en bracht ze naar de keuken. "Als jullie de kamer doen, ruim ik de keuken op." Ze trok de deur achter zich dicht en poetste de keuken en het aanrecht tot alles glom.

In de kamer was het rustig. Jos en Bob lagen in een stoel te slapen. Ze zagen er bleek uit, net als de rest.

"Ga lekker naar boven jullie, we gaan allemaal eens een nachtje goed slapen."

Om tien uur was alles stil. Sara deed de lichten uit en keek nog even om zich heen. Morgen de kamer en dan was alles weer zoals het was.

De volgende dag waren ze er klaar voor. Het huis was schoon, ze waren uitgeslapen en hadden voor de tweede keer goed gegeten. De theepot stond op het lichtje, de schemerlampjes brandden en met zijn allen zaten ze om de tafel. Het was een puur huiselijk tafereeltje.

"Ik deel." Ze waren aan het kaarten. "Eerst allemaal inzetten." De pot stond midden op tafel. Ze gooiden er allemaal een kwartje in. "Vier potjes en dan gaan we weer bijspekken." Ze waren net aan het vierde potje toe, toen de sleutel werd omgedraaid.

Pap zwaaide naar de taxi die wegreed.

"Hoe was het? Was het leuk, hadden jullie mooi weer?" begonnen ze allemaal door elkaar te vragen.

"Wat een enthousiasme jongens, mag ik even mijn jas uit doen?" De koffers werden onder de kapstok gezet.

"Wat ziet het er hier gezellig uit," zei mam. Haar volle lippen waren rood gestift, wat mooi stond bij haar gezonde kleur.

Het werd een gezellige avond. Pap schonk voor iedereen wat te drinken in. Hij opende de klep van zijn barretje en leek tevreden. Alles stond er nog zoals hij het had achtergelaten. De jongsten kregen fris en voor Jan, Sara en Bram schonk hij cola met een bodempje vieux in. Voor zichzelf pakte hij de fles jenever en mam kreeg een berenburg.

"Proost," en hij hield zijn glaasje omhoog. "Op de thuiskomst," zei hij, "en een stel geweldige kinderen."

"Proost."

Het was de dag des Heren, maar niet haar dag. Sara zat op de rand van haar bed en verveelde zich. Veertien dagen had ze nu al huisarrest.

Overdag viel het wel mee. Opstaan, naar het werk en met de bus van tien voor zeven terug naar huis. Normaal gesproken ging ze nog wel eens wat drinken na haar werk en nam ze een bus later. Dat zat er nu niet in. "Eén keer te laat en ik kom je persoonlijk ophalen." Sara wist dat haar vader het meende.

Toch was huisarrest niet het ergste. Nu haar kamer omgetoverd was tot een klein privévertrekje boven in het huis, was het geen straf om daar te zitten. Ze kon ongestoord lezen bij het licht naast haar bed zonder dat het beneden op de gang te zien was. Dat had ze van tevoren gecontroleerd. Wanneer alle geluiden in huis verstomden en ze niet kon slapen, keek ze door het zolderraam naar de sterrenhemel. Bij heldere nachten zag ze de grote en de kleine beer. Eén keer had ze een vallende ster gezien. In stilte, zonder haar mond te bewegen, had ze een wens gedaan.

Een dag nadat haar vader en moeder terug waren van vakantie was het allemaal begonnen. De regen viel met bakken uit de lucht. Het eentonige gekletter tegen de ramen begon op Sara's zenuwen te werken. Op haar werk hingen de kinderen verveeld in een hoek of maakten ruzie. Aan het eind van de middag begon het op te klaren. Opgelucht pakte Sara na het werk haar jas. De straten glinsterden in het licht van de lantaarnpalen. Ze liet haar neus vollopen en ervoer de zeldzame frisheid die zo kenmerkend is na een fikse regenbui.

De deur van haar stamkroeg stond open. Het geluid van de

jukebox was buiten te horen. Ze keek op haar horloge en aarzelde. Eén drankje? Zonder er verder bij na te denken liep ze naar binnen. Haar ogen moesten wennen aan de schemer.

Achter de bar werden de glazen opgestapeld door de barkeeper, verder was er niemand. Net toen ze zich om wilde draaien zag ze hem. Bram zat op de hoek van de bar en staarde naar zijn glas.

"Wat doe jij hier op dit uur?" vroeg ze verbaasd. "Zo helemaal in je uppie."

"Het is mis Sara, goed mis."

"Mis, hoe bedoel je, waar heb je het over?" Ze bestelde twee biertjes en ging naast hem zitten.

"We zijn verraden."

"Jee Bram, doe niet zo dramatisch, wat is er aan de hand?"

"Je vader is razend. Je moet onmiddellijk mee naar huis. Hij is door het dolle heen."

Sara's hersens werkten op volle toeren. Wat was er fout gegaan? Het huis zag er tiptop uit. Ze hadden wat op de rekening laten zetten, maar dat was toch niet zo heel vreselijk. "We nemen eerst nog twee biertjes en dan bedenken we wel wat."

"Nee Sara, echt, het is niet zoals je denkt, hij wacht op je."

"Op mij, en jullie dan?"

"Dat weet ik nog niet. Hij denkt dat ik naar een vergadering ben. Ik ben direct hierheen gegaan."

"Heeft de buurvrouw soms geklaagd?"

"Hoe moet ik dat weten. Laten we nu gaan." Bram schoof zenuwachtig op zijn kruk. Ze rekenden af en liepen naar de bushalte. "Heb je de rest al gesproken?"

"Ja, bij hen ben ik al langs geweest, maar die weten ook niet wat er aan de hand is. Waar blijft die rotbus?" Hij leek echt bang.

"Gewoon visite, niet meer en niet minder. Wat is daar nu verkeerd aan. Dat doet toch iedereen als zijn ouders weg zijn. We zeggen eerlijk dat er wat mensen langs geweest zijn. Misschien heeft de muziek af en toe wat te hard gestaan, verder niets."

Bram was er nog lang niet gerust op. "En die mensen die zijn blijven slapen?" vroeg hij benauwd.

"Slapen? Heb jij gezien wat ze boven deden? Niemand is blijven slapen."

Nog voor ze aanbelde werd de voordeur opengezwaaid. Aan hun haren werden ze naar binnen getrokken. Jos en Bob - alleen aan het heen en weer rollen van hun ogen was te zien dat het levende wezens waren - zaten op de trap.

"Jij die kant op," brieste vader tegen Bram. Hij maakte een snelle beweging richting de kamer. Sara wilde erachteraan.

"Daar!" Hij gaf haar een zet waardoor ze bij de anderen op de trap terecht kwam. De kamerdeur werd met een klap dichtgeslagen.

"Wat is er aan de hand?" fluisterde Sara.

Het enige antwoord kwam van Bob die zijn schouders ophaalde. Vanuit de kamer klonken stemmen. Daarna ging de deur open.

"Jij." Haar vader trok haar hardhandig van de trap. Sara probeerde iets van Brams gezicht af te lezen, maar hij keek haar niet aan.

In de kamer zat Sara's moeder. Sara had zich niet eens afgevraagd waar ze was. Ze zat op een van de twee stoelen midden in de kamer. Haar lippen opeengeklemd. Ze was weer tien jaar ouder. Haar vader nam pontificaal plaats op de stoel naast haar. De stoel voor de verdachte stond er eenzaam tegenover. Wat een vertoning. Het leek niet alleen een kruisverhoor, het was er een. Een halfuur lang bestookten ze haar met vragen. Bram was vast niet meer dan vijf, of tien minuten binnen geweest.

"Wie zijn er blijven slapen?"

"Slapen? Niemand natuurlijk. Waarom moeten ze hier slapen?"

"Leugenaar." Hij kwam overeind uit zijn stoel. "Mam, hou me tegen of ik bega een moord."

Mam deed niets.

"Waar waren de jongens?"

"Wie bedoel je?" Hij probeerde haar erin te luizen. "Gewoon thuis, waar anders," beet ze hem toe.

"Houd je grote bek. Voor alle duidelijkheid. Hebben jullie feesten gegeven? Zo ja, wie waren daarbij?" Hij stopte om adem te halen, het schuim stond op zijn mond. "En waar wonen ze?"

Het beste was om het neutraal te houden. Ze had geen idee wat Bram verteld had. "Heeft de buurvrouw geklaagd?"

"Dat moest er nog bij komen," sneerde haar moeder. "Als jij niet oppast," ze priemde opeens een felrood gelakte nagel naar voren, "kom je nog eens in een tehuis voor ongehuwde moeders."

Sara knipperde met haar ogen. Haar moeder natuurlijk, altijd bereid te overdrijven, olie op het kokende vuur te gooien. Met succes.

"Uit mijn ogen. Verdwijn… Nu!" snoof haar vader. "Voorlopig kom je de deur niet meer uit. Ik zal niet rusten voordat alles tot op de bodem uitgezocht is."

Blij dat ze heelhuids de kamer uit was, holde ze langs haar broers de trap op.

Sara had een week huisarrest achter de rug toen ze het zat was. Kon ze Nan maar bellen. Bij Nan kon ze altijd terecht, voelde ze zich thuis. Sara's ouders en Nans vader en moeder waren buren geweest. Hun vaders hadden in de oorlog samen ondergedoken gezeten. Ondanks de vele verhuizingen hadden de beide families elkaar nooit uit het oog verloren.

De telefooncel stond midden in het dorp. Sara gooide een kwartje in de gleuf en draaide het nummer. De telefoon ging over.

"Hallo."

"Nan?"

Even was het stil aan de andere kant van de lijn "Sara? Ik heb al drie keer geprobeerd te bellen. Hoe gaat het?"

"Niet zo goed."

"Wat is er aan de hand, je klinkt zo ernstig."

"Dat valt ook wel weer mee."

"Je belt niet voor niets. Waarom kom je het weekend niet. Kun je me alles vertellen en als het mooi weer is gaan we zondag naar Scheveningen."

"Nan, hou op. Mijn vader krijgt een beroerte als hij dat hoort. Ik heb huisarrest."

"Zo erg is het toch niet?"

"Zo erg is het wel. Kan jij niet wat verzinnen?"

"Zeg het maar."

"Als jij me vanavond nou eens belt. Heel onschuldig. Je weet van niets."

"Ik weet ook van niets."

"Je begrijpt me wel," zei Sara.

"Oke, zorg dat je bij de telefoon zit," zei Nan.

"En dan?"

"Laat de rest maar aan mij over."

Precies om acht uur ging de telefoon. Met een ruk pakte Sara de hoorn.

"Sara? Hoe is het? We zien je nooit meer." Het was de moeder van Nan.

"Ik heb huisarrest."

Mam keek op van haar krant. "Wie is dat Sara?"

"De moeder van Nan," mompelde Sara met haar hand over de hoorn.

Mam sprong overeind, griste de hoorn uit haar hand en maakte een gebaar dat ze moest vertrekken. Achter de deur bleef Sara staan luisteren. Wat er precies gezegd werd wist ze niet, maar ze hoorde haar moeder lachen.

Die vrijdag na haar werk stond haar tas gepakt in de gang. Sara had moeite haar opwinding te verbergen. Haar vader stond bij de deur. "Dit betekent niet dat je nu weer je gang kunt gaan, dat begrijp je toch zeker ook wel."

"Ja, ik bedoel, nee, natuurlijk niet."

"Doe de groeten aan Nans moeder," zei mam.

"Wacht even Sara," zei Bram, "dan loop ik met je mee naar het station."

"Jezus wat een gezeik," begon Bram. "Het spijt me echt voor je. Als je terugkomt zal het toch wel eens over zijn, dan heb ik een ver- rassing voor je."

Toen Sara de trein uit stapte, voelde ze zich meteen thuis. De gesprekken in de bus naar de Hoge Woerd, het zangerige accent, alles boezemde haar vertrouwen in. In deze stad klopte haar hart. Nan stond al op haar te wachten. Ze sloegen de hoek om, de Kraaierstraat in en stopten in het portiek dat haar zo bekend voor- kwam.

Het gevoel dat ze hier thuishoorde, de opwinding die zich iedere keer van haar meester maakte, voelde ze nu ook.

Vreemd eigenlijk, als ze bedacht dat ze slechts de eerste zes jaar van haar leven hier gewoond had. Iedere kamer, de bakkerij die allang niet meer bestond. Alles kon ze tot in detail beschrijven. De winkel beneden stond leeg. Het huis boven werd aan een jong stel verhuurd.

Nans moeder, een gezette vrouw, begroette Sara vriendelijk. Ze drukte haar tegen zich aan en bekeek haar even. "Blij dat je er bent. Je moet eens wat vaker komen dan kan ik je een beetje vetmesten. Je bent veel te mager." Ze schonk thee in en met zijn drieën zaten ze om de eettafel in de achterkamer.

Sara klemde haar handen om de beker, haar anders zo stijve s pieren ontspanden zich.

"Hoe is het met je ouders, Sara?" vroeg ze.

"Hetzelfde."

Nans moeder schoot in de lach. "Die veranderen nooit. Hier, neem nog een koekje." Nans moeder kende haar ouders beter dan wie ook.

Na een gezellige avond was één blik op de wekker de volgende morgen voldoende voor Sara om te zien dat ze zich verslapen had. Nan sliep nog. Snel kleedde Sara zich aan en sloop voorzichtig de slaapkamer uit om Nan niet wakker te maken. Nans moeder zat aan de tafel. Het rook naar koffie en vers gebakken brood.

"Morgen Sara, was het gezellig?"

"Heel gezellig."

"Koffie?"

"Graag."

Ze schonk koffie in en legde er een versgebakken broodje met een dikke laag roomboter naast.

"Waarom kom je niet een jaartje hier wonen? Dan kunnen jullie samen studeren. Je kon altijd zo goed leren," zei ze, terwijl ze nog een broodje op Sara's bord legde. "Bij jullie is het altijd zo druk."

Meende ze het serieus? Terug naar waar ze vandaan kwam. Ergens in haar achterhoofd, wist Sara, schuilde een heimelijk onbestendig verlangen naar iets waar ze heel haar leven naar op zoek was. Ze dacht aan hoe ze zich in Amsterdam zich had gevoeld zonder familie, hoe haar vader zou reageren op een dergelijk voorstel.

Aan wie kon ze het beter uitleggen? Wie zou het beter snappen dan Nans moeder? Dat het juist de humor van haar broers was, die haar op de been hield. Sara's vriendinnen uit de buurt, die alleen of met zijn tweeën thuis waren, benijdden haar om een huis vol mannen en waren maar wat graag bij hen thuis. Het was raar, maar ondanks alles verlangde ze naar huis.

"En we zingen en we springen en we zijn zo blij." Het was sinterklaasavond. De kamer was versierd en overal hingen Zwarte Pietjes, die mam van school had meegenomen. De cadeautjes stonden in twee grote manden naast de kachel. Een brief vol zwarte vegen lag er bovenop. Mam droeg haar geruite schort met diepe zakken. Ze ging zitten in de stoel naast de kachel, wachtte tot iedereen naar haar keek en begon de brief plechtig voor te lezen. Sint was vanavond toevallig in onze buurt en zou persoonlijk langskomen. "Was getekend Piet."

Amy danste vol ongeduld om de manden en zocht naar pakjes waar haar naam op stond. Op tafel stond speculaas en er lagen van die roze, harde snoepjes, die niemand at.

"We moeten harder zingen," zei mam ongeduldig op de klok kijkend. Ze zongen opnieuw. "En we zingen en we springen." Amy begon te gapen. Het was half tien.

"Kunnen we niet vast de cadeautjes uitpakken?" vroeg Bram.

"Laten we nóg even wachten" zei mam. "Wat zullen we zingen?" Ze zaten al vanaf half acht te wachten.

Om vijf uur waren Bob en Bas weggegaan. "Een financiële opsteker," had Bob gezegd. Bob zou de Sint zijn en Bas Zwarte Piet.

Jan en Bram hingen verveeld in hun stoel, het wachten was op de goedheiligman. De stemming werd er niet vrolijker op. Pap, paars van ingehouden woede en jenever, liep om de vijf minuten met driftige passen naar het raam.

Eindelijk ging de bel. "Daar zal Sinterklaas zijn jongens!" Pap rende naar de deur en zwaaide hem luidruchtig open. "Kom maar binnen, Sinterklaas."

Het was de buurman. "Waar blijven ze godverdomme? Ze komen er bij mij niet meer in. Schande! Vijfenzeventig gulden. Hufters."

De buitendeur viel met een smak dicht.

"Wie weet er nog een leuk liedje?" vroeg mam opgewekt. Het is en het blijft een schooljuf, dacht Sara, alsof ze tegen kleine kinderen spreekt. "Laten we het nog een keer proberen en dan op ons allerhardst."

Om elf uur viel er iets tegen de voordeur aan. "Zijn hier nog stoute kinderen?"

Amy, die inmiddels al een paar cadeautjes had gekregen, vloog naar de verste hoek van de kamer.

"Daar zal je ze godverdomme hebben," siste pap.

Piet lag voor de deur en grijnsde schaapachtig. Hij was zijn muts kwijt, zijn pruik zat scheef en hij was stomdronken. Sinterklaas hing tegen de voordeur en had de grootste moeite zijn staf door de deuropening naar binnen te krijgen. "Sta op Piet, help Sinterklaas een handje," lalde de Sint, waarna hij languit in de gang viel.

"Dat jullie zo naar binnen durven te gaan! Ik vermoord jullie! En jij..." Pap zette zijn pruik recht en zette er een hoedje op. "Jij zet dit op je kop, en heb niet de gore moed dat je hem afzet." Hij duwde de twee de kamer in.

"Daar is Sinterklaas jongens, zullen we even zingen?" Snel schoof pap een leunstoel onder Sints kont. Voor Piet, die dreigde om te vallen, schoof hij een eetkamerstoel toe.

Amy keek angstig vanuit de hoek, net als de anderen. Het hoofd van Sint hing slap opzij alsof hij sliep, zijn mijter leunde tegen de schoorsteenmantel. Piet zat ernaast, met een dameshoedje op dat zo van de kapstok moest zijn gerukt. Zijn dikke gezicht glom van het zweet. Zijn hoofd ging van links naar rechts, als een te grote ballon op een te dun stokje. Niemand durfde echter te lachen.

Mam redde wat er te redden viel. "Zeker een vermoeiende reis gemaakt, Sinterklaas."

Sint bewoog niet.

"Iedereen is erg benieuwd naar de cadeautjes, nietwaar jongens?" ging ze vol goede moed verder. Ze keek vol blijdschap in het rond. "Zullen we dan nog een liedje zingen voor Sinterklaas?"

"En we zingen en we springen..."

"Zo! Pak maar een cadeautje Amy, want dan moet Sinterklaas

weer naar het volgende adres. U hebt het vast erg druk."

Nu werd Piet wakker. "We zijn helemaal niet moe hè, Sint." De Sint kreeg een por waardoor hij over de andere leuning kwam te hangen. "Krijgen Sint en Piet hier niets te drinken? Kinderen gaan jullie eens snel een paar biertjes halen."

Amy rende de keuken in, blij dat ze wat voor Sint en Piet kon doen.

"Dankjewel kind." Piet opende met zijn ring twee flesjes. "Nemen jullie ook wat lekkers. Vooruit, doe niet zo krenterig, geef ze allemaal wat," en hij grijnsde onnozel naar ons. "Ook wat lekkers van Piet." Piet wilde uit zijn stoel komen, maar pap was sneller.

"Dat doe ik wel," siste hij, "blijf rustig zitten."
Pap liep naar zijn barretje. Zijn hand beefde van woede. Hier, hij gaf hun cola met een scheutje vieux en voor zichzelf en mam een jenevertje. Hij goot het in een keer naar binnen.

Mam pakte een cadeautje voor Amy en duwde het de Sint in zijn hand. De cadeautjes werden in een recordtempo uitgedeeld en daarna deden Sint en Piet verwoede pogingen om op te staan. Ondersteund door Bram en Jos gingen ze op weg naar de boze buurman. Die kwam schuimbekkend naar de voordeur. Het licht was uit, de kinderen lagen al in bed, en het feest was al voorbij.

De volgende dag was de stemming ver beneden peil. De gevolgen van de Sinterklaasavond. Piet was 's morgens vroeg naar zijn werk vertrokken, maar de Sint lag nog in coma.

De avond tevoren had diepe sporen nagelaten, vooral bij pap en zo te zien niet alleen in zijn portemonnee. Zijn gezicht was blauw-paars met hier en daar een adertje dat vervaarlijk klopte. Zijn ochtendjas zat schots en scheef. Zelfs dat beetje haar dat hij had, zat vanmorgen anders. Mam durfde niet naar buiten uit angst voor de buren en pap mócht in deze kleding niet naar buiten. Als een getergde leeuw liep hij door het huis.
Iedereen haalde opgelucht adem toen hij om één uur naar zijn werk vertrok. Zelfs mam had zich ingehouden. Bram en Bob, blij dat hun vader was vertrokken, gingen naar de stad, daar was altijd wel wat te beleven. Even dacht Sara erover om mee te gaan, maar ze ging liever iets drinken in haar stamkroeg. Daar ontmoette ze altijd wel bekenden.

Ze zocht haar kleren bij elkaar, legde alles op bed en ging naar beneden. Zo te horen was het lekker rustig. Mam zat bij de kachel half te slapen. "Zet jij even koffie Sara, en er is nog wat speculaas van gisteren. Wat een avond…" zuchtte ze. "Ik dacht dat ik gek werd. En dan dat hoedje, eigenlijk had ik de grootste moeite om niet te lachen. Het was dat pap zo kwaad was." Bij de gedachte aan Bas met dat hoedje schoten ze in de lach. "En dan Bob die languit in de gang lag." Mam gierde het uit.

Sara veegde de tranen uit haar ogen en keek tersluiks naar haar moeder. Wat zag ze er mooi en jong uit! Als ze niet altijd zo bekakt deed en standsverschil niet als stokpaardje had, kon je best met haar lachen. Ze had die Amsterdamse humor die Sara zelden zag als haar vader in de buurt was.

9

De winter ging voorbij zonder dat er sneeuw of ijs lag en het voorjaar kwam eraan. De dagen werden langer, de bomen en struiken werden weer groen. Vriendjes kwamen. En net zo snel als ze gekomen waren, verdwenen ze weer. Als ze te serieus werden en het woord vaste verkering viel, raakte Sara in paniek, kreeg ze het benauwd en wist ze niet hoe snel ze weg moest komen.

Doordat Sara 'gewoon' wilde zijn, ging het vaak mis. Haar onzekerheid verborg ze achter een grote mond. Ze rookte, dronk en was vaak op stap, want ze wilde niets missen en ze rekende er altijd op dat ze op de een of andere manier wel met iemand mee terug naar huis kon rijden. Dit was te prefereren boven nog verder het moeras van vertwijfeling en ellende in te zakken. Ze maskeerde haar angst met een glimlach, met een ingehouden woede die het meest naar zichzelf gericht was. Sara hield van mensen met humor en had gemerkt dat ze het ook fijn vond om anderen aan het lachen te maken. Ze speelde een rol van een vrolijk, lollig, zelfverzekerde jonge meid, en daar was ze langzamerhand een ster in geworden. Deze tweede natuur, die bedoeld was om te overleven, vrat echter energie. Nooit was ze verder van zichzelf verwijderd, zo besefte Sara.

Ze ging niet vaak alleen de deur uit, dat was het voordeel van een groot gezin. Er was altijd wel iemand die je vergezelde, behalve vanavond. Ze had tot negen uur gewacht tot er iemand thuis zou komen, daarna was ze het zat.

"Voor tweeën thuis hè, Sara," riep mam. "Doe me een lol en kom voor de verandering eens op tijd."

"Ik doe mijn best. Heb je nog een paar sigaretten voor me? Ik ben zo goed als blut."

Het was snerpend koud. Het was weliswaar gestopt met regenen, maar de wind ging door alles heen. Het was dan ook geen luxe dat meteen nadat ze haar duim opgestoken had, de eerste de beste auto voor haar stopte.

Het raam ging open. "Waar moet je heen?"

"Naar, het plein, jullie ook?" Ze stak haar hoofd door het raampje. De auto zat helemaal vol.

"Nee, wij gaan naar Amsterdam, maar stap in, we brengen je wel even." Het portier ging open en ze maakten ruimte voor haar.

"Zullen we haar meenemen naar Amsterdam?" Ze praatten met elkaar alsof Sara niet in dezelfde auto zat.

"Waarom ga je niet mee?" vroegen ze haar nu. "We gaan naar een feestje."

Waarom niet, dacht Sara, ze had toch geen plannen en die ene jongen, die dikke, kwam haar wel bekend voor. Die had ze wel vaker in de bar gezien. Het was weer eens iets anders.
"Prima, rij maar door."

Het feest was in een grote schuur achter een woonhuis. Langs de muren stonden kale banken, waarop stelletjes dicht tegen elkaar aan zaten. In de hoek stonden kratten bier. Sterkedrank hadden de meeste zelf bij zich.

De dikke jongen bracht haar een flesje bier nadat hij zich ervan had overtuigd, dat er behalve Sara geen ander loslopend wild te bekennen was. Zelf gooide hij zijn flesje in één keer achterover, zette het onder de bank en begon verveeld op zijn nagels te bijten. Hij had nog geen stom woord gezegd.

Sara keek op haar horloge, hoe kwam het toch dat ze altijd van die impulsieve dingen deed! Nu zat ze op een feestje waar ze geen kant op kon en moest wachten tot de anderen weer naar huis gingen. De anderen waren overigens in geen velden of wegen te zien. Ze kon zichzelf wel voor haar kop slaan.

"Zullen we een stukje lopen?" Hij stond op en trok haar mee.

Oh God, de bekende smoes. Nu moest ze ook nog met hem naar buiten. Hij stopte bij de eerste de beste telefooncel. "Even bellen." Hij dook de cel in en klapte de deur voor haar neus dicht. Hij bleef bellen, steeds weer opnieuw. Toen hij uiteindelijk naar buiten kwam, was Sara bevroren en hij chagrijnig.

"Niemand thuis," mopperde hij onverstaanbaar.

"Wie belde je?"

"Een vriendin."

"En?"

"Niemand thuis."

"Jammer," zei Sara, ze meende het.

Om één uur hadden ze iedereen weer bij elkaar en gingen ze eindelijk terug. Terwijl de jongens hun auto parkeerden stapte Sara snel uit. "Bedankt hoor!" riep ze en ze vloog naar de andere kant van de straat. Niemand besteedde enige aandacht aan haar. Ze had geen zin om nog verder met deze jongens op te trekken. Voor het eerst in een weekend was ze blij dat ze naar huis kon.

Ze liep in een donkere straat. Het enige licht kwam van een straatlantaarn aan het eind van de straat. Daar vandaan kwam een man aanlopen. Hij liep met zekere passen op haar af, hij zag er dreigend uit. Ze wilde omdraaien, weglopen, maar ze was verlamd. Ze kon haar benen niet bewegen. De man kwam steeds dichterbij. Hij kon haar nu bijna aanraken, uithalen. Hij stak zijn armen uit, op zijn verwrongen gezicht lag een valse grijns.

Midden in de nacht werd ze wakker. Het was stil in huis, te stil. Sara hield haar ogen krampachtig open, ze moest dat beeld zien kwijt te raken. Ze verroerde zich niet en luisterde of ze ergens iets hoorde. Het gebeurde nu bijna iedere avond dat ze zo eng droomde. Het werd een obsessie. Er waren nachten dat ze nauwelijks sliep. Ze was bang om te gaan slapen en bang in het donker.

Tegen de ochtend, toen de eerste geluiden van beneden kwamen, durfde ze pas haar ogen dicht te doen.

Doodmoe en veel te laat stond ze op. Half aangekleed, haar knopen en ritsen onderweg dichtmakend, rende ze naar de bus, die net voor haar neus wegreed.

Op haar werk ging alles verkeerd. Het begon 's morgens met de stofzuigerslang die verkeerd zat. In plaats van dat ze de kachel had uitgezogen, was de hele woonkamer onder een zwarte laag roet bedekt. De kinderen gilden, Sara draaide zich om en zag de chaos die ze had aangericht. Voor ze wist wat ze moest doen, stond er al een slaperige moeder met ogen op steeltjes in de deuropening. Ze keek van Sara, naar haar dochtertjes, en toen weer naar Sara. Opeens begon ze te lachen, eerst voorzichtig en toen al harder.

Het gevolg was grote schoonmaak. De bank ging naar buiten, de gordijnen in de wasmachine. De kamer werd van onder tot boven gesopt tot er geen roet meer te zien was. Daarna werden de muren gesausd en mocht de schoongemaakte bank weer naar binnen.

Om negen uur 's avonds waren ze klaar. De kamer zag er fris en schoon uit. De gordijnen hingen en op de gepoetste salontafel prijkte een mooie bos bloemen. "Cadeautje." Sara zat samen met de moeder van haar oppasgezin met een maskertje op hun gezicht, onderuitgezakt op de bank. Ze dronken wijn, die ze voorzichtig naar binnen spoelden. Het was niet de bedoeling dat ze zouden lachen, dus keken ze strak voor zich. Toen het masker eraf was gehaald en de fles leeg was, was het tijd om te gaan.

Op weg naar huis liep Sara nog even de bar in. Het was onverwacht gezellig. Iemand tikte op haar schouder. Het was de jongen van het feest in Amsterdam. "Kom je bij ons staan?"

Sara was al een beetje aangeschoten en liep achter de jongen aan naar de hoek waar zijn vrienden stonden. Ze begon met de jongen te praten en kwam erachter dat hij Frans heette. Ze lachten, dronken en hadden het helemaal naar hun zin, totdat zijn vrienden naar een andere kroeg gingen. "Ga mee, dan breng ik je later wel naar huis."

"Toch niet via Amsterdam?" Het maakte haar eigenlijk niets uit, de drank maakte haar roekeloos. Morgen had ze vrij en of ze nou vroeg of laat thuiskwam, herrie was er toch. Ze vlogen van kroeg naar kroeg en het was al laat toen ze uiteindelijk naar zijn auto liepen.

Bij de start maakte de auto een raar geluid. Sara keek hem ongerust aan. Hij stapte uit en liep om de auto heen. "Ik denk dat we een probleem hebben." Hij keek op zijn horloge. Om hen heen was alles donker, de auto stond op een verlaten parkeerplaats en de kroegen waren dicht. "We moeten wachten tot morgenochtend, eerder kan ik niets doen."

Sara was op slag nuchter. "Kan je niet ergens een fiets lenen?"

"Om drie uur 's nachts? Hoe wou je dat doen?"

Om zeven uur 's morgens kwam Sara thuis. Boven hoorde ze een deur slaan.

"Waar kom jij godverdomme vandaan, we hebben iedereen afgebeld, maar niemand wist waar je was."

Ze hing een zielig verhaal op over de auto die stuk was en hoe ze hun best hadden gedaan. Juist omdat ze wel wist dat ze ongerust zouden zijn.

"Je had verdomme toch kunnen bellen?"

"Midden in de nacht? Bij wie?"

Als Sara aan de afgelopen nacht dacht, schaamde ze zich dood. Het rood kwam langzaam bij haar hals omhoog en verspreidde zich over haar hele gezicht. Zou ze ooit nog iets van hem horen? Ze wist dat hij in dienst zat en ze hem doordeweeks dus niet zou tegenkomen. Elke week ging ze na haar werk braaf naar huis en alleen in het weekend uit. Het was voor Sara ook beter. Niet dat het thuis erg gezellig was: de sfeer was nog steeds om te snijden.

Haar moeder had geen woord geloofd van Sara's verhaal. "Dat geloof je toch zeker niet, zulke onzin? Ze maakt ons hele gezin te schande. Niets dan ellende met dat kind."

Sara had angstig achter de deur staan luisteren. Haar moeder wist precies hoe ze haar vader razend kon maken. Op het moment dat haar vader met een paars hoofd de keuken uitkwam, was Sara snel weggedoken.

"Ja, loop maar weer weg," sneerde mam hem achterna. Abrupt draaide hij zich om en ging terug de keuken in. Zo ging het telkens de laatste tijd. Het werd steeds erger. "Het wordt tijd dat je eens iets behoorlijks gaat doen," snauwde ze tegen hem. "Werk waarmee je voor de dag kunt komen." Haar moeder liet geen ruzie voorbij gaan, zonder ermee te eindigen dat ze ver beneden haar stand getrouwd was. Het was waarschijnlijk de bedoeling dat haar vader besefte dat hij met haar een lot uit de loterij had. Vreemd genoeg hadden deze opmerkingen op hem een heel andere uitwerking. "Jij met je kapsones."

Mam, mam en nog eens mam, daar draaide alles om. Ze vroeg de hele dag om aandacht. Eerst maakten ze ruzie en daarna kropen ze weer bij elkaar op schoot. Het was Sara een raadsel waarom haar vader het allemaal toeliet. Hij liep als een hond achter haar aan terwijl zij hem alleen maar naar beneden haalde. "Mam is niet zo sterk en ze houdt van luxe" verdedigde hij haar. "Als mam het maar naar haar zin heeft", was zijn motto. Het ergste was dat hij van zijn kinderen dezelfde houding verwachtte.

Sara zou nooit die keer vergeten dat hij aan haar bed stond. Het was vlak na de dood van de baby. Ze had stiekem gehuild, haar hoofd in het kussen. Haar vader hield niet van jankerds. Niemand in huis mocht huilen, alleen haar moeder. Ze schrok dan ook toen hij ineens voor haar bed stond.

"Wat is er Sara?" had hij vriendelijk gevraagd. "Vind je het zo zielig voor mama, dat ze de baby verloren heeft?"

Sara had haar gezicht, snikkend over zo veel onmacht, verder in het kussen gestopt. Toen haar vader geen antwoord kreeg, was hij weer terug naar bed gegaan.

Had hij dat echt gezegd? vroeg ze zich later af. Ze kon het niet geloven. Die man was echt onmogelijk.

Nee!!! Ze had het wel in zijn gezicht willen gillen. Mag ik geen verdriet of emoties hebben, heb ik daar geen recht op?! Het was altijd het verdriet van iemand anders. Ze pikte haar moeders verdriet niet af. Ze had zelf verdriet, zag hij dat dan niet?

Ik bel je nog wel, had Frans na de bewuste avond geroepen, toen hij haar uiteindelijk in alle vroegte op de bus had gezet. Sara kende die smoezen. Haar broers gebruikten ze aan de lopende band. Ze dacht er niet meer aan toen de telefoon ging. Mam draaide zich om met de hoorn in haar hand. "Voor jou."

"Hoi, met Frans."

Sara bleef van schrik even stil.

"Hallo, ben je er nog?"

"Ja. Hoe gaat het?"

"Zal ik je zaterdag komen halen?"

"Zaterdag?" herhaalde ze traag.

"Heb je al wat anders?"

"Nee. Hoe laat?"

"Acht uur?"

"Oké."

"Leuk. Bezwaar als ik iemand meeneem?"

"Die vriendin die niet thuis was?"

"Doe niet zo flauw."

"Wie was dat Sara?" vroeg mam.

"Oh, een jongen"

"Leuke jongen? Wat doet zijn vader?"

"Niets, die is dood."

"Wat zielig. Is hij katholiek?"

"Weet ik veel! Dat vraag je zaterdag maar, als je maar niet over zijn vader begint."

"Nee, natuurlijk niet."

Zaterdag, stipt om acht uur, ging de bel. Voor de zoveelste keer die avond wierp ze een blik in de spiegel.

"Laat je hem even binnen, Sara?"

Frans stond voor de deur. Haar blik ging van zijn trui - de naad op zijn schouder was kapot - naar zijn versleten spijkerbroek en stopte bij zijn schoenen, waarvan de veters er los bij hingen.

"Zullen we gaan? Ze staan te wachten." Hij wees naar de overkant.

"We gaan," riep Sara over haar schouder en ze haastte zich naar de auto. Voor het raam bewoog de vitrage. De ramen van de auto stonden open en de autoradio stond op zijn hardst.

"Waar gaan we heen?"

"Eerst naar het dorp, we beginnen in de bar, daarna zien we wel." Na een uur was het Sara nog steeds een raadsel waarom hij haar had opgehaald. Ze stond gezellig met zijn vrienden die haar ruimschoots van bier voorzagen. Frans kwam alleen in de buurt als zijn glas leeg was.

"Lekker, zo'n vriend," zei Sara. "Hij zuipt alleen maar van jullie en geeft zelf niets weg."

"Daar zijn we aan gewend. Frans is altijd los, maar wel gezellig."

"Ja, dat heb ik in de gaten."

"We gaan naar de Club" stelde een van zijn vrienden voor, daar speelt een goede band. "Zeg jij het tegen Frans?"

Frans was echter niet aanspreekbaar. Het groepje dat om hem heen stond was zeer luidruchtig, maar je hoorde hem boven alles uit.

Sara zwaaide en liep met zijn vrienden naar buiten. Het bleef een eigenaardige zak. Ze had er nu echt de pest in.. Ze persten zich in de auto en zaten al op elkaars schoot toen Frans aan kwam rennen. Hij dook naast haar op de achterbank en deed zijn arm om haar heen alsof ze al de hele avond samen waren. "Moeilijk wegkomen hoor. Je snapt het wel. Hier een bekende, daar een bekende."

Maar nee, ze snapte er niets van.

"Dienst hè, dan zie je vrienden alleen in het weekend."
Alsof dat een verklaring was voor alles. "Gaan we vanavond naar mijn huis?" vroeg hij. Hij ademde zwaar in haar hals.

Nou, zo ging dat natuurlijk niet, maar dat zou ze hem later wel vertellen.

De rest van de avond verliep beter. Frans en Sara dansten woest op de Beatles, dronken bier, rookten en bleven de hele avond in elkaars gezelschap.

Het was inmiddels half twee. De dansvloer was schaars verlicht en ze zwijmelden op de muziek van Tom Jones. Frans' vrienden waren in geen velden of wegen meer te zien. Het deerde haar niet.

Op de rand van de dansvloer stond een man, de hoed met de scherpe vouw stond scheef op zijn hoofd. Oude snoeper. Normaal kwamen hier alleen maar jonge mensen.

Ze danste, zoende Frans in zijn hals, haar handen woelden door zijn haar. Ze staarde in de verte en zag de oude man weer. Hij kwam haar bekend voor. Ze keek hem recht in het gezicht. Het gezicht van haar vader, hij keek haar strak aan, en wenkte…

Mijn God, nee toch. Wat moest ze doen? Ze voelde een heftige woede in zich opkomen. Frans had niets in de gaten. Hij zong mee met de muziek en zijn handen lagen om haar middel. Ze keek hem verliefd aan.

"Je zult me nu echt even moeten loslaten voor ik het in mijn broek doe. Hier," ze haalde een tientje uit haar zak en duwde hem richting bar, "bestel jij twee biertjes."

Sara liep de dansvloer af. In het voorbijgaan wierp ze een vernietigende blik naar haar vader. Met snelle passen liep hij achter haar aan. Ze liep richting uitgang, ver weg van de bar, en draaide zich woest om. "Wat is dit voor idioterie? Je zet me compleet voor lul. Wat kom je doen?"

"Je gaat nu mee naar buiten," zei hij dreigend.

"Je denkt toch zeker niet dat ik met je mee ga!" Ze kookte van woede.

Nu kwam hij in actie. "Jij gaat met mij mee, jongedame, niet goedschiks dan kwaadschiks. Het is verdomme half twee. Je weet niets van die jongen. Waar die vandaan komt, of hij katholiek is, helemaal niets, geen snars."

"Ik ga niet mee zonder hem gedag gezegd te hebben, en ik wil dat je buiten blijft wachten."

Heel even leek hij te twijfelen. "Dat is goed." Hij tikte op zijn horloge "Als je om kwart voor twee niet buiten bent, kom ik weer naar binnen."

Zonder hem nog een blik waardig te keuren, draaide Sara zich om en liep richting bar.

Frans was blij haar te zien. "Hier, je biertje. Ik heb er nog maar een besteld. Waar bleef je zo lang?"

Ze gaf hem een zoen en dronk het bier in een teug leeg.

"Niet boos zijn. Ik heb een heerlijke avond gehad, maar buiten staat een razende vader."

Hij keek haar niet begrijpend aan. "Je vader, hier?" Het was duidelijk. Hij geloofde er niets van.

"Ik bel je." Met een laatste zoen draaide ze zich om en zorgde dat ze buiten kwam.

Ze vervloekte de hele situatie. Hoe lang was hij van plan hier mee door te gaan? Je vader die je komt ophalen! Buitengekomen stond hij met zijn brommer aan de hand. Gênant hoor. Negentien en bij je vader achter op de brommer naar huis. Eenmaal thuis vloog ze de trap op. Ze kon die man niet meer zien.

"Hoe was die jongen, waar je gisteravond mee uit was?"

Mam zat in de kamer en lakte haar nagels. Ze trok schalks haar wenkbrauw op en glimlachte allerliefst.

Stom mens, dacht Sara, en zweeg. Dacht ze nu werkelijk dat ze daarin trapte? "Geen idee, dat ga ik nu uitzoeken."

"Hoe bedoel je?" Mam wapperde met haar handen en blies haar nagels droog.

"Net zoals ik het zeg." Sara liep de kamer uit en pakte haar tas. "Je denkt toch niet dat ik me zo laat behandelen." Ze smeet de deur dicht.

Haar moeder kwam achter haar aan. "Waar ga je naar toe? Ga zitten en doe niet zo idioot. Je weet hoe driftig je vader kan zijn."

"Ja, dat weet ik, daarom juist."

"Je blijft thuis. Pap vermoordt je."

"Dat is goed, hij weet me vast wel te vinden." Langzaam liep ze de straat uit, vechtend tegen haar tranen. Het liefst had ze nog gezellig met haar broers gezeten. Gezamenlijk met ze naar de kroeg gegaan, in plaats van hier op straat te lopen. Maar thuisblijven en gezellig doen was geen optie. Hij zou ervan genieten!

Wegblijven en ze in ongerustheid laten zitten. Ze kende genoeg meisjes die dat deden. Gek genoeg gaf deze gedachte haar ook geen enkele voldoening. Integendeel. Het zou betekenen dat ze zwak was en dat ze capituleerde voor hun ouderwetse begrippen. Nee, die lol zou ze hun niet gunnen. Maar wat dan?

De hele middag zwierf ze door de stad. De luiken voor de winkels waren gesloten. De kroeg wilde ze niet in, omdat ze niet wist hoe ze haar gevoelens moest verbergen. Waar kon ze heen?

10

Sara was niet de enige die met de gebeurtenis van de zaterdagavond in haar maag zat. Ook Frans had van die avond een raar gevoel overgehouden. Het was op zijn minst genomen toch vreemd, een meid van die leeftijd die door haar vader werd opgehaald. Was het wel haar vader, vroeg hij zich af, of speelde ze een spelletje met hem? Ze was zo plotseling vertrokken.

Het idee dat er iets anders aan de hand was, maakte hem onrustig. Hij moest het gewoon zeker weten! Je wist het nooit met die vrouwen, maar van Sara had hij dit niet verwacht. Hij moest haar zien, vanavond nog. Geen minuut langer hield hij het nog uit.

De wacht aan de poort was even uit het zicht toen hij over het hek klom. Frans liep achter de gebouwen langs naar de weg. Toen hij in de verte een paar legertrucks zag naderen, dook hij weg in de berm. De volgende wagen was er een van Van Gend en Loos. Frans ging midden op de weg staan en stak zijn duim op. De man stopte.

Bijna voor de deur werd hij afgezet. Na de man bedankt te hebben, liep hij met stevige passen de straat in. De hele weg had hij geoefend, maar niet één knappe openingszin was blijven hangen.

De vrouw die opendeed, staarde hem verschrikt aan. Ze keek van hem naar het geweer dat hij bij zich had. "Jij mag binnenkomen," zei ze, nadat hij zich had voorgesteld, "maar dat ding," en ze wees naar het geweer, "blijft buiten."

Voordat Sara de sleutel in het slot stak, werd de deur geopend. "Visite voor je," fluisterde haar moeder geheimzinnig. In een oogopslag overzag Sara het slagveld. Frans zat met haar broers om de tafel, ze dronken bier en speelden kaart. Haar vader draaide zich glunderend om, zijn kale bol glansde onder de lamp.

"Schat." Haar moeder gaf hem haar allerliefste glimlach.

"Wil jij deze pinda's op een schaal doen en vergeet niet een bord voor de doppen."

Sara keek verbaasd naar dit huiselijke tafereeltje. Frans begroette haar met een glimlach. Het bloed steeg naar haar wangen. Hij zat erbij of hij al jaren over de vloer kwam. Ze liep naar de gang en wierp een blik in de spiegel. In haar hals verschenen rode vlekken.

"Aardige jongen. Pap vindt hem ook leuk en met je broers klikt het aardig." Haar moeder streek met een wuft gebaar haar zwarte haardos naar achteren.

Sara draaide zich om. "Dat is die jongen van zaterdag, waar jullie je zo nodig mee moesten bemoeien."

"Ja, kind, dat heeft hij verteld, maar je kunt tegenwoordig niet voorzichtig genoeg zijn. Wist je dat zijn moeder een eigen zaak heeft?" sprak ze nu wat zachter.

Haar vader kwam jolig de gang in. "Waar blijf je nou?"

Sara wierp hem een nijdige blik toe en kwam de kamer weer in. Ze keek van de een naar de ander, wat een familie! Ze schaamde zich dood. Wat moest hij wel niet denken. "Zullen we een rondje om lopen?" vroeg ze, in de hoop hem even voor zichzelf te hebben. Hij was met haar broers in gesprek, dus vroeg ze het nog een keer. Voor wie kwam hij nu eigenlijk?

Met tegenzin maakte hij zich van de tafel los.

"Hoe laat moet je weer terug zijn?" vroeg Bob.

"Vóór zeven uur 's morgens," antwoordde hij laconiek.

"Bij de jongens op de kamer is plaats genoeg, dus als je wilt kun je hier slapen." Haar vader klopte Frans joviaal op de schouder.

Sara keek naar haar vader. Nou brak haar klomp. Hij zat zich echt uit te sloven. Ze had hem in jaren niet zo gezien. Ze pakte haar jas en bleef net zo lang in de deuropening staan tot Frans opstond en met haar meeging. Weg uit dit gekkenhuis. Zo snel mogelijk trok ze hem de straat uit.

"Waar gaan we heen?" Hij kon haar nauwelijks bijhouden.

Op straat trok hij haar tegen zich aan en kon zich nauwelijks bedwingen. Hij kwam dus toch voor haar! "Ik moet heel vroeg terug, anders zit ik het weekend vast. Denk je dat je vader het meende, van dat slapen bedoel ik?"

"Dat denk ik wel, anders zegt hij het niet, maar kom niet op mijn kamer want hij vermoordt je."

"Weet je, Sara, ik ben over het hek geklommen. Ik moest je gewoon zien."

Ze was in de wolken. Zoiets had nog nooit iemand voor haar gedaan. Ze wilde nu niet aan haar vader denken, en trok hem achter zich aan de steeg in. Het was er donker en stil. Vooral stil. Hun handen vonden moeiteloos de weg. Zo stonden ze daar tegen elkaar aangedrukt, de wereld om zich heen vergetend. Met moeite lieten ze elkaar los.

Toen ze terugkwamen zagen ze dat de lichten in de kamer uit waren. Het huis was donker.

"Wat moeten we hiermee? Je moeder wil het niet binnen hebben."

Sara pakte het geweer voorzichtig op en zette het in de meterkast. Niet vergeten! dacht ze.

Met de komst van Frans waren haar moeders grootste angst en haar vaders verstikkende achterdocht van de baan. Hun dochter was onder de pannen. Daarbij was er nog iets anders wat hen beiden zichtbaar goeddeed. Haar vader had een nieuwe baan. Tot grote vreugde van haar moeder ging hij vermomd als meneer de deur uit. Haar moeder trok zijn das recht, veegde denkbeeldige stofjes van zijn schouder, bekeek hem van een afstand en knikte goedkeurend. Iedere dag hetzelfde donkerblauwe pak. Haar moeder was tevreden, eindelijk kon ze met hem voor de dag komen.

Nu hij zich mocht verblijden in de goedkeuring van zijn vrouw, leken de driftbuien van haar vader tot het verleden te behoren. Toch hield Sara er rekening mee dat het nieuwe imago van haar vader een dun laagje vernis was. Ze vermeed dan ook angstvallig ieder conflict.

Ondertussen keek ze elk weekend uit naar het moment dat Frans in zijn uniform de straat in zou komen. Dan ging haar hart als een wilde tekeer en was ze vervuld van trots. Hij kwam voor haar, alleen voor haar! Vaak dacht ze terug aan hun eerste ontmoetingen. Eerst het vreemde feest in Amsterdam, daarna de avonden met vrienden en het eerste echte gesprek. En toen hun afspraakje voor het eerst zonder aanhang. Ze wist het nog goed.

Het was in een stoffig, oud buurtcafé aan de buitenkant van de stad. Op tafel lagen pluche tafelkleedjes. De barkeeper, een norse man die in een blad zat te kijken, gaapte verveeld toen ze binnenkwamen. Het was half elf 's avonds.

"We zullen meteen maar bestellen, voordat hij gaat sluiten," zei Frans. Ze zaten in de hoek, het was schemerig en een plant belette het uitzicht op de bar.

"Hoe oud ben je eigenlijk?" vroeg Frans. Hij trok haar wat dichter naar zich toe.

"Negentien en jij?"

"Achttien."

"Achttien?" Gek dat ze dit nooit eerder hadden besproken. Ze had hem ouder geschat. "Ik dacht dat je veel ouder was, ergens in de twintig."

Hij stond op pakte hun lege glazen en draaide zich meteen weer om. "We gaan."

Geschrokken had ze hem aangekeken. "Ben je beledigd?"

"Welnee," hij lachte en wees naar de bar. "Wat dacht je daarvan?" De barkeeper was op zijn kruk in slaap gevallen.

Het feit dat Frans niet katholiek was, werd ruimschoots gecompenseerd doordat zijn moeder een eigen zaak had. Hij kwam uit een goede familie. Haar ouders waren dat uiteraard allemaal met eigen ogen gaan bekijken, en nadat ze een paar beleefdheidbezoekjes over en weer hadden afgelegd, was hij goedgekeurd.

Voor Sara hield dat in dat ze 's avonds niet meer door haar vader opgehaald hoefde te worden. "Frans' moeder is een beschaafde vrouw. Ik twijfel geen moment aan haar," zei haar vader. Het eerste wat hij dan ook vroeg toen ze keurig naar huis belde dat ze bleef slapen, was: "Is zijn moeder ook thuis?" Waarop Sara dan zonder te liegen bevestigend kon antwoorden. "Dan is het goed," zei hij uiterst tevreden. Dat Frans' moeder erg op haar nachtrust gesteld was en ze beslist niet als oppas wilde fungeren, kwam niet in haar vaders hoofd op.

Nog een paar maanden, dan zat Frans' diensttijd erop. Hij zou dan niet meer de hele week weg zijn en eindelijk eens wat kunnen verdienen.

Op een dag belde Frans haar op. "Vanavond om half acht bij de Italiaan."

"Wat vieren we?" had ze gekscherend gevraagd.

Een halfuur te vroeg was ze al in het restaurant. Ze koos een tafeltje bij het raam, bestelde een biertje en stak een sigaret op. Ze zag Frans de straat oversteken. De lange donkerblauwe jas, het uniform van de luchtmacht, wapperde nonchalant om hem heen. Hij stak zijn hand op toen hij haar zag.

"Wat heb je voor spannends?" vroeg ze, nadat hij was gaan zitten.

"Eerst een biertje, wil jij nog wat?" Hij bestelde twee biertjes en twee pizza's en wachtte tot de ober weg was. Hij boog zich voorover. "Ik ben vandaag wezen solliciteren."

"Echt? Waar dan?" ze pakte haar sigaretten en gaf hem er een. "Vertel eens, wat spannend!"

"Er wordt een nieuw motel gebouwd, in het voorjaar gaat het open. Er stond een advertentie in de krant. Ze zoeken personeel voor achter de bar."

"Denk je dat je kans maakt?"

"Ze waren erg onder de indruk, vooral omdat ik vier talen spreek."

"Vier talen?"

"Ja, Engels, Frans, Spaans en Portugees."

"Spaans en Portugees?" Sara schoot in de lach. "Heb je dat gezegd? Jij durft."

De ober bracht de pizza's.

Om half tien had Frans met Hans en Nico in de bar afgesproken. Ook hun vertelde hij over de sollicitatie en de vier talen die hij sprak.

"Net wat voor hem!" zei Nico, toen Frans naar het toilet was. "Hoe durft hij! Maar wat zullen we een geld overhouden als hij zelf gaat verdienen!"

"We moeten eigenlijk wat voor hem organiseren," zei Hans.

Ze hadden het allemaal buiten Frans om met zijn moeder doorgesproken. Gelukkig was die niet zo moeilijk. Ze konden het zomerhuis gebruiken en de muziekinstallatie, als alles maar weer teruggezet werd voor ze thuiskwam. Ze had Sara ook wat geld voor bier en sigaretten toegestopt. Zelf ging ze het weekend naar vrienden.

Er werden matrassen op de grond van het zomerhuis gelegd, de geluidsinstallatie en een staande schemerlamp werden uit de kamer gehaald. Ze haalden de kussens van de bank en sleepten daarna de drank naar binnen. De hele dag waren ze in de weer.

Tegen het eind van de middag was alles klaar. Om zeven uur zouden de eerste gasten komen. Ze sloten het zomerhuis af en iedereen ging naar zijn eigen huis om te eten. Sara ging met Hans mee.

De eerste gasten zaten al aan het bier, de muziek stond aan en de schemerlamp in de hoek verspreidde een flauw licht, toen Frans om acht uur precies binnenkwam. Hij was blij verrast, en niet alleen door het bier dat hoog stond opgestapeld. Ze proostten met z'n allen op een nieuw begin, vooral financieel, en feestten tot diep in de nacht.

Toen de laatste gasten waren vertrokken, lag Frans op het kussen van de bank met een flesje bier aan zijn mond. "Wat was het geslaagd, eerlijk, dat was tof van jullie!" Hij strekte zijn arm naar Sara uit en probeerde haar op de bank te trekken. Maar in plaats daarvan viel het bier uit zijn handen.

De volgende dag ging het feest gewoon weer verder. Onder het mom van 'wij komen opruimen', kwamen ze allemaal weer aanzetten. Ze dronken de restjes op en hingen lui en halfdronken op de matrassen.

Sara was de enige die de klok in de gaten hield. Er moest nog veel gedaan worden. Zijn moeder zou toch wel een keer thuiskomen.

Eerst de woonkamer. Met behulp van Nico, die nooit zo veel dronk, zette ze de geluidsinstallatie en de schemerlamp weer terug op hun plaats. De anderen probeerden de matrassen weer op te stapelen en terug in het kleine, puntige zoldertje te stoppen. Dat gaf nog een hoop hilariteit. Omlaag gooien was niet zo'n probleem geweest, maar omhoog…

Sara liet ze maar aanmodderen en maakte zelf eerst de woonkamer aan kant. Ze haalde alle rotzooi van de grond - asbakken, flessen, lege glazen - en waste alles af bij het kleine aanrechtje.

Als laatste veegde ze de vloer, zette de deur op een kier vanwege de stank, en liep het huis in.

Om vier uur droop iedereen af naar de kroeg.

"Wij komen zo," zei Frans. Hij sloeg zijn arm om Sara heen.

"Moet jij niet mee?" vroeg ze verbaasd.

"Ik wil je eerst wat vragen."

"Wat klinkt dat plechtig."

"Dat is het ook."

"Goed," giechelend plofte ze op een stoel. "Ik luister."

"Wil je met me verloven?"

Ze dacht dat het een grapje was. "Ja hoor, dat is pas echt ouderwets."

"Nee, kom op nou, Sara, ik meen het." Hij was aandoenlijk. Nog nooit had ze zo veel van iemand gehouden! Maar verloven? Dat was toch helemaal uit.

Een maand daarna waren ze verloofd. In haar hart was ze wat trots. Gaf het tenslotte niet aan hoe serieus hij was?

Een week na het feestje had hij enthousiast opgebeld om te zeggen dat hij was aangenomen als barkeeper. Sara was verrukt. Hij had haar opgehaald en ze hadden het samen gevierd. In de stad kochten ze witte overhemden en zwarte schoenen met echte leren zolen.

Zij betaalde. Hij moest er netjes uitzien en later kwam dat geld wel weer terug. Daarna gingen ze van kroeg naar kroeg. Als laatste belandden ze in de Extase, de nachtclub waar hun romance min of meer begonnen was.

"Geniet er maar van," zei Frans. "Het zal voorlopig ons laatste avondje samen wel zijn."

Hij had gelijk. De tijd waar ze zich zo op verheugd had viel tot nog toe niet mee. Ze zag hem nu hij werkte nog minder dan toen hij in dienst zat. Sara werkte overdag en hij 's nachts, zes dagen per week. In de weekenden, die ze voorheen samen doorbrachten, vertrok Frans om vier uur 's middags en werkte hij tot diep in de nacht door. "Dat gaat allemaal veranderen als mijn rooster vaststaat, Sara," beloofde hij haar.

11

Het was Pasen. 's Morgens was Sara met het hele gezin naar de mis geweest. Daarna kwam het traditionele paasontbijt. De hele dag stond in het teken van de kerk, beter gezegd de hele maand.
Het begon met de vasten. Dan Aswoensdag, Witte Donderdag, Goede Vrijdag en dan eindelijk het hoogfeest van Pasen.
Na het ontbijt trok Sara's vader zich het liefst terug in de keuken. Op het aanrecht hakte hij eerst de basis van de salade in piepkleine blokjes. Daarna volgde wat als niemand anders zo kon als hij: het decoreren. Met een engelengeduld bracht hij de ham, asperges, zalm, garnalen en andere ingrediënten tot leven. Net als vroeger in de bakkerij toverde hij van augurken ragfijne steeltjes en bloemblaadjes van tomaten. Zó flinterdun dat ze niet van echt te onderscheiden waren.
's Avonds, vooraf aan de hors-d'oeuvre, werd de gebruikelijke juliennesoep geserveerd. Mam haalde hem uit een pakje, meer om de naam dan om de smaak; de soep smaakte naar niets. Het hoofdgerecht, dat al jaren uit kip bestond, was dit jaar gewijzigd. Dit jaar aten ze wild. Dat was een idee van Jos, de kok van de familie. Het hele huis was doordrongen van een scherpe, ondefinieerbare, duffe lucht. En in tegenstelling tot de vette kippen die ze ieder jaar aten, was het wild meer bot dan vlees. Het beestje had van hen dan ook wel wat langer mogen leven.
Na het eten werd de tafel afgeruimd. Het was tijd voor spelletjes. Sara ging naar de keuken. "Zal ik je even helpen, mam?"
"Graag, doe die deur maar dicht." Sara pakte een theedoek, en wachtte tot haar moeder haar schort voor had, een sigaret had aangestoken, een diepe haal had genomen en de sigaret vervolgens van haar natte lippen lostrok om op de rand van het aanrecht te leggen.

"Denk je dat ik vanavond weg mag? Ik wil zo graag langs Frans. We zien elkaar zo weinig."

Haar moeder keek op van de afwas. Ze droogde haar handen aan haar schort. "Je weet hoe je vader erover denkt. Hij wil gewoon dat iedereen er is op dit soort dagen."

"Asjeblieft, doe een goed woordje voor me."

Haar moeder zuchtte. "Ik doe mijn best maar houd jij je erbuiten."

Een uurtje later zat Sara in de bus. Het was niet gemakkelijk geweest. Maar tenslotte was Frans ook niet zomaar iemand, en daarbij waren ze verloofd. De bus stopte op de hoek, Sara stapte uit en rende tot ze bij de deur van het restaurant was.

Haar ogen moesten even wennen aan de schemerige omgeving. Het restaurant was leeg, aan de bar achterin zaten maar een paar mensen. Mooi, des te meer tijd had hij voor haar.

Frans stond bij de koffiemachine. Hij draaide zich om en keek verrast. Hij zag er knap uit in dat pak. Sara liep automatisch achter de bar en gaf hem een zoen. Ze hield hem even tegen zich aan.

Hij keek angstig om zich heen "Niet hier."

Lachend draaide ze zich om en ging aan de bar zitten. Op de hoek zaten twee meisjes, spichtige types. De één lang, vet haar, de ander een rattenkop. Niet echt meisjes die je in een dergelijke zaak zou verwachten. Aan de andere kant, tegenover hen, zat een vrouw haar nagels te lakken. Het waren de enige klanten.

Sara zocht in haar tas naar sigaretten en een vuurtje. Frans pakte een doosje lucifers en legde het nonchalant voor haar neer. Daarna ging hij weer naar zijn klanten op de hoek. Hij hing over de bar, de meisjes zeiden iets. Hij lachte uitbundig, gooide zijn hoofd achterover en verdween door de klapdeur naar de keuken. Even later kwam hij terug met twee cocktails. Hij gaf ze aan de meisjes in de hoek. Ze giechelden en proostten, waarna ze de felgekleurde rietjes uitdagend in hun mond staken.

Sara inhaleerde diep en volgde de rook die zich boven haar hoofd verspreidde. "Frans," riep ze.

Hij keek om.

"Geef mij maar een cola-tic." Ze keek toe hoe hij de fles van de plank pakte, ijsklontjes in haar glas deed en de cola erbij schonk.

Het was heel bijzonder, dat ze hier zat. Kerstmis of Pasen vierde je thuis. Alleen zwervers liepen dan langs de straat. Verloedering van het roomse leven noemde haar vader het. Hij had er geen goed woord voor over.

Toen Frans het glas voor haar neerzette pakte ze zijn hand. Hij week verschrikt terug en keek in de richting van zijn klanten. Sara moest lachen. "Ze hebben toch wat te drinken." Ze keek achterom. "Of moet je ook in de zaal bedienen?" Hij schudde van nee.

De vrouw was klaar met haar nagels. Ze schroefde het flesje zorgvuldig dicht, kromde haar handen, zoals Sara haar moeder zo vaak zag doen, en blies langs haar nagels alsof ze mondharmonica speelde. Ze pakte het flesje, stak haar hand op en was weg.

Sara observeerde Frans terwijl hij de glazen spoelde, ze kon haar ogen niet van hem afhouden. Hij zou altijd een pak moeten dragen, dacht ze. "Tot hoe laat moet je werken?"

Hij hoorde haar niet.

Sara dronk haar glas leeg en bestelde een nieuwe. De drank maakte haar loom en warm.

Met zijn rug naar Sara toe stond Frans met zijn enige klanten te lachen. Hij had hen inmiddels de derde cocktail gebracht en ze boden hem zijn derde wodka-jus aan. Jammer dat die meiden zo veel aandacht vroegen, maar sommige klanten waren nu eenmaal lastig.

Frans kwam nu op haar af. "Zit je lekker?" Hij wilde meteen weer weglopen.

"Blijf even hier." Sara legde haar hand op zijn arm.

"Sara…," hij liet zijn stem dalen, "ik ga met haar," en hij wees naar een van de meisjes, "naar Amerika."

"Dat doe je goed, voor hoe lang? Grapjas."

"Nee, echt," zei hij. Hij liep weer terug naar de hoek van de bar. "Wij," hij pakte nu de hand van het meisje, "wij samen."

Het meisje, met het vette haar, boog zich naar voren, trok Frans' hoofd naar zich toe en fluisterde iets in zijn oor.

"Zie je Sara, het is menens." Frans lachte verliefd naar het meisje, en pakte haar hand. "We gaan in ieder geval voor een jaar."

Sara voelde het bloed uit haar hoofd wegtrekken en werd misselijk. Dit was niet waar. Het was een nachtmerrie. Ze zou zo wakker worden en dan had ze het allemaal gedroomd. "En ik dan?" Ze kon het nog steeds niet geloven. "We zijn net verloofd!"

"Toe nou zeg. Als je van me houdt, dan wacht je op me."

"Is ze jaloers?" vroeg het meisje slijmerig aan Frans. Ze hield haar hoofd schuin en nam Sara lachend op. "Mag ik hem niet van je lenen?" Ze lachten nu met z'n drieën.

Was dit Frans? De man waar ze van hield en die ze vertrouwde. Ze keek van de een naar de ander. Door een mist zag ze drie grijnzende verwrongen gezichten. Ze had het gevoel dat ze in een derderangs film zat.

Tergend langzaam stond Sara op en bewoog zich naar de hoek van de bar. Het was zwart voor haar ogen.

"Stel je niet zo aan Sara," klonk de stem van Frans. "Moet je kijken hoe je eruitziet."

"Je bent mijn verloofde." Sara's stem sloeg over. "En jij," schreeuwde ze, terwijl ze naar het magere scharminkel wees, "Jij lijkt op het konijn dat ik vanavond op mijn bord had."

Nu werd Frans kwaad. "Je wordt nu echt grof, Sara, donder op."

"Dat zal ik wel doen ook, jezus, wat ben jij een uitslover!" Sara stond op en liep tergend langzaam naar de hoek, waar het spichtige meisje zat. Frans volgde haar met argusogen.

Het meisje had zich inmiddels omgedraaid en keek Sara triomfantelijk aan. Sara deed alsof ze langs haar liep, maar draaide zich plotseling om en leegde de inhoud van haar glas in haar blouse.

Razend liep Sara naar de uitgang. Bij de deur draaide ze zich om en smeet haar verlovingsring dwars door de tent. "Geef die ook maar aan haar, vette zak!"

Sara liep zonder te denken, gewoonweg maar stom lopen. Ze wist niet waar ze heen liep, het maakte haar ook niet uit. Als ze maar in beweging bleef. Op een goed moment zou ze wakker worden, en bleek alles een groot misverstand. Ze zouden er om lachen...

De volgende morgen werd ze in haar bed wakker. Om vijf uur

's morgens had haar moeder Sara met haar jas aan slapend in de stoel gevonden. Die had onmiddellijk gezien dat er iets mis was. Ze had thee gezet en een kruik bij Sara in bed gedaan. "Ga nu eerst maar eens slapen en zorg dat je een beetje warm wordt," had ze gezegd. "Morgen praten we verder."

Direct toen Sara haar ogen opende stonden de gebeurtenissen van de vorige avond weer helder voor haar geest. Ze moest weg, naar hem toe, alles was een misverstand. Ze zou hem uitleggen dat ze geschrokken was en dat ze van hem hield. Hij zou haar vasthouden, blij dat alles weer goed was gekomen.

Ze kleedde zich snel aan, trok de broek en het vest aan waar hij zo gek op was en maakte zich zorgvuldig op. Ze lachte naar zichzelf in de spiegel - of leek het meer op huilen? Ze trok nog een paar gekke bekken en wenste zichzelf geluk.

De bus zou pas over een kwartier komen. Ze kon het geduld niet opbrengen om te wachten, dus stak ze haar duim op. Een kwartier later stond ze bij Frans voor de deur. Ze besloot de achterdeur te nemen, die was altijd los. Ze kwam gelukkig niemand tegen op de trap en vloog, zoals ze gewend was, zonder kloppen zijn slaapkamer in.

Frans lag in bed en sliep als een roos. Gelukkig. Misschien had ze in haar onderbewustzijn iets anders verwacht. Helemaal niet in bed of... nog erger.

Op haar tenen liep Sara door de kamer en bij het bed aangekomen trok ze haar schoenen uit. Haar vest en broek gooide ze over de stoel en vervolgens stapte ze bij hem in bed. Het vertrouwde gevoel maakte haar rustig. Hij schoof een beetje op en sliep weer verder. Ze legde haar arm om hem heen.

Hij schrok en schoot overeind. "Wat doe jij hier, hoe laat is het? Ik lig net in mijn nest." Hij stonk naar drank en was nu klaarwakker.

"Ik moest je zien. Het was niet zo bedoeld, het is gewoon, nou ja, ik kan niet tegen zulke grapjes," zei ze minnetjes. Ze stak haar armen uit, maar hij duwde haar weg.

"Het is over. Ik wil niet meer, snap je dat dan niet? Neem je spullen mee en vertrek. Verdomme, ik heb nog geen uur geslapen."

Hij geeuwde en de dranklucht kwam haar tegemoet. Zonder haar nog een blik waardig te gunnen vertrok hij naar de badkamer. Als verdoofd pakte ze haar spullen.

Op het strand bij de paviljoens werden de terrassen klaargemaakt voor een drukke, zomerse dag. Sara klom het duin op, liep tot het strand, dat eerst niet meer dan een streep aan de horizon leek, en liet zich vallen in het zand. Ze werd wakker van de zon die pal boven haar stond. Met haar hand probeerde ze haar ogen te beschermen tegen het felle licht. Haar arm weigerde dienst, haar gezicht trok en voelde als perkament; strak van het zand, de zon en de tranen.

Wanhopig probeerde ze overeind te komen. Ze moest iets doen! Het maakte niet uit wat. Niets doen betekende wachten tot je gek werd. Haar hele overlevingsmechanisme kwam hiertegen in opstand.

Maar wat kon ze doen? Er kwam niets in haar op.

Verwoed zocht ze naar een verklaring, hoop, troost. Het enige wat ze voelde was pijn, ze kende die pijn en wist dat die lang ging duren.

Uren slenterde ze door de duinen, vermeed het strand met spelende, lachende kinderen en stelletjes die genoten van elkaar en de zon. Zonder te weten waar ze naartoe ging stapte ze in de bus. Bij het eindpunt draaide de chauffeur zich om. "Blijf je zitten? We gaan niet verder hoor."

Ze vermeed de hoofdstraat en liep, de stoeptegels tellend, door de smalle achterstraatjes met de scheefstaande pandjes langs de gracht. Obers met volle bladen paradeerden handig op de overvolle terrassen. Om de drukte te ontlopen, dook Sara weer een van de zijstraatjes in.

Daar werd haar oog getrokken door een klein uithangbord: Travel Agent. De gevel was hemelsblauw. Het deed haar denken aan een Grieks schilderijtje dat bij hen thuis aan de muur hing.

Het gebeurde in een flits. Zonder na te denken liep ze naar binnen. Behalve een bureau met aan weerskanten een stoel en rekken met reisgidsen was het leeg. Het leek alsof het niet meer gebruikt werd.

Vanachter een fluwelen gordijn achter het bureau kwam een jonge vrouw, Sara schatte haar ergens in de dertig, tevoorschijn.

Ze had kortgeknipt donker haar met een verwachtingsvolle glimlach op haar gezicht. Ze maakte het Sara direct gemakkelijk. "Ga zitten, kopje koffie? Je treft het, ik heb net verse koffie gezet." Ze verdween weer naar achteren. Sara hoorde haar tegen iemand praten.

Wat kwam ze hier doen? vroeg ze zich af.

De vrouw kwam terug met twee kopjes koffie, ging tegenover Sara zitten, nipte van haar koffie, boog zich naar voren en wachtte.

Nu moest ze toch iets zeggen. De tranen prikten achter haar ogen. Ze raakte in paniek. Dit was waanzin. Ze moest hier weg. "Het spijt me." Zoals gewoonlijk was Sara's stem nauwelijks te verstaan. "Ik dacht dat u me misschien kon helpen. Een baantje. Italië, Spanje, ver weg in ieder geval."

Buiten klonken opgewonden kinderstemmen, een fiets werd tegen de gevel gezet. Waar was ze mee bezig, iemand anders opzadelen met haar ellende. Sara schoof haar stoel naar achteren, veegde met de zoom van haar mouw over haar gezicht en liep naar de deur.

Maar de vrouw was er eerder. Ze nam Sara bij de arm en plantte haar terug in de stoel. "Drink maar rustig je koffie op. Ik heet Annet. En jij?"

Met horten en stoten deed Sara haar verhaal.

"Als je het zeker weet kan ik je wel helpen. Vooral nu het hoogseizoen voor de deur staat. Zou je dat willen, in de horeca?" vroeg Annet toen Sara weer wat was gekalmeerd.

"In deze gids," ze stond voor de kast en speurde het rek af. "Ah, hier is hij." Ze zocht een bepaalde bladzijde en vouwde hem dubbel. "Dit hotel is van een vriendin," ze wees op de opengeslagen bladzijde. "Ik ben meestal onderweg. De klanten worden namelijk steeds veeleisender. Zodoende ken ik veel mensen. Sommigen ken ik al jaren. Maar dit kan ik je aanbevelen. Zij is Duits, en getrouwd met een Italiaan. Spreek je een beetje Duits?"

Sara knikte.

"Dat is mooi. Verder zul je daar niet veel anders horen dan Italiaans." Annet noteerde Sara's adres en telefoonnummer. "Ik bel je zo gauw ik iets weet," beloofde ze. "Intussen regel jij wat we afgesproken hebben, je kunt me altijd bellen. Hier is mijn kaartje en denk erom, geen man is zo veel verdriet waard."

Aan het eind van de straat keek Sara nog even achterom. Annet stond nog in de deuropening, voor ze naar binnen ging wuifde ze nog even.

De spanning had Sara te pakken. Het golfde door haar lijf, haar handen beefden, en haar keel voelde dichtgeknepen. Lusteloos prikte ze in haar eten, met haar hoofd gebogen over haar bord.

"Waarom eet je niet Sara?" Mams toon klonk bezorgd. "Is er iets?"

"Ja, het is uit." Ze boog haar hoofd nog dieper over haar bord.

"Uit?" Haar moeder legde haar vork neer, haar adamsappel vloog op en neer. "Met Frans bedoel je?"

"Ja, met wie anders."

Haar broers haalden hun schouders op. "Jammer, hij was wel geschikt," zei Bram. Ze gingen verder met eten. Het maakte hen niets uit. Verkeringen gingen uit en een paar weken later stond de volgende weer op de stoep.

"Hij heeft het te druk," zei haar moeder. "Hij is niet gewend zo hard te werken. Het komt wel weer goed."

Sara's bestek viel met een klap op tafel. "Het komt niet goed, hij heeft een ander." Ze rende naar boven en viel languit op haar bed.

Na het eten kwam haar moeder boven. "Hij leek zo gek op je. Ik snap er niets van."

Sara snoot haar neus.

"Het kan toch niet allemaal komedie zijn geweest. Hij komt wel weer terug."

Hij kwam niet terug. Thuis ging het leven gewoon door. Iedereen had zijn werk en over Frans werd niet meer gesproken. Sara echter voelde zich beroerd. Ze werd ziek. Vrijwel elke morgen moest ze overgeven. Ze had het gevoel dat ze misselijk was van heimwee en verlangen.

"Hoe oud ben je?" vroeg de vreemde dokter terwijl hij zijn handschoenen uittrok.

"Negentien," antwoordde Sara terwijl ze van de onderzoekstafel opstond.

"Mooie leeftijd om moeder te worden." Hij bekeek haar aandachtig en liet haar uit zonder te feliciteren.

Het was geen verrassing, slechts een bevestiging van wat ze al vermoedde. "Moeder." Ze sprak het woord uit terwijl ze zich richting het park bewoog. Daar ging ze op een bankje zitten. De omvang van wat ze zojuist gehoord had, drong in alle ernst tot haar door. Ze voelde zich klein, nietig, maar bovenal eindeloos eenzaam. Wat nu? Ze had geen idee.

De zon scheen op het rimpelige water dat aan haar voorbijtrok. Het water botste tegen losse voorwerpen die voorbij dreven en vervolgde zijn weg. Ze kon hier niet de hele dag blijven.

Thuisgekomen liep ze langs haar vader naar de geborgenheid van de zolder. Meteen stond hij achter haar. "Mam zei dat je last van je oren had." Zijn scherpe neus voor naderend onheil liet hem nooit in de steek. "Je hebt helemaal geen last van je oren hè, je bent zwanger."

Zijn directheid overviel Sara.

Haar vader zweeg en wachtte.

Ze sloeg haar ogen neer. Tranen prikten achter haar ogen.

"Luister. Waar zeven eten kunnen er ook acht. Het kind kan mijn naam krijgen, ik vertel het wel aan je moeder." Hij draaide zich om en liet haar beduusd achter.

De rest van de dag zag Sara haar vader niet. Obsessief begon ze haar kast leeg te halen. Ze haalde bh's en ondergoed op en neer in een bakje sop tot ze smetteloos waren en hing ze in de zon te drogen. Tegen vieren was de zolder met haar kleren en al aan kant en lag het ondergoed in slagorde in de kast.

De onrust die ze de hele dag min of meer had onderdrukt, kwam nu in alle hevigheid boven. In haar buik beukten allerlei tegenstrijdige gevoelens. Haar spieren stonden stijf en gespannen, en veroorzaakten een lichte trilling.

Eén blik op de klok was voldoende. Het zou nog zeker een kwartier duren voordat haar broers thuiskwamen. Ze nam plaats aan de eettafel met haar rug tegen de muur. Na vijf minuten begonnen haar benen ongecontroleerd te wiebelen. Haar handen ondersteunden haar hoofd. Ze stond op en keek in het rond. Ze ging op de stoel tegenover de deur zitten, rechtop, met haar beide voeten op de grond, en haar handen gevouwen in haar schoot.

Buiten werd het tuinhekje geopend en op het pad klonken de driftige stapjes van haar moeder. In de deuropening bleef ze staan. Sara zag dat ze gehuild had. Haar moeder keek haar aan en schudde meewarig haar hoofd.

Sara voelde zich verstijven en sloeg haar benen over elkaar. Haar nekspieren spanden zich, haar hoofd begon te schudden. Met haar hand in een kom over haar voorhoofd wrijvend probeerde ze het schudden tegen te gaan.

Haar moeder stond nog steeds bij de deur. Haar gezicht was een mengeling van ongeloof en verbijstering. "Kind! Wat heb je nu weer uitgespookt? Wat doe je ons aan?" Na nog een paar maal met haar tong geklikt te hebben verdween ze naar haar keuken.

Als een geslagen hond zakte Sara steeds verder weg in de stoel. Een ijzige koude trok over haar rug. Vanbinnen groeide de onrust.

De volgende morgen ging ze op tijd de deur uit. In plaats van de bus te nemen naar haar werk, liep ze naar de telefooncel, twee straten verder. In haar zak zat het kaartje. Ze draaide het nummer. Door het beslagen glas hield ze de straat in de gaten. Ze wachtte tot ze er zeker van was dat er niemand meer thuis zou zijn. Toen ging ze naar huis, pakte op zolder een tas en propte er zo veel mogelijk kleren in. Ze keek de zolder in het rond, zag nog een foto van zichzelf met Frans, scheurde hem van de muur en legde hem tussen haar kleren.

De tas woog als lood. Het hengsel sneed in haar schouder. Voor het laatst liep ze door de straat met zijn grijze huizen en kleine erkertjes, waarachter grijze muizen hun brillenglazen achter stoffige vitrages oppoetsten.

Er restte nog één ding. Aan het eind van de straat stak Sara over en liep ze langs het water tot het pad waar de volkstuintjes begonnen. Het was nog vroeg. De oude caravans aan het begin stonden er verlaten bij. Door de dichtbegroeide bossage worstelde ze zich naar de oude boom.

Ze wilde schreeuwen, krijsen, gieren, maar er kwam slechts een raspend, piepend geluid uit. Met beide armen omklemde ze de boom. Haar nagels drukten in de bast. Ze wilde hem pijn doen, fijnknijpen, de lucht eruit zuigen, zoals jaren met haar gebeurd was. Haar nagels schraapten over de stam. Het bloed gutste eronder vandaan, maar de lichamelijke pijn deerde haar niet. Integendeel. Ze kon hem verwoesten, tegen zijn bast schoppen. Met alle kracht die in haar was rukte ze aan de takken, knakte ze en zwiepte ze half afgetrokken in het rond, tot ze het opgaven en slap op de grond vielen, waarna zij er als een wilde op ging dansen. Vanuit haar tenen welde een grommend geluid op. Ze hief haar gezicht en armen omhoog. Met de schreeuw van een gewond dier zakte ze omlaag. Het gehuil, steeds luider en luider, ontlaadde haar borst. Het had niets menselijks meer. Ze krijste tot alle lucht uit haar longen verdwenen was en ze op de grond neerzakte.

Mijn God, wat was ze aan het doen? Ze krabbelde overeind en keek om zich heen. De zon wierp een oranje licht door de bomen, het gras glinsterde. Ze legde haar hand tegen de zere plek, daarna omhelsde ze de boom en liet haar handen over de kapotte bast glijden.

Toen zocht ze in haar zak naar de huissleutel en smeet hem met een grote boog in het water. Ze wilde rennen, vliegen, op zoek naar een stem die al lang geleden verloren was gegaan. Nu ze eenmaal niets meer te verliezen had, voelde ze dat ze alles aankon.

Deel III

13

Sara keek de hal rond en las de bordjes die de hostesses omhoog hielden. De hal was vol bedrijvige mensen die al dan niet met bagage heen en weer liepen. Sara zag haar eigenlijk meteen. Gezet, vriendelijk, meer Duits dan Italiaans. De beschrijving die ze van Annet had gekregen klopte aardig, dus sleepte ze haar tas die kant op.

De begroeting was snel en formeel. De vrouw duwde haar in de richting van een geparkeerde auto. In de auto stelde ze zich wat uitgebreider voor. "Het is een sport om zo snel mogelijk tussen de mensenmassa weg te komen." Ze gaf een hand. "Mijn naam is Heidi. Sara, was het toch?"

Onderweg praatte ze honderduit. Ze was getrouwd met de zoon van de eigenaar. Haar man heette Francesco. Haar schoonouders woonden nog in het hotel, maar bemoeiden zich nog nauwelijks met de gang van zaken. "We hebben twee koks, vier kamermeisjes en de rest is bedienend personeel. Het is een gezellig team, ik hoop dat je je thuis zult voelen." Er werd getoeterd en behendig schoof ze haar auto naar de andere kant. "Sorry, het is hier te druk om niet op te letten. Ga maar lekker achteruit zitten. Het duurt nog minstens een uur voor we er zijn. Annet is een goede bekende van ons, dus ik heb al het een en ander over je gehoord. Niet dat het wat uitmaakt. Ik vertrouw de mensen die ze me aanbeveelt blindelings."

Sara had nog niet veel gezegd. Ze was doodmoe en de hitte viel als een zware deken over haar heen. Ze strekte haar benen en leunde achterover. Het was wel lekker dat Heidi zo veel praatte, dan kon zij even op adem komen.

Heidi ratelde gewoon door. Ondertussen trok ze aan het stuur en manoeuvreerde de auto door de drukke straten. "Ik heb ook gehoord waarom je hiernaartoe gekomen ben. Nou dan ben je hier op de goede plek. Mooie mannen en zwoele strandjes. Gelukkig weet ik uit ervaring dat het personeel het liefst met elkaar eropuit gaat. Anders zouden we snel zonder zitten."

Haar stem kwam van steeds verder weg. Sara's ogen vielen af en toe dicht. Ze ging maar wat rechter zitten, want ze moest wel wakker blijven. Van opzij bekeek ze Heidi. Ze mocht haar wel, zo op het eerste gezicht. Geen moeilijk gedoe, hoogstens een beetje druk.

"Maak je over mij maar geen zorgen. Ik kom hier om te werken en daar verheug ik me op."

Heidi gaf haar een brede glimlach en concentreerde zich op het links en rechts voorbij razende verkeer.

"Wakker worden! Slaapkop. Je hebt het mooiste stuk langs de kust gemist."

Sara opende haar ogen en vroeg zich af waar ze was. Slaapdronken en stijf stapte ze uit de auto. Ze waren gestopt voor de deur van een hotel, dat boven op een heuvel stond. Links en rechts van haar waren kleine smalle straatjes met terrasjes en stalletjes met kleding en souvenirs.

Heidi opende de achterklep en haalde Sara's tas eruit.
Sara haastte zich de tas van haar over te nemen. Om je dood te schamen, ze had de hele weg geslapen. Achter Heidi aan liep ze door de draaideur de hal in. In de hal waren leren zitjes, in het midden was een grote schouw. Brede trappen liepen aan weerskanten omhoog. Tegenover de deur was de balie en aan de muur erachter bevonden zich kluisjes. De meeste nog met de sleutel erin, want het echte hoogseizoen was nog niet begonnen. Op de hoek stond een marmeren borstbeeld en op de balie een koperen bel. Het meisje achter de balie knikte haar vriendelijk toe.

Heidi bracht Sara naar de kamers van het personeel.
"Dit is jouw kamer Sara, je deelt hem met José. Ze is gisteren aangekomen en komt uit Nieuw-Zeeland." Ze trok een kast open. "Dit gedeelte is voor jou. Doe rustig aan, ik zie je zo beneden in de receptie."

Sara was blij dat ze alleen was. Ze trok haar schoenen uit en masseerde eerst haar pijnlijke voeten. Daarna opende ze het raam en snoof de frisse lucht op. Vanuit hun kamer keek ze op een plein. Het plein was zo ver ze kon zien omgeven door arcades. De steile kronkelige straatjes die erop uitkwamen waren nu uitgestorven. Het geheel ademde een middeleeuwse sfeer. Brede trappen leidden naar de kerk op het plein en links van de kerk zag ze een klooster.

Sara sloot het raam en pakte haar tas uit. Ze trok snel een lichte rok met een katoenen bloesje aan. Van haar handen maakte ze een kom en zo spoelde ze het stof van haar gezicht. Vervolgens liet ze het water over haar polsen lopen. Haar haren bond ze in een staart bijeen en na een beetje lippenstift sloot ze de deur.

De receptie leek verlaten. Sara keek op haar horloge. Het was twee uur toen Heidi met een rood hoofd de keuken uitgestoven kwam.

"Je bent er al, kom mee." Ze veegde met een hand het haar uit haar gezicht. "Die hitte. Je went er nooit aan." Ze zaten aan een tafeltje buiten op het terras onder een parasol. "Ik zal wat te drinken halen," zei Heidi.

Ze kwam terug met twee glazen cola en een schaaltje zoute koekjes. "Goed voor het vocht! Het houdt je overeind. Voor ik het vergeet, je kunt het water uit de kraan niet drinken, hoor!"

Het terras zag er prachtig uit en was omgeven door palmbomen. Bij het zwembad waren de ligstoelen hier en daar bezet met gasten die lekker lagen te luieren. Sara voelde zich langzaam maar zeker op haar gemak. De zon verlichtte haar verstijfde spieren, met kleine teugjes dronk ze van haar glas. En als een poes rekte ze zich daarna uit.

"Wat een temperatuurtje. Heel wat anders dan Nederland met dat sombere weer."

"Geniet er nog maar van," lachte Heidi. "Je piept wel anders als je moet werken in die hitte."

Een lange, slanke man kwam het terras op gelopen. "Francesco."

Sara pakte de uitgestoken hand. "Ik ben Sara."

Hij begroette haar in het Italiaans.

"Onze nieuwe aanwinst uit Nederland," meldde Heidi voor de zekerheid. "Spreekt Duits en Engels," voegde ze er knipogend naar Sara aan toe.

Francesco keek Heidi verbaasd aan. Waarschijnlijk had hij er niet eens bij nagedacht. Ze wisselden nog wat beleefdheden uit. De voertaal onder het personeel bleek Engels, Duits kon natuurlijk ook als Engels een probleem was. "Dankzij mijn vrouw," hij maakte een lichte buiging, "spreek ik ook een mondje Duits. Deze week is het nog inwerken maar vanaf zaterdag begint het seizoen." Hij excuseerde zich om nieuw aangekomen gasten te verwelkomen.

Spoedig nam Heidi Sara mee voor een rondleiding door het hotel. Ten slotte gingen ze naar de keuken. De koks waren al druk bezig. Het waren Italianen. Veel verstond Sara niet van ze, maar ze lachten haar vriendelijk toe en stopten een stuk warme quiche in haar hand.

"Eet maar niet alles op wat ze je geven," zei Heidi, en trok haar mee de keuken uit, "anders ben je aan het eind van het seizoen net als ik!" Ze trommelde op haar achterste. "Om vijf uur eet het personeel, dan stel ik je voor aan de anderen. Kijk in die tussentijd maar wat rond."

De straten zagen er verlaten uit. De luiken voor de winkels waren dicht en de terrasjes waren zo goed als leeg. Het was siësta. Sara liep op goed geluk naar het strand. Op het strand speelden kleine kinderen aan de rand van het water, moeders zaten op kleedjes en keken toe hoe hun kinderen figuurtjes maakten in het natte zand. Sara liep tot aan de zee, liet zich op het zand zakken en wiebelde met haar blote voeten in het water. Met haar hand tekende ook zij figuurtjes in het natte zand. Het was toch maar snel gegaan. Gisteren zat ze nog in de puree, en vandaag zat ze hier…

Van het terras achter haar klonk muziek. Ze herkende meteen de melodie. Snel stond ze op. Nu niet te veel aan huis denken.

Eenmaal terug in het hotel waren de meesten al aanwezig. In de serre was voor het personeel gedekt. Tot haar verrassing zaten Heidi en Francesco ook bij hen aan tafel.

Heidi stond op. "Ga lekker zitten Sara," ze schoof een stoel naar achteren en stelde haar aan de anderen voor. "Dit is Juan, Mario, de koks ken je, José, je kamergenootje, Dana en Mary."

Sara zat tussen Juan en Dana. Juan probeerde in zijn beste Engels lollig te zijn, wat op haar lachspieren werkte. De namen van de gerechten die op tafel stonden, kende ze niet. Het enige wat ze vond, was dat het goed smaakte. Maar ze stierf inmiddels ook van de honger.

"Neem nog wat." Heidi hield de schaal met pasta voor Sara's neus.

"Nee dank je, het was heerlijk." Ze kreeg een rood hoofd toen ze zag dat de anderen zaten te lachen.

"Geweldig, die gezonde Hollandse eetlust," lachte Heidi.

Na het eten ruimden ze af en iedereen ging weer aan het werk. De gasten begonnen de eetzaal binnen te druppelen. Sara wilde meteen helpen.

"Ga jij maar zitten, morgen ben jij aan de beurt, wij zijn hier al voor het derde jaar." Juan duwde haar terug in haar stoel. Mary en José liepen achter de koks aan om de gasten te bedienen. Dana stond in de receptie.

Sara liep wat onwennig in het rond. Francesco, die bij Dana in de receptie stond, wenkte haar. "Loop vanavond maar een beetje mee in de bediening. Vraag maar aan Juan wat je kunt doen. Morgenochtend beginnen we met het ontbijt. José en Mary werken je in." Toen draaide hij zich om naar een gast.

Sara liep vervolgens naar de keuken. Ze keek hoe de borden opgemaakt werden, vulde de bakken bij en stapelde het vuile goed op dat terugkwam.

De avond vloog om. Voor ze het wist zaten ze met zijn allen aan een grote tafel buiten, vlak achter de keuken. Sara stak een sigaret op en liet het pakje rond gaan. Mario kwam met een blad bier. Juan en Mario waren een komisch duo, dat had ze al snel in de gaten. Het was gezellig en het gebrekkige Engels van de Italianen maakte haar aan het lachen. Zij leerden haar op hun beurt een paar Italiaanse woorden waar ze zelf vreselijk om moesten lachen.

José was een nuchter meisje, zonder poespas. Het klikte meteen tussen hen. "Volgende week wordt het hier echt een gekkenhuis!" zuchtte José. Er werd nog een blad bier gehaald en daarna ging iedereen een kant op. José stond als eerste op. "Welterusten," zei ze, "ik ga naar boven. En jij Sara?"

Iedereen maakte nu aanstalten om weg te gaan. Dana liep met Juan en Mario naar de hal.

"Ik ga met je mee naar boven, wacht even." Sara pakte haar sigaretten en zette de glazen bij elkaar op het blad. "Waar kan dit heen?"

"Laat maar staan. Dat halen ze straks wel weg."

In de slaapkamer deden ze het raam open en rookten nog een sigaret. Ze hingen uit het raam en keken naar de gezellige drukte op straat.

Ze zou het hier wel redden, dacht Sara. Ze kletste nog wat met José totdat deze het raam sloot. "Ze kunnen hier 's nachts nogal tekeer gaan," zei José toen ze het verbaasde gezicht van Sara zag. Ze pakte twee handdoeken. "De douche is op de gang, zullen we dan maar?"

De volgende morgen werd Sara wakker van het geluid van de wekker. Ze knipperde met haar ogen en keek om zich heen.

José zat al op de rand van het bed. "Goedemorgen Sara, een beetje geslapen de eerste nacht?"

Sara stond op en rekte zich uit. Ze liep naar de kast en tuurde besluiteloos naar haar eenvoudige garderobe.

José stond al naast haar. "Zal ik je even helpen?" Ze keek in de kast en haalde er een blauwe rok uit. "Je hebt dus geen witte blouse." Ze trok er eentje uit haar kast. "Trek deze maar aan. Ik heb er zat." Ze hield de blouse voor Sara en knikte goedkeurend. "Die pas je wel. Ik ga vast naar beneden. Kom je zo?"

Sara keek in de spiegel. De blouse zat als gegoten. Nu ze wist wat ze moesten dragen, zou ze dat van de week wel kopen. Ze kamde haar haar en deed het in een staart. Ze stiftte haar lippen en smeerde wat crème op de wallen onder haar ogen. Toen deed ze een stap achteruit en bekeek het resultaat in de spiegel. Na nog een paar slierten haar losgetrokken te hebben, was ze tevreden.

In de keuken werd al hard gewerkt. José en Mary hielpen Sara zo veel mogelijk en toen om zeven uur de eerste gasten aan tafel zaten was ze al aardig op dreef. De gasten waren over het algemeen oudere mensen zonder kinderen. "Als je iets niet weet, vraag je het maar. Zo leer je het snelst," zei Mary.

Sara maakte een praatje met de gasten en liep langs de tafeltjes met de koffie en de thee. Toen de meesten vertrokken waren, ruimde ze de tafels af en ging ze naar de keuken om daar te helpen. Ook legde ze schone kleedjes neer, en zoog de kamer en de hal.

Daarna werd er koffie gedronken. Dana nam een kop koffie mee naar de receptie: "Sorry," ze keek op haar horloge, "ik ben laat, gisteren uit geweest. Heeft er iemand aspirine?" Ze vertrok nadat José beloofd had er een te brengen.

"Als we klaar zijn kunnen we wel naar het strand, dan vragen we de rest ook mee. Wat vinden jullie daarvan?" Mary keek naar José en Sara. Die knikten instemmend. "Nu kan het nog," ging Mary opgewekt verder. "Wacht maar tot het hier vol zit, dan laten ze je geen moment met rust." Ze stak een sigaret op en keek alsof ze haar hele leven al in de horeca zat. "Laten we zeggen, tot over een uur."

Om twaalf uur precies stond Sara voor de deur. Haar tas met strandspullen stond naast haar op de grond. Waar bleven ze nou? Ze liep de hal weer in en keek op de klok. Tien over twaalf. Ze pakte een pepermuntje uit de pot op de balie en ging door de draaideur weer naar buiten.

Een scooter vloog de hoek om en stopte vlak voor haar voeten. Ze sprong achteruit en kon nog net een voetganger ontwijken.

"Kom. Spring achterop!" Het was José.

"Jezus, ik schrok me rot. Is die scooter van jou?"

"Nee geleend. Gooi die tas maar over je schouder." Ze gaf gas en Sara viel bijna weer achterover.

"Kan het ook wat rustiger, weet je wel hoe dat ding werkt?"

"Ja natuurlijk, houd je vast."

Ze reden langs de kust. De hobbelige straten en het harde rijden maakte het achterop zitten tot een pijnlijke aangelegenheid.

"Zijn we er bijna?" schreeuwde ze in José's oor om boven het verkeer uit te komen. "Ik ben geradbraakt."

José genoot. Ze toeterde en stak haar hand op naar iedere mooie knul. Opeens stopte ze en stapte af. "De rest moeten we lopen." Ze zette de scooter op slot en liep richting de rotsen. Sara volgde met stijve benen.

"We gaan hier naar beneden."

"Wat? Hier? Waarom gaan we niet gewoon naar het strand?"

"Te veel gasten," antwoordde José. "Hier is het veel rustiger."

Ze klom als een kat. Sara wenste dat ze gymschoenen aanhad in plaats van slippers. Aan het eind klommen ze nog een klein stukje over een rots en toen kwamen ze in de baai. Aan een kleine steiger lagen een paar bootjes. De zee was azuurblauw en behalve bij de bootjes waren er verder geen mensen te zien.

José moest lachen om de verraste uitdrukking op Sara's gezicht. "Mooi hè? Het is ons privéstrandje. Die boot daar is van Juan." Als groet gilde ze naar Juan. Die draaide zich om en zwaaide uitbundig.

Snel trokken Sara en José hun kleren uit en doken in het heerlijke water. Dit was genieten! Ze zwommen, zonnebaadden en zaten bij Juan op de boot. Ze rookten een sigaretje terwijl hij aan zijn boot aan het knutselen was en legden daarna hun badlakens op een rots.

Sara sloot haar ogen en genoot van de zon op haar blote huid. Het was goed geweest om weg te gaan. Hier was afleiding genoeg en waren er leuke mensen. Ze was vast van plan er iets goeds van te maken.

Mario kwam naast haar zitten. "Waar zit jij met je gedachten? Hier." Hij gaf haar een blikje cola. "Bevalt het je hier? Je zit er zo zielig."

"Ik zat juist te bedenken hoe geweldig het hier is, dus dat valt wel mee. Waar kom jij trouwens vandaan? Ik had je nog niet gezien."

"Vissen hè, achter die rots; het zit er vol. Als het even kan, ga ik daar heen. Anders moet ik Juan helpen met zijn boot, zie je." Hij grinnikte. "Er is altijd wel iets kapot." Hij stond op en nam een enorme duik in het water. "Kom, het is heerlijk." En hij zwom weg als een rat.

Ze dook achter hem aan. Hij ging harder zwemmen, maar toevallig kon zij óók goed zwemmen en ze haalde hem in. Plotseling trok hij aan haar benen en maakte een koprol waardoor hij even uit het zicht was. Dat kon toch niet!

Een schreeuw van de kant en daar stond hij... lachend om haar verbouwereerde gezicht. Ze zaten tot vier uur op het strand, daarna was het tijd om te gaan. Op de terugweg reed ze met Juan mee in zijn oude autootje. José vond het niet erg, dan kon ze tenminste lekker voluit gas geven.

De volgende morgen zat Sara al om zes uur in de keuken. Ze kon niet meer slapen. Het was fris en ze rilde. Ze klemde haar handen om het hete theeglas.

"Koffie?" vroeg José die binnenkwam en rechtstreeks naar het apparaat liep.

"Nee, dank je," zei Sara en hield haar glas omhoog om te laten zien dat ze al wat te drinken had.

José zette een kop koffie en kwam bij haar zitten. "Is er iets? Je ziet zo wit."

Sara keek naar het meisje waarmee ze in die korte tijd dat ze er was vriendschap had gesloten. "Even een terugslag. Het is allemaal nogal snel gegaan, dat is alles. Maak je niet ongerust."

"Nou goed, maar je kunt me altijd alles vertellen. Als ik iets voor je doen kan, dan moet je het gewoon vragen." José stoof ineens overeind. In de gang waren de eerste gasten al te horen. "Wat bezielt die oude mensen toch om altijd zo vroeg op te staan," zuchtte ze.

Nadat Sara nog een slok van haar thee genomen had, begon ze het vlees te snijden, vulde de mandjes met brood en legde de kaas op schaaltjes. Daarna perste ze sinaasappels uit, zette de kan met sap op een blad en schonk koffie in de daarvoor bestemde kannen. In de eetzaal schonk ze de kopjes van de gasten vol.

Na het ontbijt voelde Sara zich al een stuk beter en was haar sombere bui gauw verdwenen. In de middagpauze ging ze met José de markt op. Ze kocht twee witte blouses en in een boekhandel wat schrijfgerei en de krant van gisteren. José kocht een tafelkleed met geborduurde bloemen. Op de terugweg zochten ze een mooi terras uit en bekeken hun nieuwe aankopen.

"Denk je dat twee genoeg is?" vroeg Sara. Ze haalde de blouses uit de tas. Zo duur waren ze nu ook weer niet.

De ober kwam en ze bestelden twee martini's met ijs. Het was niet de bedoeling dat ze dronken voor het diner, maar ach voor die ene keer… Daarna bestelden ze er nog twee.

Er was geen woord te veel gezegd. Sara was nu drie weken in het hotel aan het werk en het zat vol. Het was rennen van de morgen tot de avond. De meeste gasten waren gezinnen met kinderen, en jongelui. De ouderen die er de eerste week waren, bleven in het hoogseizoen weg.

's Morgens verzorgde het personeel het ontbijt en 's avonds het diner. Tussendoor was er van alles te doen, zoals achter de receptie staan of drankjes serveren bij het zwembad. Ze hadden een gezellig team. De neef van Heidi die met zijn vriend zou komen, was alleen. Zijn vriend bleek een gebroken been opgelopen te hebben met voetbal.

Sara was het liefst bij Dana achter de receptie gasten aan het inchecken. Ze maakten dan een praatje met de gasten die stonden te wachten, terwijl anderen de papieren voor de kluisjes invulden. Dana was bovendien aangenaam gezelschap met een warme belangstelling voor andere mensen. Sara had al heel wat intieme gesprekken met haar gevoerd. Dana had dat gewoon, dat openhartige. Bij Dana voelde ze zich veilig. Dana's enige probleem was dat ze de hele dag zat te snoepen. Onder de balie stond een pot toffees, koek en chocolade, dat ze wegspoelden met liters cola. Als Sara in de receptie stond snoepte ze mee. "Doe niet zo ongezellig, neem ook wat," was het dan. Dana zag het nut van weigeren als volstrekt nutteloos. Een zinloze kwelling.

Vandaag nam Sara Dana's taak over. De meeste gasten waren naar het strand. Heidi en Francesco waren inkopen doen. De hal was verlaten op een enkele gast na die wat vergeten was. Ze bladerde wat in een tijdschrift dat onder de balie lag.

Er verscheen een jong stel aan de balie. Ze wilden iets bezichtigen en vroegen de weg. Sara liet hun de kaart zien en streepte met een viltstift de route aan die ze konden volgen. Het meisje begon ineens te hijgen.

"Moment." De man begeleidde het meisje naar een stoel, en zette de tas ernaast. Hij boog zich over haar heen, tikte tegen haar wang en liep terug naar de balie.

"Zo, waar waren we gebleven?" vroeg hij. Hij keek nog eenmaal bezorgd om. Het meisje, duidelijk zwanger, zond hem een allerliefste glimlach.

Sara, die alles rustig afwachtte, raakte geroerd door dit simpele gebaar. Tranen prikten achter haar ogen. Waarom? Waarom werd ze nu in eens sentimenteel?

Om zich een houding te geven zocht ze onder de balie naar foldertjes die ze zo gauw niet kon vinden. Toen ze zich weer onder controle had, mompelde ze een vaag excuus. Met de viltstift vervolgde ze een bibberige lijn.

Toen het stel op weg ging, keek Sara hen na. Hij droeg de tas, duwde de draaideur en sloeg buiten zijn arm om haar heen. Sara plofte op een stoel en begon aan de pot met toffees, pakte een blikje cola plus de laatste koekjes - het was een wonder dat Dana er een paar had laten liggen - en propte alles in een keer naar binnen.

Even later stond een man voor de balie te razen en te tieren dat er koud water uit de douche kwam. Ze liet hem rustig uitrazen, wat haar de gelegenheid gaf de boel door te slikken. Ze beloofde iemand naar boven te sturen om ernaar te kijken, waarna hij scheldend afdroop.

Zou Frans nog steeds met die griet zijn? Dat stomme wijf! Ze keek op haar horloge. Het was half drie. Ze wilde dat Dana terugkwam…

Sinds haar aankomst in Italië had ze haar gevoel steeds uitgeschakeld. Maar door een enkel incident was ze helemaal in de war. Waarom? Het ging juist zo goed. Of niet?

Ze kon niet steeds weglopen voor haar gevoelens. Het moest er een keer van komen. Ze had alleen maar gewerkt, met veel mensen om zich heen. Nu zou ze willen dat ze de eerste vierentwintig uur niemand hoefde te zien! Ze baalde, en had zin om te gillen, zelfs te schoppen. Ze keek om zich heen en gooide de pot toffees op de stenen vloer.

De koks kwamen de keuken uitgerend. Ze lachten toen ze het snoep tussen de scherven zagen liggen. Enzo kwam met stoffer en blik, en Alfredo bracht een dampend stuk pizza. Lief bedoeld, maar dat kon ze nu echt niet eten. Ze nam een hap en liet de rest in de prullenbak verdwijnen.

Annet was naar Italië gekomen. Onverwacht. Maar Sara was blij haar te zien. Ze zaten op het terras aan de haven.

De reisagente keek haar over de tafel peinzend aan. "Je ziet er slecht uit Sara."

De ober bracht twee cappuccino's en legde het bonnetje onder de asbak. "Valt het werk je zwaar of ben je iedere avond op stap?" Annet roerde in haar cappuccino en at langzaam van haar koekje.

Sara vond het vervelend dat Annet haar zo zat te observeren. Ze verschoof haar stoel een beetje zodat ze verder van haar af zat, dronk kleine slokjes van haar koffie en gaf niet direct antwoord.

"Je kunt om andere werktijden vragen," ging Annet verder. | "Zal ik het voor je doen?" Ze keek Sara vragend aan.

"Nee laat maar. Ik werk graag. Het zal de warmte wel zijn."

"Werken is prima, maar vrije tijd moet je jezelf ook gunnen. Je hoeft niet alle diensten van anderen over te nemen. Je werkt je hier helemaal in het zweet."

"Wie zegt dat?"

Annet boog zich voorover zodat ze haar goed kon aankijken. "Nog steeds die jongen?"

Een moment dacht Sara dat ze het nu moest vertellen, toen bedacht ze zich en knikte alleen maar. Ze vond het vervelend. Annet had haar opgevangen, in huis genomen en gezorgd dat ze binnen twee dagen in het vliegtuig zat. Bij Annet lukte het haar nooit om stoer te doen, maar kon je jezelf zijn. Daarom mocht ze haar zo graag.

Het was waar. Juan en Mario hadden bij Sara al een paar vergeefse toenaderingspogingen gedaan. Uiteindelijk hadden ze het opgegeven. En als ze uitgingen zorgde Sara altijd bij een groep te horen. Dat voorkwam lastige situaties.

"Kom op Sara, hoe lang ga je dit nog volhouden? Italië is een land voor de liefde. Kijk om je heen, alles is hier mooi. Mooie mannen, mooie muziek, prachtige zee en jij zit hier een beetje te vegeteren. Wat denk je dat hij nu doet? Je lijkt wel gek."

Sara veegde het zweet van haar voorhoofd af. "Je hebt groot gelijk. Het heeft lang genoeg geduurd. Het wordt tijd dat ik eens een beetje ga genieten. Als je de volgende keer komt, ken je me niet meer terug, Annet. Ik beloof het je."

Annet stond op en ging naar binnen. Na tien minuten was ze weer terug. "Zo, dat is geregeld. We gaan vanavond naar Paradiso maar eerst gaan we lekker eten. Vanavond ben je vrij."

Ze liepen door de smalle straatjes omhoog tot ze bij een klein restaurantje kwamen. "Mijn favoriete restaurant," zei Annet.

De eigenaar kwam vanachter de bar en omhelsde haar. Sara gaf hij een hand. Druk pratend liep hij naar een tafeltje in de hoek. Zonder te vragen zette hij twee glazen lambrusco en een portie olijven voor hen neer. Hij bleef met Annet praten. Sara moest lachen om de vele gebaren die hij erbij maakte. Toen hij achter de bar verdween, zette de kelner meteen kleine bordjes op hun tafel.

Annet lachte toen ze het verbaasde gezicht van Sara zag. "Het vertrouwde recept, 'van alles wat', ze kennen me."

Er kwamen gegrilde aubergines, sardientjes, olijven, ingelegde tomaten, en een liter lambrusco. Daarna aten ze pesto, kip met roomsaus en als dessert tiramisu.

Na afloop ruimde de kelner de tafel af en voldaan leunden ze achterover in hun stoel.

"Dat was lekker. Eten die Italianen altijd zo veel? Ik kan geen pap meer zeggen." Sara wreef over haar buik.

"Wil je nog koffie?" vroeg Annet. "Of zullen we op het terras een sigaret roken?"

"Geen koffie. Ik word de laatste tijd misselijk van koffie. Laten we naar buiten gaan." Ze bleven op het terras zitten tot het eten gezakt was. De eigenaar bracht ze nog een drankje, dat Sara liet staan.

"Dat is onbeleefd," zei Annet en dus dronk zij het voor ze wegliepen in één teug leeg.

14

De volgende morgen stond Sara vroeg op. Ze negeerde de misselijkheid en ging achter het bureautje zitten. Annet had gelijk. Ze zat
hier in een prachtige omgeving, met lieve mensen, aardige collega's.
Ze pakte het nieuwe schrijfmateriaal dat ze samen met José had
gekocht en dat nog niet aangeraakt was, en begon te schrijven.

Lieve Annet,

*Ik had het je al veel eerder moeten vertellen, maar ik ben zwanger. Toen
je gisteren over Frans (de vader zoals je wel zult begrijpen) begon,
begreep ik dat ik het niet langer voor jou kan en wil verzwijgen.*
*Ik hoop dat je het me niet kwalijk neemt en dat je het nog niet aan
Heidi vertelt. Tot het eind van het seizoen zal er niet veel te zien zijn
en ik wil niet als een patiënt behandeld worden.*
Hoop dat je het begrijpt.

Liefs, Sara

Het was niet veel, maar ze vond dat ze dit aan Annet verplicht was.
Daarna krabbelde ze een paar zinnen naar huis. Alleen een teken van
leven, verder niets. Ze deed beide brieven in een envelop en bracht
ze meteen weg.

Het was rustig op straat. De toeristen zaten nog in de hotels aan
het ontbijt. De winkeliers haalden de rolluiken omhoog en brachten de rekken naar buiten.

Bij het plein ging Sara op een bankje zitten en genoot van het
ontwaken van de stad. Voor het eerst sinds ze er was, nam ze dingen
in zich op. Het leek wel of ze alles voor het eerst zag. De kelners
maakten de terrassen schoon. De stoelen gingen naar buiten en de

kleedjes en de asbakken werden op de tafeltjes gelegd. De souvenir-winkels stalden hun waar uit en het plein begon langzaam tot leven te komen.

Vanaf het terras tegenover haar klonk muziek. De kelner stond in de deuropening. De enige gast op zijn terras was een jongeman. Hij zat er al vanaf het begin en nam geen aanstoot aan het feit dat de kelner al een paar keer voorbij gekomen was. Hij zat daar alsof hij op iemand zat te wachten.

Sara sloeg hem gade. Een mooie jongen. Het zwarte haar viel over zijn gezicht. Hij droeg een beige broek met een wit shirt. Zijn voeten, waar hij zenuwachtig mee op de grond tikte, waren in slippers gestoken. Ze probeerde haar aandacht op iets anders te richten, maar steeds dwaalde haar blik weer af naar het terras. Er was iets. Ze wist niet precies wat. Alsof ze een spiegelbeeld van zichzelf zag.

Ze verbeeldde zich maar wat. Zulke mooie mannen waren niet eenzaam, maar toch… die blik.

Het terras liep langzaam vol. Sara zat het tafereel vanaf haar bankje te bekijken. De ober was weer een paar keer langs zijn tafel-tje gelopen, hij had het kleedje rechtgelegd en de lege asbak verzet. Alle tafeltjes waren nu bezet.

Sara stond op en liep naar zijn tafeltje. "Kan ik daar zitten?" Ze wees op de lege stoel naast hem. Hij knikte en schoof een stoel naar achteren.

Sara legde de brieven op tafel en bestelde een kop koffie. Het was voor het eerst dat ze 's morgens vrij was. Achterover geleund in haar stoel bekeek ze de toenemende drukte. Ze genoot van het langzame op gang komen van de dag. De koffie was koud en het grootste gedeelte ervan lag al over het schoteltje toen de ober het neerzette. Ze probeerde het zonder morsen op te drinken, wat onmogelijk was. Het schone tafelkleedje vertoonde al gauw een vieze koffievlek.

De jongen pakte de brieven. "Holland?" vroeg hij.

Ze knikte en zette de asbak op de vlek.

De ober liep weer langs hun tafeltje. "Zullen we het nog een keer proberen?" vroeg Sara's tafelgenoot. Zijn Engels was perfect. De ober keek verveeld hun kant op. De jongen wenkte en bestelde twee "warme" cappuccino's. "De ober heeft het niet zo erg op ons tafeltje."

Sara rook zijn aftershave.

"Ik heb je de hele tijd al op dat bankje zien zitten en vroeg me af wat zo'n mooi meisje daar deed, zo vroeg in de morgen."

"Ik vroeg me over jou hetzelfde af. Je zat daar zo eenzaam." Toen ze zijn gezicht zag wist ze dat ze hem gekwetst had. Hij nam een slok en ze zag dat zijn handen beefden. Impulsief legde ze een hand op zijn arm. "Het spijt me, het gaat me niet aan."

Zwijgend dronken ze hun kopje leeg. Ieder met zijn eigen gedachten.

Om half elf stond Sara met tegenzin op. Ze wilde de brieven nog posten en om elf uur zou ze achter de receptie staan.

"Zie ik je nog?" vroeg hij toen ze opstond. "We kunnen over het strand wandelen. Vanavond bijvoorbeeld."

Ze spraken af voor het hotel. Op de terugweg liep Sara als in een roes. Ze rook zijn geur nog en voelde de warmte van zijn hand. Ze wist niet eens zijn naam…

In het hotel rende Sara langs de balie naar boven. Ze kleedde zich om en keek in de spiegel. Een blos sierde haar gezicht, haar ogen straalden en haar huid gloeide. Ze plensde wat koud water in haar gezicht en liep daarna naar beneden, de receptie in.

De hele middag kon ze haar gedachten niet bij haar werk houden. Ze was dan ook blij toen het eenmaal avond was. Door het raam van de draaideur zag ze hem al. Hij droeg nog dezelfde kleren, met zijn lange nonchalante gestalte en het zwarte haar leunde hij tegen een muurtje, terwijl hij een sigaret rookte. Hij schrok toen ze hem aanstootte. Als vanzelfsprekend pakte hij haar hand. Op het plein en de terrassen gonsde het van het leven. Ze liepen door de smalle straatjes naar het strand.

Op het strand was het druk. Overal galmde muziek. De toeristen genoten nog volop van de mooie avond en de tropische warmte. Kinderen speelden in het zand en verliefde paartjes liepen met hun voeten door het water.

Ze slenterden langs de zee, weg van de drukte en de volle strandterrassen, tot ze uiteindelijk niet verder konden. Hier hield het strand op en begonnen de rotsen. Hij trok zijn slippers uit en klom voorzichtig een paar stappen omhoog. Hij keek of ze hem volgde en wees de plekken aan waar ze haar voeten moest zetten. Op de top wachtte hij tot ze naast hem stond. Haar benen trilden. Ze was niet gewend aan dergelijke klimpartijen. Hij sloeg zijn arm om haar heen en hield haar vast tot ze weer in balans was en ze aan de andere kant van de rotsen veilig beneden stonden.

Het was adembenemend. De baai werd omringd door rotsen, het azuurblauwe water spoelde met tussenpozen over het maagdelijke zand.

"Dit was vroeger mijn geheime plek. Toeristen weten niet wat zich achter de rotsen bevindt en vanaf de weg kun je het niet zien."

Zo moet het paradijs eruitzien, dacht Sara. Ze hield haar rok omhoog en liep zo ver mogelijk het water in. Daarna zaten ze naast elkaar aan de rand van het water. Het zand voelde nog warm. Twee dolende zielen. Samengesmolten tot een geheel, en gevangen in de lichtbundel die de ondergaande zon over het water spreidde.

In bed kon Sara niet slapen. Het was lang geleden dat ze had toegegeven aan haar emoties. Het paste niet meer bij haar houding. Emoties had ze al lang geleden uitgebannen. Ze maakten je zwak en kwetsbaar. Maar hier kon ze niet omheen. Dit gevoel van euforie, alsof ze een deel van zichzelf had teruggevonden. Zo moest zielsverwantschap zijn, puur, zuiver, zonder woorden. "Hoe je ook heten mag," mompelde ze, "jij bent mijn betere helft."

De volgende morgen werd ze wakker van het geklop op de deur. "Sara doe open." Het geklop werd al heftiger.

Slaperig liep ze naar de deur en draaide het slot om. Heidi stond met een rood hoofd voor de deur. Ze duwde Sara opzij en stapte de kamer binnen. "Kleed je aan, snel en doe een beetje zachtjes voor de gasten. De politie zit beneden."

"De politie?" Haar maag draaide. Ontzet staarde ze naar Heidi. "Thuis…?"

"Nee, niets met je familie. Kleed je nu aan Sara, we willen geen opschudding." Ze stond met de deur in haar hand. "Ik wacht beneden op je in het kantoor."

Heidi sloot de deur en José zat rechtop in haar bed. "Wacht Sara, wil je dat ik met je meega?"

"Ik heb geen idee wat er aan de hand is, maar laat me maar eerst zelf gaan."

De politie zat in Heidi's kantoor. Toen Sara binnenkwam stond de agent op en duwde haar onmiddellijk een foto onder haar neus. Terwijl ze de foto bekeek, trommelde hij nerveus met zijn handen op het bureau. "Je bent gisteravond met deze jongeman gesignaleerd. Ken je hem?"

Sara kende inmiddels genoeg van de taal om hem te kunnen verstaan. Als het maar niet te snel ging. Haar hart stond stil. Ze dreigde over te geven en moest gaan zitten om niet te vallen. De agent keek haar aandachtig aan. Zijn ogen priemden in haar gezicht, hij boog zijn hoofd wat dichter naar voren. Sara kneep in de leuning van de stoel.

"Ja. Gisteren hebben we gewandeld. Wat is er met hem? Is hij gewond?" Ze beefde aan alle kanten en het was niet meer dan gestamel wat ze er uit kon krijgen.

"Met deze mijnheer gaat het goed," zei de agent met een hatelijke glimlach. "Hij zit bij ons op het bureau, misschien kunt u met mij meekomen?" Hij stond op. Het gesprek was beëindigd.

Goddank, hij leefde, de rest was niet belangrijk.

Heidi had al die tijd geen woord gezegd. Ze zat er moe bij, haar gezicht zag bleek. "Ga maar gauw, Sara. De gasten zullen zo wel beneden komen. Ik regel het wel."

Onderweg spraken ze geen woord. De rit duurde Sara veel te lang. Ze zou hem weer zien. Het was een misverstand, daar was ze van overtuigd. Binnen een uur stond hij weer op straat. Haar hele wezen kwam in opstand tegen die arrogante man naast haar. God wat had ze toch een hekel aan zulke lui!

Ze stopten voor een groot hek dat automatisch openging en onmiddellijk weer sloot nadat ze gepasseerd waren. De agent bracht Sara naar een kamertje waar ze moest wachten. Ze hoorde hem de sleutel in het slot omdraaien.

Waar was hij? Ze ging op een bankje zitten en wachtte.
Na een halfuur hoorde ze de sleutel weer in het slot en moest ze meekomen.

De lift stopte op de tweede verdieping. Ze liepen tot aan het eind van de gang. Bij de laatste deur gingen ze naar binnen. In het midden van het kamertje stond een tafel met een paar stoelen, en tegen de muur een houten bankje. Hij zat tussen twee agenten. Hij zag er moe maar ongedeerd uit. Zijn ogen lichtten op toen hij haar zag. Ze wilde op hem aflopen maar werd door haar begeleider hardhandig in een stoel geduwd. Hij knikte kort naar de twee agenten aan tafel en begon rechtstreeks tegen Sara in het Italiaans.

Hulpeloos hief Sara haar handen omhoog en keek naar de man die tussen twee agenten zat. "Waar heeft hij het over, ik versta er niets van."

Hij richtte zich in het Italiaans tot de agent. Legde uit, althans dat hoopte Sara, dat ze alleen Engels sprak, waarop de agent paars aanliep. Zijn ogen vlogen van de een naar de ander.

Sara keek naar de grond, vermeed ieder contact.

De agent pakte de telefoon, schreeuwde een paar verwensingen de hoorn in, waarna er een jong meisje in uniform binnenkwam. Ze sprak even met de agent, knikte begrijpend, en richtte zich toen tot Sara. "Waar kennen jullie elkaar van?" vroeg ze in vloeiend Engels.

"We kennen elkaar niet echt, we hebben gisteren voor het eerst samen gewandeld."

"Weet je waarom hij hier zit?" ging ze verder.

"Eerlijk gezegd, nee."

"Ontvoering en moord."

Sara vloog overeind. "Dat is niet waar, dat is een vergissing, ik weet zeker dat het niet waar is!"

"Omdat je met hem gewandeld heb," sprak ze sarcastisch. "Ga je altijd wandelen met mensen die je niet kent?" Haar ogen vormden zich tot spleetjes.

Het meisje draaide zich om naar de agent, die al die tijd zijn mond had gehouden. In rap Italiaans gaf ze een kort verslag.

De agent keek eerst verbaasd, toen sloeg hij met zijn vuist op de tafel.

Het meisje stond op. "Als je verstandig bent, spreek je de waarheid, dan ben je hier het snelste weg."

"Ik spreek de waarheid. Gisteren heb ik hem voor het eerst

ontmoet, geloof me! Alsjeblieft," smeekte Sara, "laat me vijf minuten met hem praten. Vijf minuten, niet langer."

Het meisje overlegde met de agent, en aan haar toon kon Sara horen dat ze haar best deed. Uiteindelijk verlieten ze allen met tegenzin de kamer, op één agent na. "Vijf minuten!"

Ze zaten nu tegenover elkaar. De agent in de hoek zat er quasi-onverschillig bij. Met een zakmes peuterde hij zijn nagels schoon. Hij deed of hij niet luisterde.

Hun ogen zochten elkaar. Op zijn gezicht lag een gekwelde uitdrukking. Het liefst had ze hem in haar armen genomen. Ze keek naar de hoek. Over tafel vonden hun handen elkaar. "Wat moet ik doen?" vroeg ze zachtjes.

"Ga naar Mora. Het is een klein dorpje boven aan de berg. Een paar straatjes, een kerkje, meer is het niet. De pastoor kan je naar mijn moeder brengen." De tranen stonden nu in zijn ogen. "Zeg haar dat het goed met me gaat. Wil je dat voor me doen?" Hij keek haar nu smekend aan. "Laat me hier niet zitten!"

"Ik laat je hier niet zitten. Hoe kan ik nu van mezelf weglopen? Niet voor de tweede keer."

De agent begon nu verveeld op te staan en wat heen en weer te lopen, zijn blik demonstratief op de grote klok boven de deur gericht.

"Geloof me, ik kom terug." Ze zei het resoluut. Daarna sloot ze de deur zodat hij niet zag dat ze huilde.

Terug in het hotel stond Heidi in de receptie. Meteen toen ze Sara zag, kwam ze erachter vandaan en nam haar mee naar haar appartement. Ze haalde een kop koffie en ging tegenover haar zitten. "Viel het een beetje mee?"

Ze was zo aardig. Sara barstte in tranen uit. Heidi liep naar haar toe en sloeg haar arm om haar heen.

"Ik bezorg je alleen maar last, je hebt niets aan mij."

"Onzin," beet Heidi haar toe. "Je hoeft het me niet te vertellen, maar wees alsjeblieft een beetje voorzichtig.
Nou kom op, kleed je om, het is zaterdag, dus een hoop drukte. En Sara… Je kunt altijd op me rekenen." Ze gaf Sara een kneepje in haar wang. "Je weet waar je me kunt vinden." Ze liet haar alleen en stevende op de zojuist aangekomen gasten af.

Boven in haar kamer aangekomen pakte Sara een schone blouse uit de kast en begon zich om te kleden. José kwam binnen en sloot de deur. "Wat was dat nou allemaal? Wat moest je op het politie-bureau? Jezus, ik kon haast niet wachten tot je terugkwam. Vertel eens, je zit toch niet in de problemen?"

"Ik weet dat je het goed bedoelt José, maar ik snap het zelf niet eens. Ik heb tijd nodig. Vanavond na het werk praten we verder. Laten we nu naar beneden gaan."

De rest van de dag ging in een flits voorbij. Gasten kwamen af en aan. Koffers werden naar binnen gesleept en iedereen wilde zo snel mogelijk zijn kamer in. Om vijf uur was de rust weergekeerd. De meeste gasten hadden hun koffers uitgepakt en genoten nu van een duik in het zwembad of een borreltje aan de bar.

Na het eten stelde Heidi voor met zijn allen wat te drinken op het terras. Over het incident van vanmorgen werd niet gesproken. Het was waarschijnlijk de meesten ontgaan omdat het zo vroeg was. Francesco keek af en toe in haar richting. Sara vroeg zich af of Heidi het hem verteld had. In ieder geval liet hij het niet merken.

Juan flirtte wat met Dana en Mario vertelde een verhaal over een gast die poedelnaakt de gang op kwam rennen met zijn vrouw schreeuwend achter zich aan. Hij acteerde er op zijn Italiaans bij en de tranen liepen over hun wangen van het lachen. Om één uur ver-trokken ze naar de disco. Sara zei dat ze barstte van de hoofdpijn en liever naar boven ging. Daar viel ze met een zucht languit op bed.

Wat een dag! Ze probeerde alles terug te halen, van de ochtend, het politiebureau, het verhoor, maar vooral zijn gezicht. Wat moest ze doen? Ze wilde alles doen, maar waar moest ze begin-nen? Zou hij nog op hetzelfde bureau zitten of zouden ze hem ergens anders heen gebracht hebben?

Naar Mora had hij gezegd. Geen flauw idee hoe ze dat moest aanpakken! Het was een klein dorpje, dus misschien kon ze zijn moeder als ze daar eenmaal was, wel gemakkelijk vinden. Haar gedachten vlogen heen en weer. Ze wist niet eens hoe hij heet-te. Ze had geen foto en in zo'n klein dorpje spraken ze vast geen Engels, alleen maar Italiaans. Ze kon iemand meenemen… Nee, dat kon altijd nog, eerst maar eens kijken of ze het kon vinden.

Maandag. Maandag was haar vrije dag. Dan had ze morgen de tijd om vervoer te regelen. Ze masseerde haar slapen. Haar hoofd begon nu echt op te spelen. Het was in ieder geval een plan. Ze viel in slaap en hoorde José niet meer thuiskomen.

15

De weg naar Mora was slecht. Sara had spijt dat ze geen autootje gehuurd had. De Vespa rammelde over het ongelijke wegdek. Ze had de grootste moeite de vele gaten in de weg te ontwijken. De weg was uitgestorven en voor het grootste gedeelte onbegaanbaar. Alleen rotsen, stenen en stof, vooral stof. Geen stukje groen, geen verdwaalde graspriet of vogeltjes op zoek naar eten. Alleen die oranje, dorre grond. Het was tien uur en de hitte was nu al ondraaglijk. Ze gaf wat meer gas om een beetje wind te vangen.

De weg kronkelde langzaam omhoog. Ze was het bordje MORA gepasseerd. Het stond aan het begin van de weg. Uitdagend, alsof je er zo naartoe kon rijden.

De scooter protesteerde hevig. Sara was vastbesloten er geen aandacht aan te schenken. Stoppen zou onmiddellijk betekenen dat ze de rest moest lopen, dus tartte ze het oude beestje tot het uiterste.

De weg maakte een flauwe bocht naar links, waardoor de zon een beetje opzij kwam te staan. Ze was er dankbaar voor. Het was nu wat makkelijker om op de weg te kijken. Het scootertje tufte braaf door alsof het zijn protest had opgegeven. De weg werd nu iets beter en hier en daar passeerde ze een vervallen hutje. Veel te magere beesten liepen met hun kop over de grond te grazen alsof ze nog steeds niet konden begrijpen dat daar niets meer te halen viel.

Hoe ver zou het nog zijn, vroeg ze zich af. Ze had geen idee hoelang ze onderweg was. Een uur? Een halfuur? Zo langzamerhand moest ze toch in de buurt komen. Zou ze wel genoeg benzine hebben? Daar kon ze maar beter niet aan denken. Haar maag begon toch al in opstand te komen hoe dichter ze haar doel naderde. Ze moest eerst nog maar eens zien dat er een eind aan deze rotweg kwam.

De scooter begon te stotteren. Oh nee! Niet nu. Ze minderde wat gas en dankbaar tufte hij verder.

Er kwamen nu wat huisjes in zicht. Hier en daar een vervallen boerderijtje en wat smalle straatjes. Woonden hier wel mensen? Haar maag draaide en ze moest nu echt afstappen.

Sara haalde een flesje water uit haar rugzak en dronk het voor het grootste gedeelte leeg. Het water was lauw. Het restant goot ze over haar gezicht. Ze zette de scooter tegen een muur en leunde tegen een verrotte vensterbank. "Ga naar de kerk, de pastoor brengt je naar mijn moeder." Ze keek om zich heen. Ieder dorpje had wel een kerk.

Ze liep met de scooter aan haar hand de verlaten straat uit. Daar zag ze twee oude mensen lopen, gekleed in het zwart. Zelfs met dit weer droegen ze zwarte kleren, met een wollen omslagdoek. Ze schuifelden met hun kromme ruggen over de straat. De bewoonde wereld kon dus niet ver meer zijn.

Sara liep een klein zijstraatje in dat steil omhoog ging. De warmte steeg haar naar haar hoofd en ze moest nu snel een plek vinden waar ze kon zitten. Aan het eind van de straat stond ze stil en keek ze om zich heen. Daar stond het gebouw. De kerk stond trots en fier in het heldere zonlicht boven op een heuvel. Onder aan de heuvel stonden links en rechts wat huisjes. Aan de overkant waren een paar winkeltjes waarvan de meeste gesloten waren. Achter het kerkje zag ze enorme wijngaarden, zo ver ze kon kijken. Van een klein schooltje waar een paar kinderen aan het buitenspelen waren kwam het enige lawaai in de verre omtrek. Verder was het hier het eind van de wereld. Wat vreselijk als je hier moest opgroeien, zo eenzaam!

Hier had hij dus gewoond, was hij naar school gegaan en woonde zijn familie. Misschien was het wel een hele grote gezellige familie, dacht Sara, met veel broers en zussen en hadden ze hartstikke veel lol. Wat wist ze eigenlijk van hem? Niets, en toch was ze hier.

De deur van de kerk stond open, zoals in alle Zuid-Europese landen. De kerk was er voor iedereen. Het was er doodstil. Op haar tenen liep ze naar voren, bang om de stilte te verstoren.
Links was het Maria-altaar. Er brandden kaarsjes. Ze verlichtten het beeld van de moeder met het kind op haar arm. Het Maria-altaar was de enige plek in de kerk waar Sara altijd weer ontroerd van raakte. Vaak had ze er gezeten. Een kaarsje opgestoken voor geluk, gezondheid of troost. Ze voelde in haar zak, vond wat geld en stak

een kaars op. Verzonken in gedachten bleef ze even zitten. Hoe ging ze dit in godsnaam aanpakken?

Ze schrok van voetstappen die hol klonken op de stenen vloer. Door het middenpad liep iemand naar voren. Ze gluurde voorzichtig naar achteren en zag dat het een pastoor was. Hij stond stil, maakte een kruisteken en liep de treden op naar het altaar.

Sara stond langzaam op. Nu moest ze sterk zijn. Ze rechtte haar rug en liep naar de onderste treden. "Vader," het klonk belachelijk, ze wist het, maar hij draaide zich om en kwam naar haar toe. Ze probeerde het zinnetje waar ze de hele ochtend op geoefend had uit te spreken, maar de woorden bleven steken. Ze probeerde nog wat andere Italiaanse woorden. Was het wel Italiaans? Het leek wel koeterwaals! De wanhoop stond op haar gezicht dat gloeide of ze koorts had.

De geestelijke gebaarde haar te gaan zitten. "Waar kom je vandaan?" vroeg hij. Hij wachtte geduldig. "Nederland?"

Haar ademhaling ging nu weer een beetje normaal.

"Nederland, mooi land met zijn tulpen en groene weiden."

Ze keek hem nu voor het eerst recht aan. "U spreekt Nederlands?" Haar hart maakte een sprong van vreugde.

"Ja, na zes jaar in Nederland gestudeerd te hebben leer je de taal wel. Ik dacht trouwens meteen dat je uit Holland kwam. Laten we rustig gaan zitten." Hij liep voor haar uit en over het grasveld liepen ze naar de pastorie. Daar schoof hij een stoel voor haar aan en stak een sigaar op. De wanden stonden vol met boeken. Er was een grote open haard en aan de kant stond een ronde tafel met stoelen. Het hoge glas-in-loodraam gaf de kamer een serene uitstraling. Hij ging aan de grote tafel tegenover haar zitten en hield haar een kistje met sigaretten voor. Gretig nam ze er een.

De pastoor stak een sigaar aan. "Vertel eens, wat brengt je naar dit eenzame oord. Er komen hier niet veel toeristen," vroeg de pastoor, waarna hij naar Sara luisterde zonder haar te onderbreken.

Ze vertelde hoe ze de jongen ontmoet had en over het bijzondere gevoel dat ze elkaar al jaren kenden en dat het zo had moeten zijn. De beschuldiging, het verhoor en zijn smeekbede aan haar om naar deze plek te gaan, om zo in contact te komen met zijn moeder.

Toen Sara uitgesproken was doofde hij zijn sigaar en begon te spreken. "Ik neem aan dat je het over Michael hebt?"

Sara keek hem verbaasd aan. "Michael, heet hij zo? Dat wist ik niet."

De geestelijke stond op en liep naar de boekenkast. Hij haalde een paar boeken weg en pakte een stapeltje papier dat er achter lag.

"Michael ja. Een trieste geschiedenis. Zijn ouders bezaten een grote wijngaard. Het waren de notabelen van het dorp. Michael was hun enige zoon. Zijn vader had grootse plannen met de jongen. Hij zou later de wijngaard overnemen. Hij wilde het nog uitbreiden met een proeverij om zo de toeristen deze kant op te lokken. Het fundament was er al voor gelegd. Maar Michael was een verlegen jongen. Een dromer. Tot grote ergernis van zijn vader."

"In plaats van plannen te maken en zijn vader in het bedrijf te helpen was hij altijd met zijn schildersezel op pad. Als de druiven geplukt moesten worden, kwamen jongens en meisjes uit alle windstreken om te helpen. Dat ene jaar was er een meisje uit Schotland. Ze was jong en die twee werden verliefd. Ze hadden het goed verborgen weten te houden. Na het oogstfeest zouden ze allemaal weer weggaan. De avond voor het meisje zou vertrekken, werd Michael met haar door zijn vader betrapt. Er volgde een enorme herrie. Die nacht zijn ze met z'n tweeën vertrokken."

"Eens kijken. Dat is nu twee jaar geleden. Michaels vader raakte aan de drank en verwaarloosde de wijngaard. Zijn moeder hield Michael de hand boven het hoofd. 'Hij komt wel weer terug,' zei ze. 'Onze zoon volgt zijn hart.'"

De geestelijke wees nu op het stapeltje brieven.

"Een halfjaar geleden kreeg ik de eerste brief van Michael. Hij was aan mij gericht. Er zat nog een brief in, die was voor zijn moeder. Ik ging naar hun huis. Zijn vader zat in de kroeg, zijn moeder lag op bed. Ze tobde met haar gezondheid. Heel voorzichtig vertelde ik haar dat ik goed nieuws had. 'Van Michael?' vroeg ze. Ze straalde. Ik gaf haar de brief. Ze hield hem in haar handen en kuste hem. 'Oh God, dank U.' Ze vouwde hem open en gaf hem toen aan mij. 'Wilt u zo goed zijn hem voor te lezen?' vroeg ze. 'Mijn ogen worden zo slecht.' Ik las haar de brief voor.

Lieve vader en moeder,

*Het spijt me als ik jullie verdriet heb gedaan, maar ik moest mijn
hart volgen. Dat heb jij me altijd geleerd, mam. Volg je hart en je
vindt het geluk.*
We zijn nu heel gelukkig. Vorige maand zijn we getrouwd.
In Gretna Green, een klein plaatsje in Schotland.
Ik wilde het zo graag aan jullie vertellen, maar durfde het niet.
*Ik denk veel aan jullie en als we wat geld gespaard hebben zouden we
graag samen komen.*
Heel veel liefs en geen zorgen! Wij zijn heel gelukkig.

Michael

Ik vouwde de brief weer dicht en gaf hem aan haar terug.
Op dat moment ging de achterdeur open en kwam Georgio thuis.
Hij was dronken. Ik vertelde hem dat er nieuws was van zijn zoon.
Eerst dacht ik dat hij me niet hoorde. Toen begon hij te schreeuwen.
'Zoon… Ik heb geen zoon! Die slappeling bedoel je. Laat ons met
rust. Jij met je God! Als er een God was zou dit niet gebeurd zijn.'
Hij liep wankel de kamer uit. Daar zaten we dan. Zijn moeder gaf
me de brief. 'Bewaar hem maar,' zei ze. Haar ogen stonden vol
tranen."

"Er volgden nog twee brieven. Vorige maand kwam de laatste.
Michael schreef dat zijn vrouw er met een ander vandoor was.
Op een dag toen hij 's middags thuiskwam, was ze weg.
Zijn hospita wist hem te vertellen dat ze was opgehaald door haar
broer. Een hele chique man met een deftige auto. Hij was kapot.
Zijn spaargeld was weg en het ergste was, zijn vrouw had helemaal
geen broer. Michael bleef nog twee maanden bij zijn hospita wonen.
Stiekem hoopte hij dat ze op een dag terug zou komen.
Dat gebeurde niet. Daarna had hij zijn baan opgezegd en was hij
gaan zwerven om haar te zoeken."

"In zijn laatste brief schreef hij dat hij naar huis kwam. Hij vroeg
mij om zijn ouders voorzichtig voor te bereiden."

De pastoor stopte met zijn verhaal en keek Sara bedenkelijk aan.

"Wat kunnen we doen?"

Sara had de hele tijd aandachtig geluisterd. Ze was zo opgegaan in het verhaal dat ze was vergeten waar ze zat.

Ze schudde verdwaasd met haar hoofd. "Wat een verhaal!" Ze kon het nog niet bevatten. "We gaan naar zijn moeder," zei Sara, "en vertellen haar waar hij nu is."

"Het zou haar dood zijn, ze heeft al genoeg meegemaakt." De pastoor stond op en ging naar het raam." Er moet een andere manier zijn."

"U kunt met die brieven naar de politie gaan," opperde Sara. "Een geestelijke geloven ze toch wel." Ze wachtte terwijl hij naar buiten stond te staren. Hij prevelde een gebed. Sara's handen, klam van het zweet, trilden.

"Het beste zou zijn…" Hij draaide zich nu om en zijn donkere stem vulde de hele ruimte. Sara keek hem gespannen aan. "Ik weet niet of ik dit van je mag vragen. Het beste zou zijn als je zijn vader gaat opzoeken." Hij ging nu weer tegenover haar zitten. "Zijn vader was vroeger een invloedrijke man, voordat hij ging drinken. Hij heeft nog steeds veel geld. Als je hem zou kunnen overtuigen kan Michael misschien op borgtocht vrijkomen. Voor zijn verdere zielenheil moeten we het aan hogere machten overlaten." Hij stopte nu en keek haar doordringend aan. "Zou je het durven?"

Ze zat nu werkelijk te schudden. Hij gaf haar een glas water. "Denk er rustig over na."

Het zweet liep nu langs haar hals, haar kleren plakten aan haar rug. "Hoe had U dat gedacht? Ik weet niet eens hoe hij eruitziet en waar ik hem kan vinden." De moed zonk haar in haar schoenen. "Is het niet beter dat U gaat? Een geestelijke. U kent hem toch veel beter?"

"Lieve kind. Dat is het hem nu juist. Jij mag dan tegen me opkijken, maar hij wil mij niet zien. Ik vertegenwoordig alles wat hij vervloekt." Hij boog zich nu naar haar toe. "Doe het… Probeer het! Je bent al helemaal hierheen gekomen. Daar is moed voor nodig. Als iemand hem kan bereiken ben jij het wel. Denk erom, kind, Georgio is verdwaald, maar niet verloren."

Het bibberen hield op. Het was waar. Ze was hier. Nu moest ze verder. Ze had deze tocht niet gemaakt om bij de eerste tegenslag af te haken. "Ik doe het. Zeg me waar ik hem kan vinden."

De kroeg was niet ver van de kerk. Aan het begin van de smalle straat, die in een bocht omhoog liep, vouwde Sara het papiertje in haar hand open. Ze bestudeerde de beschrijving van de kroeg en van het uiterlijk van Georgio, vouwde het papiertje weer zorgvuldig op en stak het in haar zak.

Voorbij de bocht zou het zijn. Ze keek naar de vervallen, verveloze gevel. Het leek of het café gesloten was. Ze probeerde de deur. De kruk draaide stroef. Ze trilde over haar hele lijf. Ze ademde diep en duwde de deur langzaam open. De geur van rook en drank kwam haar tegemoet. Ze was blij dat ze nog niets gegeten had.

Door de rook en de geringe verlichting zag ze weinig. In de hoek kon ze de bar onderscheiden. Ze kon niemand ontwaren, hoorde alleen wat gerochel en geroezemoes.

Sara leunde tegen de bar en probeerde de omgeving in zich op te nemen. Achter de bar stond een biljart. Twee mannen zaten aan een tafeltje ernaast. Ze dronken en rookten. Af en toe stond er een op, legde zijn sigaret in de asbak, liep zwijgend naar het biljart, stootte tegen de ballen en ging weer zitten.

Naast het raam bij het toilet stonden nog een tafeltje, waaraan drie mannen zaten te dobbelen. Ze waren wat luidruchtiger en een van hen knikte naar de bar.

Met tegenzin stond er een op en liep naar de bar. Hij nam haar van top tot teen op en lachte naar zijn maten.

"Een biertje graag," zei Sara.

"Een biertje!" Hij hield het glas omhoog naar de hoek en grijnsde, waardoor de bruine aanslag op zijn tanden zichtbaar werd. Hij zette het biertje op de bar en wilde weer weglopen.

"Ik kom voor Georgio." Ze zei het snel en probeerde haar stem zo veel mogelijk in bedwang te houden.

"Georgio?" Hij boog zich vooorover.

Sara deed een stap achteruit. Ze rook de zure lucht van zijn kleding.

"Georgio, voor jou!" Het schalde door de hele kroeg.

De mannen in de hoek begonnen opmerkingen te maken. Bij het biljart zetten de twee hun stok op de grond en keken gespannen toe.

Sara dronk haar glas in één teug leeg en zette het met een klap op de bar. "Een ander graag." Het bier klotste in haar lege maag. Ze nam het volle glas van de bar en liep naar de hoek. Alle ogen waren nu op haar gericht. Het was duidelijk, hier kwamen alleen mannen.

Bij het tafeltje herkende ze hem meteen. Hij bekeek haar met een wazige blik. Zijn ogen waren bloeddoorlopen. Ze probeerde er iets van Michael in te zien. Iets milds, iets zachts; hoe hij er vroeger uitgezien zou hebben. Maar wat ze zag was een dronken, ongeschoren vent. Zijn donkere haar hing in zijn gezicht en hij stonk naar zweet en drank.

De man die bij hem zat schoof met veel lawaai zijn stoel naar achteren, pakte zijn glas en ging aan de bar zitten. Achterstevoren, zodat hij alles goed kon bekijken.

Sara pakte de stoel. Ze ging zitten en boog zich naar de verlopen figuur tegenover haar. Ze klemde haar handen stevig om haar glas en keek hem strak aan, probeerde zijn aandacht te trekken. Ze boog zich nog verder naar voren zodat ze hem bijna kon aanraken. "Uw zoon heeft u nodig."

Zo, dat was eruit. Haar hart bonsde en ze moest haar handen om haar middel slaan om de opkomende misselijkheid tegen te gaan. Ze ging achteruit zitten, leunde tegen de rugleuning en wachtte op een reactie, een uitbarsting, een dreun op de tafel.

Zo dronken als hij was, bracht hij zijn glas naar zijn mond en gooide het bier naar binnen. Hij keek glazig in het niets en Sara wist niet zeker of hij haar gehoord had.

"Uw zoon heeft u nodig. Hij zit in de problemen," zei ze nog een keer. Het zweet voelde ze over haar rug lopen. Weer kwam er geen reactie.

"Hij is hier vlakbij. U bent de enige. Alstublieft, help hem." Ze wachtte nog steeds op een reactie, een teken. Maar er gebeurde niets. Ze had zich van alles voorgesteld, schelden, tieren, alles had ze verwacht, maar niet deze in het niets kijkende man.

Voorzichtig legde ze haar hand op zijn arm. "Alstublieft, u bent zijn vader."

Nu zag ze zijn hoofd iets omhoog komen. Er drupte een traan die hij onhandig met zijn mouw wegveegde. Ze voelde dat zijn dronkenschap hem week maakte. Misschien had de pastoor gelijk, was ze tot hem doorgedrongen, had ze zijn zwakke plek geraakt.

"Hij zit vast op het politiebureau beneden in het dorp. De pastoor heeft brieven van hem."

Georgio veerde overeind, mompelde een paar verwensingen en zakte weer in.

"Hij kan u verder helpen," sprak ze in haar beste Italiaans. Het werd moeilijk. De enige reactie die ze gezien had, was toen ze over de pastoor begon. Ze stond op, boog zich voorover en keek hem recht in zijn gezicht aan. Daarna draaide ze zich om, betaalde en liep de deur uit.

Het zonlicht verblindde haar. Door de smalle straatjes rende ze richting pastorie. Haar zenuwen stonden op instorten. Hoe het verder moest wist ze niet, maar voor vandaag was het genoeg. Het enige wat ze nu wilde was zo snel mogelijk hiervandaan.

Bij de pastorie aangekomen greep ze haar scooter en gaf ze meteen een dot gas zodat de wind verkoeling op haar gezicht bracht. Haar zenuwen kalmeerden en maakten plaats voor opluchting. Ze had haar best gedaan! Ze was er niet zeker van, maar iets binnen in haar zei, dat ze hem had weten te raken.

In de pastorie liep de pastoor onrustig heen en weer. Ze had allang terug kunnen zijn. Hij liep naar buiten. De Vespa stond er nog. Hij had zichzelf een vol glas wijn ingeschonken. Hij moest het rustig afwachten. Gods wegen waren ondoorgrondelijk.

Terug in de stad, de scooter had zich wonderbaarlijk gedragen, reed Sara rechtstreeks door naar het politiebureau. De straten waren verlaten. De meeste mensen zaten op het strand of hielden siësta.

Sara parkeerde voor het politiebureau en drukte op de bel. De zoemer ging, ze duwde tegen de deur en stapte de hal van het politiebureau binnen.

De hal was donker en koel. De agente achter de balie keek op van haar werk. Ze had een vierkant gezicht met een donkere schaduw onder haar neus; het gaf haar een onvrouwelijk uiterlijk. Ook zonder uniform zou ze iedereen afschrikken.

"Ik kom voor Michael." Het klonk stom, dat begreep Sara zelf ook wel.

"Michael…? Michael wie?" De stem van de agente donderde door de gang.

"Hij is hier vrijdag gebracht. Ik wil alleen maar heel even met hem praten." Ondanks de koelte in de hal transpireerde ze hevig.

"Het is hier anders geen hotel," snauwde de vrouw. Ze wees Sara het kantoortje dat dienstdeed als wachtkamer. Er zat voor Sara niets anders op dan geduldig te wachten. Ze moest hem even zien en vertellen dat ze in Mora geweest was, zodat hij wist dat hij op haar kon rekenen.

Ze sloot haar ogen en nu pas drong de vermoeidheid tot haar door. Het wachten duurde erg lang. Sara stond op en begon te ijsberen. Ze keek door het raam dat uitkeek op de gang en de balie. De dienstdoende agente zat weer op haar plaats. Sara liep naar de deur tegenover haar, die was op slot. Ze liep naar de andere deur… die was ook op slot.

De razernij kwam vanzelf. Het begon bij haar tenen en kroop in een ijlings tempo omhoog. Ze tikte driftig op het raam. De agente deed of ze niets hoorde en ging zonder op te kijken door met haar werk. Nu bonsde Sara met twee vuisten zo hard op het raam dat ze het wel moest horen. De agente keek geërgerd op. Bijna verveeld kwam ze nu achter de balie vandaan.

Sara liep naar de deur. Ze hoorde de sleutel in het slot en de deur ging op een kier. "Waarom is die deur op slot?"

Bij het horen van de toon trok de agente snel haar hoofd terug.

Maar Sara was haar voor. Met een ruk greep ze haar beet en sleurde haar de wachtkamer in. "Hoe durf je mij op te sluiten!" hijgde Sara. Alle frustraties en woede van de afgelopen uren waren nu op deze vrouw gericht. Sara duwde de deur aan de buitenkant dicht en draaide het slot om.

Door het hele gebouw begonnen bellen te rinkelen. Sara keek verwilderd om zich heen. Ze moest weg. Het was hier gevaarlijk. Ze rende over de straat en door steegjes. Ze was razend!

Onschuldige mensen opsluiten. Haar scooter stond nog voor het bureau. Die moest iemand anders maar ophalen. Zij ging daar niet meer heen.

Halverwege het hotel nam Sara de bus. Ze was buiten adem, woedend en misselijk. Ze was vaak misselijk, vooral 's morgens. Ze besefte dat ze vandaag nog niets gegeten had. Ze moest wat beter op haar voeding letten, vooral nu. Toen de bus voor het hotel stopte, liep ze snel langs de receptie en vloog de trap op. In de wastafel gaf ze over.

José kwam achter haar aan. In de deuropening bleef ze staan. Geschrokken wachtte ze tot Sara uitgespuugd was, toen pakte ze haar beet en zette haar op het bed. Ze pakte een handdoek en een washand, en hield ze onder de kraan. Sara nam ze dankbaar aan.

José maakte de wastafel schoon en ging naast Sara op het bed zitten. "Zo Sara, nu ga je me alles vertellen. Eerder ga ik niet naar beneden." Ze keek haar vriendin aan. "Lieve God, wat zie je eruit. Waar ben je geweest?"

Sara vertelde haar zo veel mogelijk. Over Michael, hun eerste ontmoeting en dat ze allebei het gevoel hadden dat deze ontmoeting was voorbestemd. Over het politiebureau, de rit naar Mora en het bezoek aan de pastoor. Hoe ze zijn vader in de kroeg had aangetroffen liet ze achterwege.

José luisterde aandachtig. "Wat een verhaal. Waarom heb je het me niet verteld, dan hadden we samen kunnen gaan. Kom, ik haal eerst eens een paar broodjes van beneden. Je ziet eruit alsof je nog niets gehad hebt." Ze liet Sara alleen en kwam terug met twee witte boterhammen en een kop thee. Sara durfde niet te protesteren en at ze braaf op. Er kwam weer kleur op haar gezicht.

"José… Bedankt hè!"

"Het is goed joh"

"Wil je iets voor me doen, José? Kun jij er voor zorgen dat mijn scooter opgehaald wordt?"

"Natuurlijk! Ik vraag het wel even aan een van de jongens. Hoe laat moet dat ding terug zijn?"

"José, je bent een engel."

"Ja, dat is allemaal best. Zorg jij nu maar dat je opgeknapt ben voor vanavond en doe alsjeblieft wat aan dat uiterlijk van je." José ging naar beneden voor het diner. Sara dook onder de douche. Daarna sloot ze de gordijnen en viel in een diepe slaap.

Toen ze haar ogen opende, voelde ze zich een stuk beter. Het slapen had haar goed gedaan. Langzaam kwam ze overeind. Naast haar bed stond een schaaltje vers fruit. Sara raakte hierdoor geroerd. Ze keek in de spiegel, ze had weer kleur en haar maag was rustig.

Meteen nadat het vreemde meisje vertrokken was, verliet Georgio de kroeg. Hij gluurde door de stille straat; hij wilde er zeker van zijn dat ze weg was. Zwaaiend liep hij door de verlaten straatjes naar huis. Normaal gesproken liep hij over de veranda naar de achterdeur, maar vandaag nam hij de voordeur. Hij leunde er zwaar tegen aan. Zijn zatte lijf wiegde heen en weer. Eindelijk kreeg hij de sleutel in het slot. Door de openslaande deuren van de veranda zag hij zijn vrouw. Ze sliep.

Hij trok zich op aan de trapleuning en probeerde ongemerkt omhoog te komen, waarbij zijn lichaam af en toe een slinger naar links maakte. Bovengekomen hield hij zich vast aan de vensterbank en keek door het raam.

Dat verdomde rotjong! Nu hij in de puree zat kwamen ze bij hem. Daarvóór hadden ze Georgio niet nodig. Ze hadden de jongen allemaal gesteund. Zijn vrouw, en niet te vergeten die verdomde pastoor. Alsof het voor hem niet erg genoeg was. Zijn enige zoon.

Hij schopte zijn schoenen uit en viel boerend op bed.

Die stomme lui in de kroeg. Zijn 'vrienden'. Wat hadden ze gelachen. "Dat je dat meisje hebt laten lopen, Georgio. Als ze voor mij kwam had ik het wel geweten." Pablo, met zijn vieze bruine tanden.

Hij boerde weer. De drank kwam omhoog. Zijn maag verdroeg die Grappa niet meer. Hij hees zichzelf overeind en strompelde richting badkamer, leunde zwaar op de wastafel en keek naar zijn eigen spiegelbeeld. Wat hij zag was een vieze dronken vent. Bloeddoorlopen ogen en smerige stoppels. De spiegel besloeg en hij rook zijn eigen stinkende adem.

Een gevoel van schaamte kwam in hem naar boven. Wat voor indruk had dat meisje wel niet van hem? Het enige wat Georgio zich van haar herinnerde waren haar grijsblauwe ogen, ogen die groter waren dan haar gezicht. Hij had haar niet durven aankijken. Bang dat hij zwak zou worden. "U bent zijn vader, help hem!" had ze gezegd.

Niemand had meer zo tegen hem gesproken sinds die fatale dag dat Michael verdwenen was. Eerst durfden ze in het dorp niet tegen hem te spreken over zijn zoon en later waren ze hem uit de weg gegaan. Ze hadden hem genegeerd, maar nu had iemand hem nodig.

Georgio kleedde zich uit en smeet zijn smerige kleren op een hoop. Hij stapte onder de douche en waste zich alsof hij alle ellende eraf moest schrobben. Hij poetste zijn tanden en ging op het bed zitten om zich te scheren. Hij zocht schone kleren, gooide laatjes om, maar wist niet waar alles lag. Hij maakte zich allang niet meer druk om zijn uiterlijk. Ondergoed, sokken, een flesje aftershave dat bruin uitgeslagen was en een schone zakdoek. Daarna opende hij zijn klerenkast. De kast van toen hij nog meneer was. De zakenman, waar iedereen respect voor had.

Hij vond een lichtgrijs pak, een zachtroze overhemd en een paar knappe schoenen. Ze glommen tegen hem op, alsof het de kleren van iemand anders waren.

Toen hij klaar was, ging hij naar de badkamer en bekeek zichzelf opnieuw in de spiegel. Hij was vergeten dat hij er zo uit kon zien. Hij knipperde met zijn roodomrande ogen en besloot een zonnebril op te zetten.

Onderweg naar de pastorie bedacht Georgio dat dit het zwaarste onderdeel was van zijn hele missie. Hij was nog een beetje beneveld en vermeed angstvallig de hoofdstraat en de kroeg. Zijn passen waren fier en stevig, met af en toe een zijsprongetje. Hij was zich ervan bewust. Niemand zou Georgio meer voor gek zetten. Hij moest een solide indruk maken, net als vroeger. De kerk kwam nu in zicht. Hij ademde diep in en uit. Hij verstevigde zijn pas en liep zo recht mogelijk op zijn doel af. De pastoor zou zich weer herinneren wie Georgio was.

Er werd op het raam geklopt. De pastoor schrok op uit zijn gemijmer. Het ene glas, dat hij had genomen terwijl hij op de terugkomst van het meisje wachtte, had hij snel leeg gedronken. Daarna had hij zichzelf nog een glas gegund en was in slaap gevallen. Nu stond hij haastig op en liep naar het raam.

"Doe open, of is er geen plaats in de herberg?"

Hij kon zijn ogen niet geloven. "Georgio!"

"Ja, dat zie je goed."

De deur werd nu wijd open gezwaaid. "Georgio, kom binnen, wat zie je er goed uit."

"Laat je praatjes maar achterwege. Je weet waarvoor ik kom." Met vaste passen beende Georgio zich een weg naar binnen.

Pastoor pakte een doos sigaren en dankte God. Er gebeuren dus nog wonderen!

Met geen enkel woord werd er gerept over het verleden. Michael en een plan van aanpak waren de enige onderwerpen. Georgio voelde, nu hij in zijn nette pak, geschoren en gewassen met een dikke sigaar in zijn mond zat te onderhandelen, weer iets van zijn oude waardigheid terugkeren. Hij las de brieven van zijn zoon en had het er moeilijk mee. Hij inhaleerde zwaar en gebruikte zijn zakdoek om zijn voorhoofd te deppen. "Die verdomde hitte." De pastoor knikte.

Om tien uur 's avonds verliet Georgio de pastorie. Hij moest uitgerust zijn. Er was een hoop te doen. Eerst Michael. Daarna zou hij op zoek gaan naar het meisje.

Twaalf uur 's middags. Het ontbijt was opgeruimd en de keuken aan kant. Het was heet. De meeste gasten waren naar het strand. Een enkeling lag te lezen aan de rand van het zwembad. Sara zwaaide naar Mario. Hij legde de lunchkaartjes op de tafeltjes en hij gebaarde dat ze moest komen. Ze gingen bij het buitenbarretje zitten en staken een sigaret op.

De bel bij de receptie ging, dus snel doofde Sara haar sigaret, streek haar rok glad en liep door de keuken. Een keurige heer stond met zijn rug naar haar toe. Hij keek naar buiten. Ze liep om hem heen en stapte achter de balie.

De heer draaide zich om en haar adem stokte in haar keel. Dat kon toch niet! Hij kwam op haar af en stak zijn hand uit.

Deze heer! Nee, dat was een vergissing. Ze was in de war. Maar toch… die ogen…

"Kunnen we even gaan zitten?" vroeg hij in goed Engels.

Sara's benen begaven het zowat, haar knieën knikten. Ze hield zich stevig vast aan de balie. "Sorry. Ja, natuurlijk." Met stijve benen ging ze hem voor naar een tafeltje achter in de lege hal. Ze hield haar handen gevouwen in haar schoot om het trillen tegen te gaan.

"Ik kom je bedanken." Hij had een prettige stem. "Je weet niet wat het voor me betekent." Hij stopte even om zijn stem weer onder controle te krijgen. "Ik heb mijn zoon weer terug. Vanmorgen ben ik bij hem geweest." Hij slikte. "Rook je?" Hij haalde een pakje sigaretten uit zijn zak.

Dankbaar pakte Sara de sigaret aan. Haar hand trilde toen ze hem aanstak.

"Het was niet makkelijk. Voor beiden niet. Erg emotioneel." Hij inhaleerde diep. "We komen er wel uit. Voorlopig is het belangrijkste dat hij op borgtocht vrijkomt. Als het klopt wat die agenten me beloofd hebben, gaat dat morgen gebeuren."

Haar hart sprong op. Dat was meer dan ze verwacht had. Van ontroering kon ze niets zeggen.

"We brengen hem naar een veilig adres. Daar kan hij zich terugtrekken tot de zaak is opgelost. Dat kan nog wel even duren. Hij vroeg me je te vertellen dat hij het goed maakt. Hij is er van overtuigd dat jullie ontmoeting geen toeval was. 'We horen bij elkaar en zullen altijd met elkaar verbonden blijven.' Dat was letterlijk wat hij zei." De man had duidelijk moeite met deze tekst, maar wilde haar Michaels reactie niet onthouden.

Sara kon geen woord uitbrengen. Ze dacht aan Michael en hun eerste ontmoeting. De herkenning. Het gevoel dat ze allebei hadden dat ze elkaar al heel lang kenden. Ze keek nu naar de man tegenover haar. "Dank u."

Hij stond op, stak zijn hand uit en trok haar spontaan naar zich toe. "Wij moeten jou bedanken." Hij gaf haar een zoen.

Sara wist zich geen houding te geven.

"Als je ooit in moeilijkheden zit, in ons huis is altijd plaats voor je." Hij stapte door de draaideur en was weg.

Sara staarde hem verbouwereerd na. Ze beefde nu over haar hele lichaam. Hoe was het mogelijk? Deze verzorgde man. De vader van Michael. Ze hadden elkaar weer gevonden, vader en zoon. Het was alle ellende van de afgelopen dagen meer dan waard. Ze was niet laf geweest. Ze ging recht op haar doel af en zie eens wat er gebeurt! Het was slechts een begin, maar toch.

Hij had niet eens gevraagd hoe ze heette. Ze was nog steeds het meisje zonder naam. Maar het maakte niet uit. Het was niet belangrijk.

16

De volgende morgen ging om zes uur de wekker. Sara sprong uit bed, vastbesloten zich volop te storten op haar werk. Opgewekt liep ze de keuken in waar Juan en Mario al druk bezig waren.

"Goedemorgen schoonheid. Koffie?"

Ze was in een stralend humeur. Zelfs de gasten hielden haar aan om een praatje te maken. In de receptie stond Dana haar aan te staren. "Wat is er met jou gebeurd, Sara? Je ziet er heel anders uit. Hoe zal ik het zeggen, niet meer zo afwezig. Zullen we vanmiddag een duik nemen? Hier, neem een dropje." Dana graaide onder de balie in een pot.

"Ja, een frisse duik kan ik wel gebruiken," zei Sara. "Om één uur. Afgesproken?" Sara draaide zich om en botste tegen Francesco.

"Dana, heb jij de sleutels van de kluis gezien?" vroeg hij.

"Die moeten in de la liggen, op de gewone plaats." Dana stond op en gaf hem de sleutels. "Sorry Sara, ik moet aan het werk. Ik zie je om één uur."

Om één uur pakte Sara haar tas. Ze stopte er een badlaken, zonnebrandmiddel en een tijdschrift in en liep naar buiten.

Dana stond al te wachten. "Gaan we verderop naar de baai, of zullen we eens tussen de toeristen gaan zitten?" vroeg ze.

De meiden staken de straat over en liepen over het hete zand naar het water. Met moeite konden ze een plekje vinden waar ze hun badlakens konden uitspreiden.

"Wat een drukte! Het lijkt wel of ze allemaal op hetzelfde stukje willen liggen," zuchtte Dana.

Tussen de mensen door speelden kinderen frisbee of badminton. Jongelui wreven elkaar met zorg van boven tot onder in met zonnebrandolie, om daarna in zee te springen en vervolgens het hele ritueel weer te herhalen. Sara en Dana namen een duik en zwommen een stuk uit de kust. Het water was aangenaam en de lichamelijke inspanning deed hen goed. Daarna vleiden ze zich loom en tevreden op hun badlaken neer. Sara haalde haar tijdschrift tevoorschijn, Dana een zak toffees. Sara lag op haar rug. Voor het eerst sinds lange tijd voelde ze zich echt blij. De stemmen om haar heen vervaagden en ze zonk weg in een diepe slaap.

Een bal belandde op haar been. Even wist Sara niet waar ze was. Dana lag naast haar en las een tijdschrift. "Gezellig ben jij. Je hebt de hele tijd geslapen! Onvoorstelbaar in die drukte."

"Daan, hoe laat is het?"

"Vier uur. We moeten gaan als je nog wilt douchen…"

Sara werkte hard. Ze was vriendelijk tegen de gasten, maakte hier en daar een praatje met ze of bleef na het werk nog even bij ze zitten. Na enen, in de pauze als de gasten op het strand lagen, waren Sara en het andere personeel meestal in de baai te vinden. Juan en Mario voeren in de boot of waren aan het vissen. De rest lag te zonnen op de rotsen of vermaakten zich in het water.

De dagen vlogen voorbij en de laatste weken van de vakantie waren in zicht. Al was dat in het hotel niet te merken; het was nog steeds volgeboekt. Kinderen renden door de gangen en in de eetzaal was het een gezellig geroezemoes.

De keuken kon je maar beter mijden. Daar waren de koks, die, zoals ze zelf zeiden, hard aan vakantie toe waren. Sara kon zich daar wel iets bij voorstellen. Het was geen pretje in die hitte boven het fornuis te hangen.

Het was duidelijk dat het hele hotel werd gerund door Heidi. Nu ze naar haar zieke moeder in Duitsland was, werd het pas duidelijk hoe veel werk ze achter de schermen verrichtte.

Nu was het Francesco die de honneurs waarnam. Er ging van alles mis en de gasten begonnen te klagen. De receptie stond vol met ontevreden gasten. Francesco stond met zijn handen in het haar.

Het was bijna aandoenlijk zoals die grote man daar stond te zweten. Met zijn allen deden ze hun best de schade te beperken. Ze verwenden de gasten en namen als vanzelfsprekend Francesco de nodige problemen uit handen. Daardoor zaten veel pauzes er voorlopig niet in.

Het was de laatste week van de vakantie. Het was rommelig, de kinderen waren nerveus met het nieuwe schooljaar in het vooruitzicht en het regende al twee dagen achter elkaar. De meeste gasten bleven; in de eetzaal werd gekaart of andere spelletjes gespeeld. Francesco liep door de eetzaal, knikte vriendelijk en verdween weer in zijn kantoor. Ze waren er inmiddels al aan gewend dat hij zich min of meer verschool. Ze regelden alles onderling en lieten hem zo veel mogelijk met rust. De gasten waren gelukkig tevreden.

Juan schonk achter het buffet de drankjes in. Hij grijnsde, en wenkte Sara. "Kom, even zitten." Hij pakte een kruk en zette die achter de bar. "Vijf minuten." Hij gaf haar een sigaret.

"Niet doen joh, je weet dat roken in de eetzaal niet mag."

"Niet zeuren, Sara, we maken overuren. Kopje koffie erbij? Asbak? Wat wil je nog meer?"

Een van de gasten begon te zwaaien. Juan zwaaide vrolijk terug. Sara wilde opstaan. "Blijf jij maar zitten." Hij duwde haar terug op haar kruk. Ze keek hem na. Hij deed haar denken aan haar broers. Die waren ook zo maf.

Vanavond zou ze wel eens naar huis kunnen bellen. Maar het plan schoof ze voor zich uit. Ze was er nog niet aan toe.

"Hallo, waar zit jij met je gedachten?" Juan maakte haar sigaret uit die bijna opgebrand in de asbak lag. "Neem jij nog maar een sterke bak koffie," zei hij. "Dan gaan we daarna de tafels dekken. Nog twee dagen, dan is de drukte voorbij."

Ze werkten tot elf uur 's avonds. De hotelbar was normaliter tot twaalf uur open, maar het was al twee dagen achtereen één uur geworden. Vanavond was het de beurt aan Mary en Mario om achter de bar te staan.

Na het diner kwam Francesco uit zijn kantoor. "Zo mensen, jullie hebben het verdiend," zei hij, terwijl hij achter de bar dook. "Vanavond ben ik de barkeeper." Hij was gekleed in een geel poloshirt en kaki broek. Hij pakte het schort van Mario, zette de cd-speler wat harder en leunde over de bar. "Zeg het maar." Hij zag er ontspannen uit.

"Zullen we cocktails bestellen," fluisterde Mary. "Wedden dat hij dat niet kan."

"Twee marguerita's," riep ze, waarna ze het uitgierde.

Francesco mixte de drankjes zonder blikken of blozen.

"Nog iemand een cocktail?" Hij keek vragend de bar langs.

"Een bloody mary en een vesuvius" antwoordden José en Dana. Ook die kwamen zonder pardon tevoorschijn.

Daarna dronken ze bier. De muziek ging harder. Ze dansten met de gasten en om één uur ging de bar dicht.

"Dat was een onverwacht leuke avond." José schopte haar schoenen uit. Ze zaten op de rand van haar bed. "Zo ken ik Francesco helemaal niet."

"Misschien is hij blij dat het seizoen bijna over is," zei Sara. Ze ging languit liggen en masseerde haar buik die gespannen aanvoelde.

"Denk je nog wel eens aan die vriend in Holland?" vroeg José terloops. Vol aandacht boog ze zich naar de spiegel. Sara zweeg.

José draaide zich om. "Ja dus… En die andere, Michael was het toch? Hoor je daar nog wel eens wat van?"

"Michael is geen vriend. Hij is mijn betere ik." José haalde haar schouders op. "Je werkt te hard, Sara. Welterusten."

De hal stond vol bagage. De gasten hingen verveeld in de fauteuils of stonden in de rij bij de receptie. Doordat de bus een uur te laat kwam, begonnen de gasten te mopperen en de kinderen door de gang te rennen. En toen de bus eindelijk arriveerde, wilden ze allemaal tegelijk door de draaideur.

Zonder zich wat aan te trekken van de oprukkende mensen sloot de chauffeur de bus af en liep door naar de keuken. Juan en Mario hielpen met de bagage en alles stond nu op de stoep voor het hotel.

De hal was nu leeg op enkele nieuwe gasten na. Dana hielp ze aan hun kamernummer en Sara tilde de bagage in de lift. Plotseling voelde ze een hevig scheut in haar zij. De koffer die ze vasthield viel op de grond. Juan schoot haar te hulp, schoof haar opzij en nam de koffer over.

Sara bleef met haar hand in haar zij staan tot de pijn was

verdwenen. Ze kon merken dat het einde van het seizoen naderde. Ze was nog steeds niet echt gewend aan zwaar werk in de hitte en dit was een waarschuwing dat ze het wat rustiger aan moest doen. Tot nog toe had ze er niet veel van gemerkt. Aan haar buik was nog nauwelijks iets te zien. Het misselijke gevoel dat ze in het begin 's morgens had, was verdwenen. Ze zag er goed uit en voelde zich beter dan ooit. Toch moest ze het niet overdrijven. Iemand had haar nodig…

Uiteindelijk was de rust weergekeerd. De bus was vertrokken en voor het eerst sinds twee maanden was er minder dan tien man in het hotel.

José kwam de keuken uit met twee kannen koffie en een schaal koekjes. "Zo, eerst even zitten!" Ze doken de hal in en leunden achterover in de stoelen. Zelfs de koks kwamen uit hun hol.

"Als je bedenkt hoe veel mensen we dit seizoen weer gehad hebben." José zei het met een beetje weemoed. Ze wist dat ze binnen nu en twee weken allemaal weer op weg naar huis zouden zijn. Ze zaten onderuitgezakt en niemand had meer de puf om op te staan.

"Misschien kunnen we van de week een keer met zijn allen naar de baai gaan," opperde Mary. "Een picknick als afscheid."

"Goed idee, maar nu gaan we eerst nog even aan het werk." De kopjes werden op een blad gezet en iedereen vloog een kant op.

Uit de keuken galmde muziek. Er werd koortsachtig gewerkt. Voorraden werden nagekeken en kasten werden opnieuw ingeruimd. In de eetzaal stonden de stoelen op de tafels, want de vloer werd in de was gezet.

Sara ging naar de markt en kwam terug met armen vol bloemen. Ze schikte de bloemen in vaasjes. De stoelen werden weer van de tafels gehaald de bloemen kwamen erop. Op de hoek van de balie stond een groot boeket.

Om vijf uur waren ze klaar. Francesco liep door de gang en gaf hun een compliment. Hij keek op de gastenlijst. "In totaal acht personen, geen afzeggingen? Een in de keuken en een in de eetzaal, dat moet genoeg zijn. De rest kan vanavond vrij af nemen. Regelen jullie het onderling maar."

Juan wilde wel werken en hij vroeg José of zij hem wilde vergezellen. Hij had afgelopen week wel gezien dat Sara haar rust goed kon gebruiken.

In haar kamer bekeek Sara zichzelf in de spiegel. Haar borsten waren gegroeid, en haar taille was verdwenen. Haar gezicht zag er goed uit. De huid was glad en zelfs haar haren glansden. Het was hier niemand opgevallen, maar zelf zag ze de verandering wel. Anders, het was rustiger, volwassener vond ze.

In bed probeerde ze voor het eerst sinds ze hier was iets te lezen. Ze stopte de kussens in haar rug, sloot het raam voor de muggen en deed het lampje naast het bed aan. Het lezen lukte haar niet, want haar gedachten dwaalden af naar Nederland. Eerst moest ze woonruimte zoeken, er verder over nadenken, en beslissingen nemen. Binnen in haar groeide een kind, dat op haar rekende, haar nodig had. Het ging nu niet meer alleen om haar. Met die gedachte viel ze in slaap.

De volgende morgen wilde Sara nog even in de souvenirwinkels snuffelen. Normaal gesproken zou ze voor iedereen wat meenemen, maar hoe ging dat als je op een dag gewoon wilde verdwijnen. Zou ze zichzelf dat ooit kunnen vergeven?

Foto's van mooie meiden met zonnebrillen haalden haar uit deze plotseling opkomende verwarringen en lokten haar de winkel in. Na veel passen had ze een bril gevonden die haar beviel. De glazen verkleurden in de zon, werd er gezegd. Sara bekeek zichzelf in de spiegel. Ze vroeg hoe veel de bril kostte. "Zo veel?"

"Dit is echt een heel goed merk," verontschuldigde de verkoper zich. "Hij staat u prachtig."

Ze probeerde nog wat andere merken, maar pakte toch steeds weer die dure. "Hij is inderdaad heel bijzonder. Ik neem hem." Arm maar tevreden liep ze de winkel uit.

Terug in het hotel liep ze meteen naar de receptie. "Daan! Mag ik even in de kluis?"

Dana las een blad terwijl ze een hand dropjes uit de pot haalde. "Ga je gang! De sleutels liggen daar." Ze wees naar de la.

Sara deed haar zonnebril en het wisselgeld in haar kluisje en sloot hem zorgvuldig weer af.

"Morgen gaan we met zijn allen picknicken. Heb je het al gehoord?" Dana sprak met haar mond vol drop. Vervolgens peuterde ze de drop tussen haar tanden vandaan. "Het wordt een soort afscheidsfeest. We gaan met zijn allen. Kan leuk worden."

"Moet er niet iemand hier blijven voor de gasten?"

"Alleen de schoonmaaksters. De gasten krijgen 's avonds een koud buffet. Dat verzorgt de schoonmaakploeg, dus kunnen wij lekker op het strand blijven."

"Leuk. Weet je ook hoe laat?"

"Om twaalf uur," antwoordde Dana. "Koffie?" ze schonk uit een thermoskan twee kopjes in en schoof er een naar Sara. "Weet je Sara, het zal vreemd zijn als we weer thuis zijn. Misschien ga ik wel studeren, Italiaans bijvoorbeeld." Dana keek dromerig voor zich uit.

"De jongens in Schotland zijn toch niet te vergelijken met hun Italiaanse seksegenoten," zuchtte ze theatraal.

Sara moest lachen. "Overal zijn mooie en lelijke mannen Daan. Maar Schotland lijkt me een prachtig land."

"Dan kom je me toch opzoeken. We hebben plaats genoeg!"

17

Juan zette het laatste krat met eten in de jeep. "Vier kunnen er meerijden, de rest moet lopen."

Francesco zat al achter het stuur, hij stak zijn hoofd door het raam. "Laat de jongens maar met mij meerijden, dan kunnen die vast de spullen uit de auto slepen." Luid toeterend reden ze weg.

"Zijn we er allemaal?" vroeg Sara. Ze stond met José voor de deur. Mary en Dana kwamen door de draaideur naar buiten. "Hebben jullie alles? Badlaken, bikini, wat warms voor vanavond? Het koelt 's avonds al aardig af."

Met zijn vieren liepen ze langs de boulevard. "Niet zo hard!" Dana zette haar tas op de grond en groef onderin. "Anders moeten we helpen sjouwen. Snoepje?"

Ze slenterden langs de terrasjes en gluurden in de etalages. José wilde nog iets voor thuis kopen. Haar oog viel op een hand-beschilderde schaal. De hele weg klaagde ze echter over het gewicht.

Van veraf zagen ze de jeep al staan. Mario en Francesco waren bij de boot. De koks, die aan hun benen te zien voor het eerst in zwembroek waren, maakten de barbecue in orde. Juan zagen ze zo snel niet. Die zat waarschijnlijk al aan de andere kant van de baai te vissen. Op het water was het rustig. Het was duidelijk dat het seizoen voorbij was; de meeste zeilboten lagen vast aan de kant.

Ze zwaaiden naar de jongens, legden hun badlakens op de rotsen en liepen naar de boot. Mario stond in het water. "Geef me die kan eens aan. En als iemand dat luchtbed wil oppompen? Hier is een pomp." Hij gooide het ding op de kant. Nadat het luchtbed opgepompt en de boot in orde was, verzamelden ze zich met zijn allen om de koelbox. Ze aten sandwiches en dronken blikjes vruchtensap. Juan kwam aanlopen en pakte twee blikjes bier.

"Afblijven! Die zijn voor later." Mario grijnsde breed en hield hem een blikje vruchtensap voor zijn neus.

Ze zwommen en waren zo uitgelaten als kleine kinderen op een schoolreisje. Na het zwemmen schudde Sara haar natte haren en ging met José op de rotsen liggen. De jongens gingen varen of vissen.

Dana en Mary waren nog in het water, zaten op het dek of dreven op het luchtbed dat met de boot werd meegesleept. Sara strekte zich behaaglijk uit en genoot van de warmte op haar lichaam. Vanaf het water hoorde ze Dana en Mary lachen. José sliep.

Sara hield het niet lang vol. De zon liep vast op de rotsen en het zweet droop van haar af. Ze pakte haar badlaken en legde het aan de rand van het water. Hier was nog een beetje wind. De boot draaide zijn rondje en Dana dobberde met haar ogen dicht op het luchtbed erachter.

Francesco, die achter het stuur zat, stuurde de boot naar de kant.

"Nu jij Sara." Dana liet zich van het luchtbed vallen en terwijl zij het luchtbed vasthield, klom Sara erbovenop.

Francesco wachtte tot ze lag en gaf een beetje gas. Ze sloot haar ogen. Hij voer rustig en Sara liet zich meevoeren over het water. Francesco voer de baai uit en stuurde de boot even later langs de rotsen. Zwemmend was Sara nooit verder gekomen dan de beslotenheid van de baai, dus nu zag ze pas hoe de nauwe baai overging in de uitgestrektheid van het water en de rotsen die ver voor haar opdoemden. De boot bleef langs de kant van de rotsen varen en Sara was daar dankbaar voor. Het leek haar toch wel eng om verder op een luchtbedje de zee in te gaan. Je wist maar nooit.

Bij een opening in de rotsen minderde de boot vaart. Ze lagen nu zo goed als stil. Francesco zette de motor af en trok het luchtbed naast de boot. "Mooi, mooi," zuchtte hij.

"Het is hier inderdaad mooi." Sara keek naar de bovenkant van de grot. Er was een gladde boog uitgesleten door het water. Ze wachtte tot Francesco de motor weer startte en probeerde, om hem een plezier te doen, te genieten van het moois om haar heen.

Plotseling boog hij zich over de rand van de boot. "Nee, jij bent mooi."

Sara dacht dat ze hem niet goed had verstaan, ze wilde wel weer terug, naar de anderen.

Francesco pakte het touw en trok het luchtbed dichter naar de boot. Even keek Sara hem niet begrijpend aan. Van deze gelegenheid maakte hij gebruik. Geheel onverwacht pakte hij haar ruw bij haar arm en probeerde haar de boot in te trekken.

Het luchtbed schoot weg en Sara hing nu half over de rand. Haar lijf schuurde over het ruwe hout. Ze viel de boot in en meteen trok hij haar boven op zich. Ze krabde hem in zijn gezicht en schopte wild om zich heen.

De boot week naar rechts. Ze rolden met zijn tweeën naar de kant. Francesco moest zich met twee handen vasthouden. Sara probeerde van hem weg te kruipen. Hij herstelde zich echter snel en trok haar terug aan haar enkel, waardoor ze weer languit viel. Ze verging van de pijn, de gedachte aan het ongeboren kind maakte haar razend en onberekenbaar. Ze lagen nu te rollen door de boot. Hij was sterk, maar zij was jonger en sneller. Ze viel over hem heen en de boot schommelde weer alle kanten op.

Sara pakte het eerste wat ze te pakken kon krijgen. Ze haalde uit en sloeg hem met alle kracht die ze in zich had, waar ze hem maar raken kon.

Hij gaf een gil. "Porco, Dio, putana."

Sara kroop naar de andere kant van de boot. Francesco probeerde overeind te komen, maar sloeg dubbel, zijn gezicht verwrongen van pijn en woede. In de haast om weg te komen struikelde Sara en viel met haar gezicht op de punt van een ijzeren jerrycan. Kreunend kwam ze overeind en dook het water in. In een laatste vertwijfelde poging stak Francesco zijn arm uit.

Sara zwom als een bezetene de grot uit. Achter haar hoorde ze hem nog schreeuwen en vloeken. Als ze eerst maar eens de hoek om was, weg bij die engerd. Dan zou ze om hulp kunnen roepen als hij achter haar aan kwam. Buiten adem bereikte ze ten slotte de kant.

De jongens zaten op de rotsen en staarden naar hun hengels zonder haar te zien. José lag nog steeds op dezelfde plek. De rest zag Sara niet. Zo snel ze kon pakte ze haar tas, trok het zomerjurkje over haar natte lijf en maakte dat ze wegkwam, voordat de anderen haar zo zagen.

Onrustig bleef ze de hele weg omkijken, haar hart bonsde en het bloed liep langs haar zij. Door de kleine achterstraatjes liep ze naar het hotel. Daar keek ze eerst of de jeep er al stond. Ze was doodsbang, duwde de zijdeur op een kier en luisterde. Boven hoorde ze de stofzuiger.

Ze kon hier natuurlijk niet blijven, Francesco kon ieder moment hier zijn... Ze beefde over haar hele lijf. Hevige steken in haar zij deden haar wankelen, op haar jurk verscheen een donkere vlek. Haar lip was gescheurd en voelde droog en gezwollen aan.

Ze struikelde de receptie in en pakte met trillende vingers de sleutels van de kluis. Ze trilde zo, dat ze de sleutel niet in het slot kon krijgen. Uiteindelijk lukte het haar en kon ze haar kluisje openen. Ze pakte alles wat er in lag en stopte het in haar tas onder de handdoek. Boven ging de stofzuiger uit. Ze hoorde iemand lopen en een deur dichtslaan.

Snel legde Sara de sleutels terug in de la en verstopte zich onder de balie. Iemand kwam de trap af, liep de hal door en ging de toiletten in. Ze dook nog verder onder de balie. Ze wachtte tot de deur in het slot viel en kwam zachtjes achter de balie vandaan, waarna ze door de achterdeur naar buiten sloop. Het felle licht verblindde haar en schroeide op haar gehavende gezicht.

Aan de achterkant van het hotel dook ze meteen een zijstraatje in. Ze bleef achterom kijken. Hoe had dit kunnen gebeuren. Ze liep en liep en wist niet waarheen.

Ze liep zo snel mogelijk, als vanzelf weg van de kust. Ze nam zo veel mogelijk de smalle straatjes die omhoog liepen. Haar voet werd steeds dikker en haar mond was kurkdroog. Ze liep als verdoofd, steeds verder, ze durfde niet stil te staan. Hier kon hij haar altijd nog vinden.

Deze middag die zo gezellig had moeten worden, werd een nachtmerrie... Was het wel echt gebeurd?

Er reed een auto achter haar. Bij het geluid dook ze weg in een portiek. De auto passeerde en voorzichtig stak ze haar hoofd om de hoek. Gewoon een auto met een paar kinderen achterin. Haar heup begon te steken en het bloed liep nu langs haar benen.

Hoorde ze een stem of werd ze gek? Ze kon niet helder meer denken. "Ga naar Mora... Ga naar Mora." Ze liep nog steeds door, zonder te weten wat ze deed, toen ze het bordje Mora herkende.

Intussen was de pijn ondraaglijk geworden. Ze pakte haar ondergoed uit de tas en scheurde het net zolang tot ze twee repen stof had. Ze knoopte de stof aan elkaar en maakte er een verband van, waarmee ze de wond aan haar zij verbond.

Het laatste beetje water dat nog in een flesje in haar tas zat, kon ze, zo dacht ze, maar beter bewaren. Ze zou het nog hard nodig hebben.

Sara wist niet hoelang ze al onderweg was. Haar voeten brandden en ze was nog niet eens halverwege.

Het enige voertuig dat haar was gepasseerd, was een tractor. Toen ze het geluid van het naderende voertuig hoorde, was ze midden op de weg gaan staan. De man zat lekker hoog, rookte een sigaretje en had haar niet eens gezien. Ze moest zelfs opzij springen. Daarna was er niets meer langs gekomen.

Alles deed nu haar zeer. Ze struikelde over haar eigen voeten, maar haar angst hield haar gaande. Zouden ze haar al zoeken? Zou hij haar zoeken? Misschien was hij wel zo geslepen dat hij haar de schuld zou geven. Na wat er vandaag gebeurd was, achtte ze hem tot alles in staat.

Het verband in haar zij was doorweekt en kleefde aan de wond. Boven haar oog voelde ze een bult en haar schouder, waar de tas aan hing, deed venijnig zeer. Ze strompelde, bang om stil te staan. Net toen ze dacht dat ze ging vallen, zag ze de eerste schamele hutjes. Ze kwamen haar bekend voor.

Bij het eerste hutje viel ze neer. Ze kroop erachter, legde het badlaken op de grond en ging liggen. Ze pakte het flesje, opende het en goot voorzichtig het laatste beetje water naar binnen. Het grootste gedeelte droop ernaast. Desalniettemin verzachtte het de pijn.

Het liefst was ze blijven liggen, maar ze moest oppassen. Niet wegzakken. Ze rustte even uit, trok zich op aan de muur en ging weer verder. Het was nu niet ver meer.

Zouden ze haar wel binnenlaten? Zouden ze haar wel geloven?

Ze durfde niet verder te denken.

"Ga naar Mora," dreunde het in haar hoofd.

Het laatste stuk duurde een eeuwigheid. Voetje voor voetje strompelde ze over de weg, haar linkervoet achter zich aan slepend. Haar zicht werd belemmerd door de vlekken die voor haar ogen dansten. Af en toe stond ze stil en wachtte tot de vlekken verdwenen waren.

Uiteindelijk zag ze het kerkje. Het werd rood, paars en groen. Bliksemflitsen schoten heen en weer. Ze liep nog een paar stappen, haar maag begon te draaien en met twee handen beschermde ze haar buik. Daarna werd het rustig.

Sara werd opgetild en op iets zachts gelegd. Er waren stemmen en ze hoorde het dichtslaan van portieren. Ook het starten van een auto die zich langzaam in beweging zette. Ze probeerde haar ogen te openen, maar de pijn was ondraaglijk. Het hobbelen maakte haar misselijk.

De auto kwam nu tot stilstand. "Voorzichtig! Ze kan wel iets gebroken hebben."

Ze werd naar binnen gedragen en probeerde de stem te herkennen. Was het Heidi? Zou Francesco? Ze hield zich bewusteloos, liet zich de trap opdragen en op bed leggen. Ze voelde een koud kompres op haar oog.

"Bel de dokter, Georgio."

Georgio? En die stem, dat was niet de stem van Heidi. Ze probeerde haar andere oog een beetje te openen. In de hoek brandde een schemerlampje. In het zwakke licht kon ze een vrouw zien zitten, maar Sara kon haar niet onderscheiden.

Toen de vrouw zag dat Sara reageerde stond ze op. Ze boog zich over haar heen en waste voorzichtig haar gezicht. Sara wilde wat zeggen, maar de vrouw gebaarde haar stil te zijn. "Praat maar niet. Hier ben je veilig voor wie je dit heeft aangedaan."

Gedempte stemmen van beneden en voetstappen die de trap op kwamen deden Sara angstig om zich heen kijken.

"Het is de dokter," zei de vrouw geruststellend.

De arts onderzocht Sara's hoofd, haar zij en haar voet. Hij vroeg om een kom schoon water en verzorgde de wond. "Laat ons even alleen, Sofie." Hij sloot de deur, ging naast het bed zitten en pakte Sara's hand. "Ik moet je nog verder onderzoeken." Zijn handen gleden over haar buik. Hij duwde een beetje links en rechts en knikte tevreden. Daarna onderzocht hij haar inwendig. "De wond had niet veel lager moeten zitten." De dokter had een prettige stem. "Morgen kom ik terug. Nu moet je eerst slapen, ik zal je iets lichts geven. Het kan geen kwaad." Hij keek haar vriendelijk aan. "Denk erom, geen enkel excuus rechtvaardigt deze misdaad." Hij liep de deur uit en op de gang hoorde Sara hem zachtjes praten. "Ik kom morgen weer kijken. Houd haar in de gaten, Sofie. Als er iets is bel je me maar. Al is het midden in de nacht."

Sara hoorde de deur dichtslaan en de vrouw de slaapkamer binnenkomen. Ze liet haar water met een rietje drinken, terwijl ze Sara met een hand in haar hals steunde. "Hier, dit moet je innemen. Gaat dat?" Daarna drenkte ze een doekje in een kom water en bette nogmaals Sara's gezwollen gezicht. Voorzichtig schoof ze een nachtpon over Sara's hoofd en stopte haar in zoals alleen een moeder dat kan.

Sara wilde haar bedanken, maar de woorden bleven in haar keel steken.

"Noem me maar Sofie, ik ben de moeder van Michael."

"Moeder van Michael… Maar hoe?"

"Je bent voor de pastorie in elkaar gezakt. Mijn man heeft je daar opgehaald. Ga maar lekker slapen, hier zoekt niemand je. Zal ik het lampje aanlaten?" Ze dimde het licht zodat er slechts een flauw schijnsel overbleef en liet de deur op een kier. "Maak je geen zorgen, mijn man en ik slapen hiernaast."

Sara hoorde de helft al niet meer. Het medicijn had zijn werk gedaan.

Ze liep weer op straat. De enige verlichting was de straatlantaarn op de hoek. Een man liep op haar af. Met stevige passen kwam hij dichterbij. Haar hart bonsde. In het vage licht kon ze alleen zijn contouren onderscheiden.
Nu kwam hij dichterbij en zag ze zijn verwrongen gezicht. Ze wilde weglopen maar stond als aan de grond genageld. Ze gaf een gil…

Het licht ging aan en Sofie en Georgio stonden naast het bed waar Sara in lag. Sofie legde een hand op haar voorhoofd. "Stil maar, je bent veilig. Je had een nachtmerrie."

Sara wist niet zo gauw waar ze was. Het zweet gutste van haar gezicht. Bezorgd bogen Sofie en Georgio zich over haar heen. Sofie pakte haar hand en bleef zitten tot Sara weer gekalmeerd was. "Wil je niet even naar de wc? Kom, laat me je helpen."

Discreet trok Georgio zich terug.

Sofie trok de lakens daarna weer over Sara heen en schudde het kussen op. "Welterusten meisje." Ze gaf haar een kruisje op haar voorhoofd. "Hoe heet je eigenlijk?"

"Sara."

"Ga je het je ouders vertellen?"

Ze zaten op de veranda en genoten van de laatste zonnestralen. De zon verdween en daarmee de streep fel licht die de druivenstokken in mysterieuze schaduwen veranderde.

Sara speelde met het lepeltje in haar koffie. "Ik denk het niet," antwoordde ze. "Ze zullen zeggen dat ik die dingen zelf uitlok."

Sofie keek haar bedenkelijk aan. "Je hoeft je er niet voor te schamen, Sara. Het was jouw schuld niet. Wees niet zo hard voor jezelf. Waarom zou je zo'n man ontzien. Je kunt nog altijd aangifte doen." Sofie stond op en schonk nog een kop koffie in.

Sara keek haar na. Ze was van deze vrouw gaan houden.

Een week was ze nu hier. Sofie had haar verzorgd alsof ze haar eigen dochter was. Ze had haar gewassen en gevoed, maar vooral had ze Sara haar eigenwaarde teruggegeven.

Uren had ze aan Sara's bed doorgebracht. Ze hadden veel gepraat en Sofie had Sara's wens de aanranding niet aan te geven gerespecteerd.

Voor Georgio lag het anders. Hij zou zelf wel eens bij het hotel langsgaan om met deze man af te rekenen. Daar had hij de politie niet voor nodig. Het had Sofie de grootste moeite gekost hem tegen te houden. Uiteindelijk had hij zijn vrouw beloofd er niet heen te gaan voordat Sara goed en wel in het vliegtuig zat op weg naar huis.

"Weet je Sofie," zei Sara. "Het is niet dat ik me ervoor schaam, maar ik wil het graag achter me laten."

Sofie knikte. "Het gaat je vast lukken. Wij hebben geluk gehad dat Michael jou tegenkwam. Nu gaat Michael jou helpen, let maar op. Wist je trouwens dat Michael Georgio had gevraagd bij jou langs te gaan, precies op de dag dat je hier binnen gebracht werd."

Sara keek haar verbaasd aan. "Daar heb je me niets van verteld."

"Michael voelde zich niet goed en dacht dat het iets met jou te maken had. Georgio beloofde hem de volgende dag bij je langs te gaan en 's avonds was je hier. Wonderlijk hè?"

"Misschien voor een ander moeilijk te begrijpen," antwoordde Sara. "Maar vanaf onze eerste ontmoeting was er een herkenning, een bewustwording die alles overschrijdt."

Sofie keek haar ernstig aan. "Ik weet dat ik het je nu niet zou mogen vragen, maar zijn jullie verliefd?"

"Nee Sofie, wij zullen nooit minnaars zijn. We zijn met elkaar verbonden. Sinds ik hem ontmoet heb, voel ik een ongekende innerlijke kracht. Dat klinkt vast erg zweverig." Ze keek naar de vrouw die zelf zo veel had meegemaakt en zag dat haar woorden Sofie aan het denken zetten.

Sofie staarde over de velden. Ze had haar man en haar zoon terug. Wat kon ze meer verlangen? Dit meisje waar ze van was gaan houden zou weer weggaan. Ze hoorde bij haar familie.
Zo was het leven nu eenmaal.

De volgende morgen liepen ze over de velden. Sofie wees Sara de plek waar Michael vroeger vaak zat te schilderen: "Hier zat hij vroeger. Vanaf deze plek heb je een prachtig uitzicht."

De wijngaard was, zoals Sofie vol trots aan Sara vertelde, bekend om zijn Cabernet Sauvignon. Nu de zomer op zijn eind liep en de zon lager stond, kwamen de prachtigste kleuren tevoorschijn. Sara kon zich voorstellen dat je hier uren kon zitten.

Het was de eerste keer dat ze zo'n eind hadden gelopen. Haar wond genas goed en ze kon haar voeten weer in normale schoenen krijgen.

Georgio was 's morgens al vroeg vertrokken. Hij bezocht Michael tweemaal in de week. Sara gaf hem een lange brief mee, Sofie een tas vol met lekkere dingen en een paar boeken waar hij om gevraagd had.

"Kan ik jullie wel een hele dag alleen laten?" vroeg hij. "Als ik terug ben maken we een vuurtje op de veranda en zal ik jullie eens een van mijn lekkerste wijnen laten proeven." Hij toeterde en reed het pad af.

Sofie had een picknickmand gevuld met broodjes en koude kip. Bij de heuvel aangekomen gingen ze zitten met de mand tussen hen in. Sofie spreidde een kleed uit en Sara voelde hoe haar benen trilden en was blij dat ze kon gaan zitten. Ze aten de broodjes en de kip en dronken vruchtensap. Daarna leunde Sofie met gesloten ogen tegen een boom. Sara ging op haar rug liggen en volgde de witte wolken, die als uitgeplozen watten steeds van vorm veranderden. Witte strepen van vliegtuigen doorkruisten elkaar en staken fel af tegen de blauwe lucht. Zo kon ze uren liggen. Toen het frisser werd, pakten ze hun spullen bij elkaar en liepen op hun dooie gemak de heuvel af richting huis.

Uit de keuken kwamen geluiden. "Zijn jullie nu al terug?" Georgio kwam naar buiten met een mand vol brandhout. "Jullie zullen nog even moeten wachten." Hij liep met het hout naar de veranda.

Sofie liep achter hem aan. "Hoe was het met Michael? Zag hij er goed uit?"

Sara liet ze alleen en ruimde in de keuken de picknickmand leeg. Toen ze het terras op kwam, brandde er een knapperig vuurtje. Georgio liep terug het huis in en kwam terug met drie mooie glazen. Daarna opende hij plechtig een fles wijn. Na de glazen half-vol te hebben geschonken gaf hij er ieder een.

"Op het geluk dat ons heeft samengebracht." Hij nipte van de wijn om niet te laten zien dat hij ontroerd was. "Zo, en nu heb ik een verrassing voor jullie." Hij liep naar zijn auto en kwam terug met zijn armen vol pakjes. "Deze zijn voor jou." Hij gaf er een paar aan Sara.

"Is dat allemaal voor mij?" Ze kreeg er een kleur van.

"Volgens Michael moest het passen." Hij grijnsde ondeugend.

Sara wist niet wat ze moest zeggen. Ze keek van Georgio naar Sofie.

"Maak nou open!"

Sara opende voorzichtig het eerste pak en haalde er een kledingstuk uit. Het was een crèmekleurig jurkje met een fijn roze bloemetje. De voorkant werd gesierd door een rij kleine knoopjes van boven tot onder. De achterkant had een klein loshangend ceintuurtje. Sara streek over de lichte, gladde stof. "Wat een mooie jurk, wie heeft die uitgezocht?"

Georgio gaf haar het volgende pakje. "Dit is om het compleet te maken."

Verlegen met zo veel aandacht, maakte Sara het volgende pakje open. De schoentjes met een bandje om de hiel en een elegant hakje, die uit de doos kwamen, waren de mooiste die ze ooit had gezien. Het zachte leer sloot comfortabel om haar voeten.

"Michael had gelijk, ze passen precies," zei Georgio. "Je moet er mooi uitzien als je naar huis gaat. En nu jij." Hij keek zijn vrouw liefdevol aan. "Natuurlijk zijn we jou niet vergeten." Hij gaf haar twee pakjes en keek nieuwsgierig toe hoe zij ze uitpakte.

In het eerste pakje zat een omslagdoek. Zwart met steentjes. De steentjes waren er in de vorm van rozen opgeborduurd. Sophies gezicht straalde. Nadat het tweede pakje, waar een bijpassende tas in zat, was geopend, wilde ze haar man bedanken.

"Dat was van je zoon," zei hij echter, "en dit is van mij." Hij gaf haar een klein pakje dat hij uit zijn binnenzak haalde.
Vol ongeduld wachtte hij tot ze het had opengemaakt. Sofie staarde naar haar handen. Vond ze het niet mooi? Hij probeerde het van haar gezicht af te lezen.

Ze keek op en keek hem met betraande ogen aan. Zichtbaar ontroerd liep ze op hem af en omhelsde hem. Hij drukte haar teder tegen zich aan. Het pakje bevatte een opengewerkt medaillon van antiek zilver. Binnenin zaten twee fotootjes. Een lachende Georgio en een serieus kijkende Michael.

"Zo dat was genoeg sentiment voor vandaag," zei Georgio opgewekt. "Drinken jullie je glas eens leeg." Hij vulde opnieuw hun glazen en zette olijven en gevulde pepers op tafel. Hij vertelde over Michael en de plannen die ze tijdens de lunch besproken hadden. "Die jongen zit vol goede ideeën. We willen meer toeristen deze kant ophalen, maar eerst moet die verdomde weg in orde.

Het is niets dan gaten en kuilen. Wie weet Sara, als je over een paar jaar hier komt, hoe het er dan uitziet. We zien je toch wel terug, hè?"

Ze bleven op de veranda zitten tot het vuur uit was. Daarna gingen ze naar binnen en aten verder voor de haard. Daar ging het gesprek over het onderwerp dat ze steeds uitgesteld hadden. Nu ze weer hersteld was wisten ze het alle drie: Sara moest een datum prikken, een vlucht boeken en afscheid nemen.

De zondag daarop zaten ze in het kleine kerkje in Mora. Het was de eerste keer dat Sara weer terug was in deze kerk. Ze keek naar de pastoor die ze onder zulke vreemde omstandigheden voor het eerst ontmoet had. Deze week had ze hem tweemaal bij hen thuis gezien. Hij informeerde toen hoe het met haar was en zat tot laat in de avond met Georgio op de veranda.

In de kerk zaten ze met zijn drieën naast elkaar. Georgio, Sofie en Sara. Sara keek tersluiks naar Georgio en glimlachte. Ze wist hoe hij over de kerk dacht.

Georgio had Sara's ticket geregeld. Vanaf het moment dat de datum van vertrek vaststond, groeide Sara er langzaam naar toe. In een lange brief aan Annet vroeg ze haar een paar dingen voor haar te regelen. Het werd nu echt tijd dat ze terugging. Ze begon er zelfs naar uit te kijken.

Ze was veranderd. Zelfstandiger geworden en ook rustiger.
Niet meer die rebel, die nerveuze tiener. Deze drie maanden waren goed voor haar geweest. Ze had met Sofie lange gesprekken gevoerd en de wijsheid van deze vrouw was een grote steun voor Sara geworden.

Ze had haar spullen al klaar gezet. Pas, ticket, lippenstift en nieuwe zonnebril zaten in het tasje dat Sofie haar gegeven had. De jurk hing aan de kast en de schoentjes stonden eronder. Het enige vervelende, zo peinsde Sara, was dat ze niets voor Georgio en Sofie had kunnen kopen. Georgio wilde niet dat ze naar de stad ging en in Mora was niets bijzonders te koop.

Sara keek op. De pastoor gaf de zegen, waarna het handjevol mensen de kerk uit liep en op het pleintje bleef staan om nog wat na te praten. Georgio stond al bij een groep mannen. Sara hoorde ze lachen. De vrouwen wierpen heimelijke blikken op haar.

Sofie stelde haar aan enkelen van hen voor, terwijl ze luchtig sprak en de blikken negeerde. Na een tijdje ging iedereen een kant op.

Georgio kwam naar hen toe en pakte Sofie en Sara elk bij een arm. "Zo, ik lust wel wat." Ze waren als afscheid uitgenodigd voor een lunch op de pastorie. In de tuin was feestelijk gedekt. De najaarszon zette de tuin in een vriendelijk licht. De huishoudster liep driftig heen en weer.

Georgio liep met zijn twee vrouwen de tuin door. "De eerste gast is al gearriveerd," zei hij.

"Ik dacht dat wij alleen geïnviteerd waren," merkte Sofie op.

"Dat maakt toch niet uit, een paar gasten meer of minder."

De gast stond op en liep op hen af.

"Michael!" Het was eruit voor Sara er erg in had. Ze rende op hem af en omhelsde hem als een broer die terugkwam uit de tropen. Lachend maakte hij zich los uit die omhelzing en liep naar zijn moeder. Hij gaf haar een kus en trok haar naast zich op een stoel. Sofie straalde.

De lunch was heerlijk, de wijn goed en het gezelschap fantastisch.

"Smaakt het Sara?" Ze nam net de laatste hap van haar dessert toen de pastoor haar nog een glas wijn inschonk.

"Goed om te zien wat een eetlust je hebt."

Sara bloosde. Ze wist niet dat het zo duidelijk was dat ze het allemaal zo lekker vond. "Ik had niet gedacht dat ik nog eens op een pastorie uitgenodigd zou worden. En het nog leuk zou vinden ook," voegde ze eraan toe.

"Dat maakt twee van ons," grapte Georgio.

De mannen rookten een sigaar en dronken koffie met cognac. Sofie leunde achterover in haar stoel met haar gezicht naar de zon. Michael en Sara maakten van de gelegenheid gebruik om door de tuin te wandelen.

"Je ziet er goed uit," zei Sara. "De rust doet je goed."

"Ik zou wel wat meer willen doen, maar die vader van mij is hardnekkig. Zolang het onderzoek nog niet is afgerond, moet ik achter de schermen blijven." Ze liepen hand in hand verder. "Gelukkig bezoekt hij mij tweemaal in de week. De laatste tijd alleen. Mijn moeder wilde bij jou zijn." Hij sloeg zijn arm om haar heen. "Ze zijn van je gaan houden, Sara."

"Ik ook van hen. Je ouders zijn fantastische mensen. Ze hebben voor me gezorgd alsof ik hun eigen dochter was. Ik zal ze missen."

"Zal je mij ook missen?" vroeg hij zacht.

"Jou hoef ik niet te missen, ik heb je gehoord, overal waar ik was. Je was bij me toen ik werd aangerand. Jij gaf me de kracht om weg te komen, en de moed om te vergeven."

Michael keek haar van opzij aan. "Je hebt gelijk. Ik wist dat er iets mis was en vroeg Georgio naar je toe te gaan. Weet je al wat je gaat doen als je thuis bent?"

Sara knikte. "Maak je niet ongerust, ik ben nu een volwassen vrouw."

"Dat zie ik," zei Michael, terwijl hij zijn blikken over haar figuur liet gaan. "Je bent nog mooier geworden, wist je dat." Hij sloeg zijn arm om haar heen. Langzaam slenterden ze terug naar de anderen.

De pastoor riep Sara vanuit de deuropening. Sara liep naar hem toe en daar gaf hij haar een klein boekje. Ze pakte het aan en bladerde erin. Voorin had hij zijn naam geschreven en de datum. "Het is een gedichtenbundel, er staan een paar mooie gedichtjes in. Ik heb ze aangekruist."

Het boekje was in leer gebonden en de randjes waren goudkleurig. Sara wist niet wat ze moest zeggen. "Wat mooi, dank U wel." Ze aarzelde en gaf hem een hand.

Hij moest lachen. Je zoent een pastoor nu eenmaal niet.

Met zijn vieren reden ze naar huis. Sofie trok Georgio mee naar binnen. Sara en Michael bleven buiten staan. Ze stonden met hun armen om elkaar heen.

"Ik weet niet wat ik moet zeggen, Sara." Hij trok haar dichter tegen zich aan.

"Ik kom terug," beloofde ze.

Ze bleven elkaar vasthouden tot Georgio naar buiten kwam met een tas die hij, zonder acht op hen te slaan, naar de auto bracht. Michael ging naar binnen om zijn moeder gedag te zeggen. Georgio startte de auto en Sara zwaaide hen na tot de auto uit het zicht was. Ze liep naar de veranda en ging naast Sofie op een ligstoel liggen.

Ze droomde dat ze op straat liep. Een smalle donkere straat met aan het eind een schamele straatverlichting. Er kwam een man van de andere kant. Hij liep met stevige passen recht op haar af. Nu was hij vlak bij haar, hij kon haar bijna aanraken. Ze dacht dat haar benen het zouden begeven maar... Vreemd... ze kon gewoon doorlopen. Ze passeerden elkaar; hij knikte vriendelijk en nam zijn hoed af.

Ze werd wakker van de kou. De zon was achter de wolken verdwenen en er kwam een frisse wind opzetten.

Sofie sliep nog. Sara haalde een plaid van de bank en dekte haar er mee toe. Ze voelde zich nu een beetje nerveus worden. Het was goed geweest om afstand van thuis te nemen. Deze drie maanden leken wel een jaar. Er was zo veel gebeurd; leuke dingen, mooie dingen, maar ook nare. Sara kon het alleen maar als positief ervaren. Als het ene niet gebeurd was, was het andere niet gekomen. Alles leek met elkaar verbonden. Goed en kwaad, vreugde en verdriet.

Zelfs voor haar droom was ze niet meer bang. Er was geen man meer die haar angst aanjoeg, klaar om toe te springen. Hij was nu aardig, had zelfs zijn hoed voor haar afgenomen. Ze had het gevoel dat die droom haar iets vertelde over haar zelf.

De volgende morgen had Sara zich met zorg gekleed. Het mooie jurkje, de schoentjes en de bruine kleur van de laatste zonnestralen stonden haar goed. Ze streek met haar hand over de soepel vallende stof, bekeek zichzelf in de spiegel en was tevreden. De jurk stond mooi en getuigde van een goede smaak. Ze streek door haar haren, pakte haar tas, zette de zonnebril op en ging voor de zoveelste keer met de lipgloss over haar lippen.

Sofie en Georgio brachten haar naar het vliegveld. Op het vliegveld omhelsde ze Sofie.

"Bedankt voor alles," zei Sara en omhelsde haar opnieuw.

"Laat gauw wat van je horen, Sara." Sofie trok haar dichter naar zich toe. "Pas goed op jezelf."

Sara liep naar Georgio en gaf hem een zoen.

Hij trok haar naar zich toe en sloeg een arm om haar heen. Hij omhelsde haar hartelijk.

Sara zag dat hij moeite had zich groot te houden. Ook bij haar prikten de tranen in haar ogen. Snel ging ze door de douane en keek nog een keer om. Georgio stond met zijn arm om Sofie heen. Voor ze instapte keek ze nog een keer om. Ze stonden nog net zo.

18

Het vliegtuig zette de landing in. Sara maakte haar riem vast en vouwde haar handen onder haar buik, alsof ze die voor een te harde landing moest beschermen. Het toestel dook door de wolken, waarna de stad eronder zichtbaar werd.

Ze bleef zitten tot iedereen uitgestapt was en verliet als laatste het vliegtuig. De passagiers verzamelden zich bij de lopende band. Sommigen drukten hun neus tegen het glas of zwaaiden naar familieleden. Sara had geen bagage, maar bleef tussen de mensen staan. De deur ging open en over en weer hoorde je enthousiaste uitroepen. Karren vol bagage werden naar buiten gereden. Geleidelijk werd het rustig. De deuren sloten zich en de band stond stil. Op dit moment had Sara gewacht.

De meeste mensen waren nu weg. Zoekend, het vreemde gevoel in haar buik negerend, keek ze om zich heen, het geluid van haar hakjes echode door de lege hal.

Bij de uitgang stond Annet. Ze zagen elkaar tegelijkertijd. Annet liep op Sara af en omhelsde haar hartelijk. Sara had moeite haar teleurstelling te verbergen dat er niet meer mensen waren gekomen om haar op te halen.

"Heb je m'n brief niet gekregen?" vroeg Sara ongerust.

Annet stak haar arm door die van Sara en loodste haar mee naar de gereedstaande auto. In de auto leunde Sara met haar hoofd tegen de leuning. Annet keek haar van opzij aan. "Je ziet er goed uit."

Tijdens de rit zei Sara niet veel. Er spookten allerlei gedachtes door haar hoofd. Nadat ze de snelweg hadden verlaten, reden ze de stad in. De straten, de gebouwen, ze keek om zich heen of ze het voor het eerst zag. Het was een vreemde en tegelijkertijd vertrouwde gewaarwording.

Annet stopte voor een pand in de hoofdstraat.

"Waar gaan we heen?" vroeg Sara verbaasd. Ze keek en las de letters op de gevel. "Je hebt een nieuwe zaak, is dat het? Wat mooi, waarom heb je me dat niet verteld?"

"Vind je het mooi?" vroeg Annet verheugd. "We zullen er tenslotte boven moeten wonen, dus ik ben blij dat het je bevalt."

"We?"

"Kijk niet zo verbaasd, Sara. Je had me toch gevraagd naar woonruimte uit te kijken. Wil je het nog zien of blijf je in die auto?"

Snel stapte Sara uit en wilde de winkel ingaan. Annet hield haar tegen.

"Jij gaat naar boven." Ze opende de voordeur naast de winkel.

"Maar ik wil ook je zaak zien," protesteerde Sara.

"Je zult naar boven moeten Sara, er zit iemand op je te wachten." Sara kreeg een kleur.

Annet opende de deur, gaf haar een zetje en glimlachte bemoedigend. Langzaam liep Sara de trap op. De baby drukte tegen haar zij. "Ja, rustig maar," mompelde Sara, terwijl ze over haar buik wreef. "We gaan jou eens aan een heel belangrijke man in je leven voorstellen." Ze stond boven aan de trap en liep naar de enige openstaande deur.

Frans stond voor het raam. Toen hij Sara hoorde, draaide hij zich om. Er ging een schok door haar heen. Zonder iets te zeggen liep ze op hem af.

Zijn blik vloog over haar gezicht via haar borsten naar haar buik. Verder niets. Geen aanstalten in haar richting, geen kus, zelfs geen slappe hand. Het maakt niet uit, dacht ze met een lichte ergernis.

"Hoe gaat het?" vroeg hij uiteindelijk.

"Goed." Haar benen trilden. Ze dook in de dichtstbijzijnde stoel.

Ongemakkelijk nam hij plaats op het puntje van de bank. Zwijgend draaide hij aan het bandje van zijn horloge.

Sara keek naar de man tegenover haar, al die tijd sneed zijn afwezigheid als een mes door haar ziel. Ze hoefde hem niets te zeggen. Ze had zijn blikken gezien. Toch wilde ze dat hij het uit haar mond zou horen. "Ik moet met je praten. Ik krijg een kind," ze zweeg. Er volgde een pijnlijke stilte. De geluiden vanaf de straat drongen de huiskamer binnen.

"En nu?" Hij sloeg zijn ene been over het andere en legde zijn arm nonchalant over de leuning.

"Niets. Ik wilde dat je het zou weten. Daar heb je recht op. Het is jouw kind en ieder kind heeft het recht te weten wie zijn ouders zijn."

Hij ging weer verzitten. "Dus ik moet de vader zijn?"

Ze voelde het bloed uit haar gezicht wegtrekken. "Ja. Als je het zo wil formuleren. De verwekker. Een vader is nog iets heel anders."

"Dit is niet wat ik wil," mompelde hij. "Ik ben hier nog niet aan toe."

Ze keek hoe hij daar aan zijn horlogebandje zat te frunniken, zijn ogen neergeslagen. Ze zocht naar iets wat er niet was. Misschien was het er nooit geweest, bestond het alleen in haar verbeelding.

"Wat ga jij nu doen?" vroeg hij, alsof ze het over een nieuwe baan hadden.

"Wat iedere moeder in mijn plaats zou doen." Ze stond op en hield de deur voor hem open. "Rot op." Toen hij zich niet verroerde, zei ze het nog een keer, maar nu met iets meer stemverheffing. "Rot op. Nu!" Haar stem sloeg over. Ze hield nog steeds de deur open.

Hij stond langzaam op en bij de trap draaide hij zich om, een ogenblik kruisten hun blikken elkaar. Toen vluchtte hij weg.

Ze keek hem na. Niets was simpel, ook geluk niet. Maar zij had het voor elkaar gekregen; eindelijk was er ruimte voor een nieuw begin. Ze was niet langer de gevangene van haar eigen gevoelens. De mist trok op en ze zag dat de muur die ze om zich heen gebouwd had, was omgevallen. Daarachter lag haar vrijheid. Ze kon het leven naar haar hand zetten. Je krijgt niet altijd wat je wilt. Soms win je en soms verlies je. En je hoeft niet altijd te verliezen om te winnen.

Zo licht als een veertje liep ze de trap af en opende de deur van de winkel beneden. "Wat een mooie zaak."

Annet keek verbaasd op. "Ben je alleen?"

"Ik heb hem weggestuurd."

"Wacht even. Jij… hebt hem weggestuurd?" vroeg ze langzaam. "Jij weet ook niet wat je wilt."

"Ik weet het wel, maar hij niet."

Meteen na het eten stapte Sara op de bus en liep door de donkere steeg naar de achterkant van het huis. Tot haar opluchting waren de achtergordijnen gesloten. Nu stond ze tenminste niet meteen in het volle licht. De keukendeur was open.

"Mam? Pap?"

Geen antwoord. Met kloppend hart liep ze door naar de kamer en bleef in de deuropening staan.

Mam was de eerste die zich omdraaide. "Sara." Ze glimlachte. Haar gezicht straalde en haar stem klonk warm en oprecht. Ze stak spontaan haar handen uit en trok Sara naar zich toe. "Wat ben ik blij."

Heel even voelde Sara zich het kind dat niet kon slapen omdat mama boos was en ze bedelde om een kus.

Haar moeder veegde een traan van Sara's gezicht. Toen ze Sara eindelijk met moeite losliet liep deze naar de andere kant van de kamer.

"Pap?" Hij bekeek Sara van een afstand. Daarna kwam hij dichterbij en sloeg schuchter een arm om haar heen. "Het spijt me zo." Zijn stem brak.

Ze gingen op de bank zitten. Voorheen deed ze in hun bijzijn haar mond niet open. Nu praatte ze honderduit. Er was zo veel te vertellen, zo veel te vergeven.

Pap schonk iets te drinken in. "Je hoeft niets uit te leggen. We hebben met Annet gepraat," zei hij. "We begrijpen nu hoe belangrijk het voor je was om op eigen benen te staan." Er was geen spoor van verwijt in zijn stem.

"Ze heeft ons verteld waar je was, over je werk en hoe het met je ging."

"Dat dacht ik al." Sara wilde nu wel weer naar huis, voor vandaag was het zo wel genoeg.

Toen ze thuiskwam was Annet al naar bed. Er lag een briefje op de tafel.

Hoop dat alles goed gegaan is.
Zie je morgen.
Annet

Niet veel later gleed Sara geruisloos onder de lakens en strekte ze zich uit. Buiten was het donker. De maan scheen door de kale takken van de bomen en de wind gierde door de straat. De herfst kondigde zich op zijn eigengereide manier aan. Binnen echter was het vredig. Ze trok de dekens omhoog en viel in een diepe slaap.

De volgende morgen wreef ze zich in de ogen. Vanuit de keuken klonken geluiden en drong de geur van koffie in haar neus. Snel stapte ze uit bed, plensde water in haar gezicht en trok de ochtendjas aan die over de stoel hing.

"Het ruikt hier heerlijk naar vers gebakken brood."

"Wil je? Ze zijn nog warm." Annet goot kokend water in de theepot. "Koffie of thee?"

"Thee graag. Ik heb vast geslapen. Veel te lang. Rammel me maar gewoon wakker als het weer gebeurt, hoor."

"Zal ik doen." Annet wachtte tot Sara haar eerste slok thee genomen had. "Hoe ging het bij je ouders, of wil je er liever niet over praten?"

"Ze vertelden dat ze met jou gesproken hadden."

"Ik moest wel, Sara. Je was opeens van de aardbodem verdwenen. Vind je het erg?"

"Nee… Helemaal niet. Het maakt een boel duidelijk. Het enige wat ik me afvraag is, hoe kwam je aan hun adres?"

"Weet je nog die eerste keer dat je bij me kwam?"

Sara voelde zich warm worden. Of ze het nog wist.

"Je gaf me je naam en telefoonnummer. Natuurlijk waren je ouders blij. Ze dachten dat ik namens jou kwam. Niet lang daarna kwam je brief en vielen bij mij alle puzzelstukken in elkaar."

Een angstig moment vroeg Sara zich af of Annet hun de brief had laten lezen. "Je hebt hun toch niet die brief…?"

"Nee, natuurlijk niet," Annet reageerde verontwaardigd.

Sara keek naar Annet en bedacht hoe raar het leven kon lopen. Vijf maanden geleden waren ze volslagen vreemden voor elkaar en nu zaten ze hier samen te ontbijten en waren er tussen hen geen geheimen.

"Annet?" Het klonk meer als een gefluister. "Dank je. Voor alles wat je voor me hebt gedaan. Ik denk dat ik me maar eens ga aankleden," voegde ze er fier aan toe.

De dagen gleden voorbij. Ronddwarrelende bruine bladeren en storm die om het huis gierde, herinnerden aan een voorbije zomer en luidden een nieuw tijdperk in.

Op Sara's verjaardag nam iedereen koffie met gebak. Ze waren er allemaal. De meeste cadeautjes die ze kreeg waren voor de baby. Van groen tot oranje. Niemand durfde zich aan blauw of roze te wagen. De grootste grap was een bruine aap, die Bas op de kermis had gewonnen. Er werd wel gespeculeerd of het een jongetje of een meisje zou zijn. Verder niets. Niet op wie het zou lijken, dat onderwerp werd vermeden.

"Mis je ze niet?" vroeg Annet nadat de laatste vertrokken waren. Ze zat met haar knieën opgetrokken op de bank. Buiten was het koud, maar binnen brandden de kaarsjes en was het warm.

"Eerst wel, vond ik het maar eng. Ik was nog nooit een dag alleen in huis geweest, dat gebeurde gewoon niet in een groot gezin. Nu zou ik niet anders meer willen."

Annet knikte. "Je bent veranderd. Toen ik je voor het eerst zag was je een hoopje ellende en moet je nu eens zien."

De volgende ochtend werd Sara wakker van stemmem op straat en portieren die buiten dichtgegooid werden. Tot haar schrik zag ze dat het al half tien was. Snel kleedde ze zich aan. Annet bleek beneden te zijn; de lichten brandden al.

"Ik dacht dat je me zou roepen," zei Sara die wachtte tot Annet de telefoon neerlegde.

"Morgen. Ik dacht dat je het wel nodig zou hebben. Koffie?"

De rest van de ochtend werd in beslag genomen door klanten. Geprikkeld door Sara's enthousiasme zochten ze samen de reis uit die het beste bij hen paste. De vreugde op de gezichten van de klanten wanneer ze eruit waren en hun reis geboekt hadden, gaf Sara iedere keer weer voldoening. Met een kleine pauze tussen de middag werkte ze onvermoeibaar tot zes uur door.

"Het was een goede zet geweest om naar de binnenstad te verhuizen. Het klantenaantal groeit met de dag. Nog even en dan moeten we er iemand bij hebben." Annet begon erover, na het eten.

"Je doet het toch niet voor mij?" vroeg Sara geschrokken. "Ik voel me prima en het werk is niet zwaar."

"Misschien moeten we ergens anders een filiaal erbij nemen? Speciaal voor jongerenreizen. Met jou als bedrijfsleidster. We kunnen naamsbekendheid krijgen door uit te breiden," fantaseerde Annet verder.

De angst kroop onder haar huid. Zou Annet genoeg van haar hebben? Het was waar. Haar buik groeide, het ging nu opeens hard. Het kind bewoog de hele dag. De buik stak naar voren en maakte af en toe een golvende beweging. Toch voelde ze zich beter dan ooit. Zelfverzekerd en bruisend van energie. Haar huid glansde, zelfs het haar waar nooit iets mee te beginnen was, viel soepel.

Maar straks? Hoe zou het zijn als de baby de hele nacht huilde en ze zes keer per dag moest voeden? Dacht Annet alvast vooruit?

"Ik sta bij je in het krijt, Annet," zei Sara vertwijfeld, "maar dat is niet de enige reden. Je kunt altijd op me rekenen."

Daarna kwam het onderwerp niet meer ter sprake. Annet ging af en toe weer een dag weg en kwam terug als de zaak al gesloten was. Sara was haar daar dankbaar voor. Het betekende dat ze haar vertrouwde.

Het werk beviel haar steeds beter. Er waren zelfs klanten die speciaal naar haar vroegen. Annet had daar geen moeite mee, die was blij als ze rustig aan haar bureau kon werken.

Sara zette net de laatste reisbrochure terug in het rek toen de telefoon ging.

"Goedemorgen, Reisbureau Annet."

"Goedemorgen. Is Sara aanwezig?" Sara's hart sloeg over, ze herkende de stem.

"Een ogenblikje." Met trillende vingers legde ze de hoorn naast de haak, schoof haar stoel naar achteren en liep naar de deur. Twee keer deed ze hem open en dicht. Tweemaal ging de winkelbel. Daarna haalde ze diep adem en pakte de telefoon weer op. "Met Sara."

Annet keek verbaasd op vanachter haar bureau.

"Sara…?" Even was het stil aan de andere kant. "Wil je met me trouwen?"

Ze kon hem horen ademen. Ze zat met de hoorn in haar hand, volkomen overdonderd. "Trouwen?" Het klonk als een gepiep. "Waar zit je?"

"Thuis. Ik kan naar je toe komen. Ik houd van je. Geloof me."

Ze onderbrak zijn geratel. "Ik bel je zo terug. Er komt een klant." De zoemtoon klonk en de hoorn gleed uit haar hand. Versuft keek ze voor zich uit. Annet, die inmiddels naasthaar was komen te staan, pakte de hoorn en legde hem weer terug op de haak. Sara was zich van niets bewust, had geen idee hoe veel tijd er verliep voor ze haar ogen opsloeg.

"Ik heb frisse lucht nodig. Kun je me even missen?"

"Blijf niet te lang weg Sara. Geluk is als een rijdende trein. Op het juiste moment spring je erin, anders rijdt hij voorbij. Ga er achteraan, Sara. Je bent niet van steen."

"Als je van iemand houdt, laat je hem los. Komt hij terug dan is hij de jouwe, zo niet, dan is hij dat nooit geweest." Het was een citaat dat Sara in de wachtkamer bij de dokter gelezen had. Ze wist niet wie het ooit gezegd of geschreven had, maar de zin was haar altijd bijgebleven.

Ze zat in het park. Hetzelfde park waar ze had gezeten nadat de dokter haar had verteld dat ze zwanger was. Ze kreeg kippenvel en voelde hoe de kou haar stuitje verlamde en langs haar rug omhoog kroop. De bomen zaten onder de rijp, de wereld was wit en de grond onder haar voeten knerpte. Op de gracht lag een dun laagje ijs. Ze dacht na over de afgelopen tijd en over wat Annet had gezegd. Had Sara hier niet stiekem op gehoopt?

Toen ze terugkwam, nam ze met vaste hand de hoorn van de haak en draaide het haar zo bekende nummer.

Epiloog

Het was 26 januari. De winter was streng, net als de winters ervoor. Wat was het allemaal snel gegaan, dacht Sara. Frans' terugkeer, het berouw, de vreugde en de tranen.

Ze herinnerde zich de bruiloft. Zij, in een wit jurkje met een roze boeketje, haar buik trots vooruit. Hij, in een donker pak.

De maanden daarna. Frans, die bij Sara introk en iedere dag van 's morgens vroeg tot 's avonds laat in de bouw werkte. De weekends samen, zoals vanouds. Het meisje dat ze op aanraden van Annet had aangenomen en ingewerkt.

En de dag dat Frans haar zomaar van haar werk had opgehaald. Onverwacht, op een doordeweekse dag. "Ga maar," had Annet samenzweerderig gezegd. "Ik red het hier wel." Frans nam haar mee naar Leiden en toonde haar het nieuwe filiaal. De tranen van vreugde door de tekst GESPECIALISEERD IN JONGERENREIZEN op het raam. Al die tijd had Frans gewerkt aan het nieuwe pand en het woonhuis erachter met de babykamer, terwijl Sara had gedacht dat hij aan het overwerken was.

Waarom moest ze daar juist nu aan denken? In deze kamer die rook naar zweet en desinfecterende middelen, terwijl ze lag te bevallen.

Weer een wee, een scheut van pijn trok door haar heen. Frans draaide zich bezorgd naar de deur. De weeën volgden elkaar nu snel op. Hij boog zich over haar heen. "Waar blijft dat mens toch?"

Sara kronkelde in het bed en was zich niet meer bewust van haar omgeving. Een zachte hand masseerde haar buik. Een stem zei: "Persen maar."

Haar laatste, langgerekte kreet ging over in het gehuil van de baby. Uitgeput zakte Sara terug in de kussens.

Niet lang daarna hield de vroedvrouw het rood spartelende kind omhoog. "Gefeliciteerd, een gezonde dochter."

De jonge vader glimlachte door zijn tranen heen.

Dankwoord

Mijn dank gaat in de eerste plaats uit naar Helene, Linda en Ton. Helene omdat ik haar beschouw als familie en haar oprechte belangstelling. Linda omdat ik haar een van de spontaanste vrouwen vind die ik ken en vanwege haar journalistieke achtergrond. Ton omdat hij niet alleen een goede vriend is, maar me eerlijk en zonder omhaal zou adviseren een gaatje in het manuscript te prikken en het op de wc te hangen. Alle drie hebben zij de eerste versie doorgeworsteld en mij ieder op hun eigen, specifieke wijze gestimuleerd en van repliek gediend.

Verder natuurlijk Olga voor alle avonden dat ze over de tekst gebogen zat en Hans en Baptiste voor hun professionele aanwijzingen. Niet te vergeten Roos, die mij een rustige plek gaf om te schrijven toen onze wijk een oorverdovende bouwput was.

Heel blij ben ik met het redigeerwerk van Eveline van Uitgeverij De Doelenpers, die altijd voor mij klaar stond tijdens de afspraakjes die ik op ieder moment van de dag plotseling verzon. Nooit gaf ze me het gevoel dat ik stoorde. Tevens bedank ik Jaap van Drukkerij Ter Burg voor zijn tijd en geduld. En Rob Komala voor het prachtige omslag.

Verder iedereen die mij geholpen heeft met het lezen van stukjes op de momenten dat ik het niet meer zag zitten. Ook mijn schrijfdocenten en medecursisten, te veel om bij naam te noemen, waren een bron van inspiratie.

Dan last but not least mijn kinderen Natasha en Marko, die door hun ongeduld en nieuwsgierigheid een koppig verlangen in mij wakker schudde om er iets van te maken. En mijn man Hein die er een rotsvast vertrouwen in heeft dat het in me zit. En wat erin zit, komt er ook uit.